ИГОРЬ
ГУБЕРМАН

ИГОРЬ ГУБЕРМАН

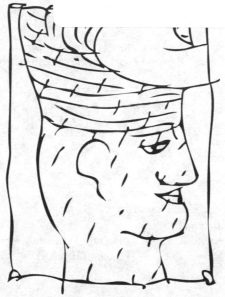

ВЕЧЕРНИЙ ЗВОН

ЭКСМО

МОСКВА
2014

УДК 82-3
ББК 84(2Рос-Рус)6-7
Г 93

Оформление серии *С. Власова*

Иллюстрация на переплете *К. Победина*

Фотография Игоря Губермана
на 4-й сторонке переплета *Д. Хубецовой*

Губерман И.

Г 93   Вечерний звон / Игорь Губерман. — М. : Эксмо, 2014. — 544 с. — (Проза и Гарики).

ISBN 978-5-699-69844-8

Игорь Губерман пишет, как живет — в режиме быстрой смены впечатлений. Поэтому тут и проза, и стихи, и публицистические очерки, и юморески. О чем эта книга? О Жириновском (этом Акакии Акакиевиче русской демократии), о Михаиле Чехове и литературных неграх из Тарусы, о евреях и гомосексуалистах, «захвативших власть на планете», о самиздате и даже о Владимире Ульянове-Ленине...

Нет такого предмета, человека или явления, которого Губерман не коснулся бы в своих записках и который бы не преобразился под его пристальным взглядом сатирика и лирика.

УДК 82-3
ББК 84(2Рос-Рус)6-7

ISBN 978-5-699-69844-8

ВСЕМ,
КОГО ЛЮБЛЮ
И ПОМНЮ, —
С БЛАГОДАРНОСТЬЮ

Предисловие

У меня есть два одинаково заманчивых варианта начала, и я мучительно колеблюсь, какой из них предпочесть. Первый из них наверняка одобрил бы Чехов:

Проезжая по России, мне попала в рот вульгарная инфекция.

Вариант второй попахивает детективом и имеет аромат интриги:

Уже семь дней во рту у меня не было ни капли.

Так как начало это — чисто дневниковое, а я как раз собрался имитировать дневник, то я и выбрал вариант второй. Ничуть не отвергая первый. Итак.

Уже семь дней во рту у меня не было ни капли. Речь идет об алкоголе, разумеется, с водой у меня было все в порядке. Но выпивка была строжайше мне запрещена, я принимал антибиотики и от надежды, что они помогут, стойко переносил мучения целодневной трезвости. Дело в том, что, проезжая по России, мне попала в рот вульгарная инфекция. В городе Ижевске я почувствовал первую, еще терпимую боль во рту и попытался по привычке отпугнуть ее куриным бульоном. Это ведь средство универсально целебное, еврей рифмуется с курицей ничуть не хуже, чем со скрипкой.

Но не помогло. В Перми боль стала невыносимой. Все ткани рта пылали этой болью, ночью я не спал ни минуты, хотя съел горсть каких-то болеутоляющих таблеток, погрузивших меня в полуобморочную отключку. Утром отыскался некий специальный врач, состоявший при опере, — я даже не знал, что существуют такие узкие специалисты. Он-то мне и сообщил, что это некая вульгарная инфекция, с которой надо бороться долго и вдумчиво, а голосовые связки он поддержит мне какой-то травяной блокадой, и выступать я вечером смогу. И голос у меня действительно возник, а про выражение лица я два часа старался просто не думать. Думал я про Муция Сцеволу и про несравненную выгоду своей ситуации — и гонорар я получал, и еще мог на исцеление надеяться.

В Москве я сразу разыскал большую стоматологическую клинику. Кто-то вбухал много денег в роскошное новешенькое оборудование; на туфли пациента надевался пластиковый пакет, секретарши работали на компьютерах и улыбались, вас увидев. Первое посещение стоило довольно дорого, поэтому там было пусто. Усадив меня в удобнейшее кресло и слегка немедля опрокинув, чтобы сам не вылез, три стосковавшихся врача окружили его, глядя мне в рот, как золотоискатели — в промывочный лоток.

— Пять передних нижних надо вырвать сразу, — с нежностью сказала моложавая блондинка сильно средних лет.

— Мы вам вживим в десну полоску стали, — пояснила с той же нежностью блондинка помоложе, — а на нее навинтим новенькие зубики.

— А я бы перед тем, как вырвать, ультразвуком их почистила, — мечтательно сказала первая. Но засмеяться я не мог. Блондинка помоложе улыбнулась. И коллегиально, и конфузливо.

— Сперва надо разрезать очаг воспаления, — сказал худой мужчина в толстом свитере, бестактно оборвав мечты и звуки. — Идемте в мой кабинет.

Неловко уползая с комфортабельного полуложа, я благодарственно и виновато улыбнулся двум разочарованным коллегам. Моложавая и помоложе смотрели мне вслед, не оставляя надежды. Как две лисы — на упорхнувшую птичку.

Я уселся в кресло, стараясь не смотреть в сторону шкафчика с аккуратно разложенными пыточными инструментами. Хирург неторопливо надевал халат. Бедняга, он уже уверен был, что я не ускользну.

— Доктор, — произнес я вкрадчиво и проникновенно, — я себя пока что резать не дам. Попробуйте антибиотики. А если не помогут, то я завтра к вам приду и сдамся.

— Но завтра я не работаю, — растерянно возразил молодой энтузиаст. Меня восхитила его римская прямота, но улыбаться было очень больно.

— Потерплю до послезавтра, — согласился я. — Какие-нибудь дайте мне антибиотики покруче.

Температура накануне у меня была — тридцать девять. А уже назавтра — тридцать восемь. И таблетки, утоляющие боль, немедля стали помогать. Я знал, что страх перед хирургическими инструментами весьма целебен моей трусливой натуре, но что настолько — не предполагал. Через неделю все прошло. Осталась только легкая неловкость перед юным эскулапом, понапрасну меня ждавшим с острым скальпелем в руках, и восхитительная жажда выпить.

После такого перерыва нету ничего прекраснее холодной водки, а плоть соленого груздя повергла меня в острое блаженство. Я аж засмеялся от нахлынувшего чувства возвращенной жизни. И немедля вспомнил чью-то замечательную мысль о том, что если человек действительно хочет жить, то медицина тут бессильна. Снова мог я выпивать и путешествовать.

Кем я хочу стать, когда вырасту, я осознал довольно поздно — шел уже к концу седьмой десяток лет. Но все совпало: я всю жизнь хотел, как оказалось, быть старым бездельником и получать пособие на пропитание, не ударяя палец о палец. У старости, однако, выявилась грустная особенность: семь раз отмерив, резать уже не хочется. Поэтому за книгу принимался я не раз, однако же, прикинув главы, остывал и все забрасывал. Правильно сказал когда-то неизвестный древний грек: старость — это убыль одушевленности. Остатков, что питали мой кураж, на книгу ощутимо не хватало. Пока судьба не подарила мне запевку столь достойную, что больше я увиливать не мог. Раз ты уж начал, — как шепнула мне в далекой юности одна подруга. (Дивная была светловолосая девчушка. В молодости ведь евреи любят блондинок, ибо еще надеются слиться с русским народом.) И я сел писать воспоминания.

Две тысячи четвертый год был юбилейным у меня. Точнее, трижды юбилейным. Двадцать пять лет, как посадили, двадцать — как выпустили, и пятнадцать лет на сцене. И отменный получил я в этот год подарок.

Я давно уже прознал, что некая в Одессе существует фраза, даже знал, к кому бывали те слова обращены, и теплил тайную мечту, что я когда-нибудь услышу это сам. И точно в юбилей сбылась моя мечта. Я шел по Дерибасовской, и возле парка, где стоят художники, меня чуть обогнал некрупный лысый человек лет сорока. Он оглянулся на меня, помедлил бег и вежливо спросил:

— Я извиняюсь, вы Губерман или просто гуляете?

Как я был счастлив! И теперь рассказываю это на своем почти что каждом выступлении. На сцене вообще ужасно тянет хвастаться. Однако попадаются истории, которые язык не повернется вслух пересказать, а письменно — гораздо легче. Не такое от моих коллег терпела беззащитная бумага. В тот же мой приезд в Одессу после интервью на телевидении меня уже на улице догнал мальчонка-осветитель.

— Я все сомневался, не обидитесь ли вы, — сказал он мне, — но я хочу вам рассказать. Я сам украинец, поэтому и сомневался...

Я молча слушал. У него был дядя, но недавно умер. Дядя этот всю свою жизнь проплавал на торговых кораблях, но это было в нем не главное. А главное — что дядя был антисемитом, и не просто по природе, инстинктивным, нет — осознанно евреев не любил за их умение обманывать и надувать. Как видно, по торговой контрабандной части сталкиваясь с этим, я в детали не вдавался. И еще любил стихи покойный дядя, часто их читая наизусть на каждой пьянке. А до смерти незадолго он позвал племянника и наказал ему не доверять евреям. Верить можно только трем из них, сказал он мальчику. Христу, который проповедовал, что Бог — это любовь, Спинозе, который говорил, что Бога нет, и Губерману, который написал, что Бог на свете есть, но от людей Он отвернулся.

— Извините, если я вас чем обидел, — мальчик явно был смущен.

Я ошарашенно сказал, что мне такое слышать очень лестно.

— Только вы к евреям так не относитесь, — попросил я глупо и растерянно.

— Да что вы, — возразил мне мальчик.

И вернулся к осветительным приборам.

Мне даже письменно слегка неловко приводить сейчас эту историю, но только есть в ней нечто и помимо хвастовства. То, что относится к загадочности нашего рассудка. Был наверняка ведь этот дядя прост, как правда: плавал, воровал, обманывал таможню и клиентов, по-моряцки крепко выпивал и не любил евреев, что естественно. Однако же — читал и думал. Тут бы что-нибудь высокое и вдумчивое надо написать — о духе и мышлении народном, и про тайности душевного устройства, только на такое у меня рука не поднимается.

К тому же время на дворе — год Петуха. А значит, можно клекотать, и крыльями махать, и кукарекать. Так что хвастаться еще не раз я буду. Хитроумно заворачивая это в будто бы насмешку над собой или глубокое о жизни размышление. Не лыком шиты. Я все время помню, что сказал Вильям Шекспир какому-то хвастливому актеру: учитесь скромности у своего дарования. Возможно, это некогда Эсхил еще сказал (в беседе с Эмпедоклом), но главное — завет, а не сомнительное авторство.

Как-то в киевской газете написала журналистка про меня такие лестные слова, что лучших мне уже не встретилось нигде. Зря, дескать, все считают Губермана грубияном и невеждой в смысле воспитания: мы вышли из гостиницы с еще одной знакомой, он нас провожал, а в городе был страшный гололед. И Губерман все время оборачивался к нам и говорил заботливо: «Поосторожней, девушки, не ебнитесь!»

В том же юбилейном году мне улыбнулась и еще одна польстительная радость. Я был приглашен на всеамериканский слет авторской песни. Собираются они раз в год (а то и дважды) в Пенсильвании, в огромном парке, приспособленном для массовых гуляний (это я о том, что всюду туалеты и полным-полно столов для пирования). Две тысячи отменно молодых людей туда съезжаются со всей Америки. И сотни, соответственно, машин, и вдоволь места для парковки. Ставятся палатки, и вокруг огромного костра вершится торжество сохранного и в памяти, и в душах русского языка. Все молодые эти люди — уже полные американцы, преуспевшие в своих профессиях, вписавшиеся в жизнь страны и интересами ее живущие, но песни прежней жизни их не оставляют. А компании — кучкуются по городам. И возле каждого стола (их несколько десятков) по-российски выпивают и поют. Я изумлен был, восхищен и донельзя растроган этим слетом. А такой ведь и в Израиле творится ежегодно, и уже в Швейцарии на горном склоне где-то стали учиняться эти песенные праздники. В несчетный раз испытывал я гордость за язык великий. А меж тем — нечаянная радость ожидала меня в этом парке. Раньше никогда я не был здесь, и вдруг мне рассказали, что на прошлом слете ошивался по тропинкам парка некий юноша, который клеил приглянувшихся ему девиц на удочку простую и, как хочется мне думать, эффективную: он представлялся Губерманом Игорем. И предлагал пройтись, чтоб познакомиться поближе. Очень был я счастлив, это услыхав. И горько сожалел, что не узнаю никогда, насколько был успешлив этот самозванец. Я желал удачи сукиному сыну: на меня ведь падал дивный отблеск в каждом случае его успеха. А небось он и стишки талдычил наизусть, я по гордыне идиотской так и в молодости никогда не делал, полагая прозаические чары более достойным инструментом. Я бы с удовольствием с ним повидался, ибо никаких претензий — только благодарность (смешанную с завистью) испытываю я к нему.

Недавно очень поучительный мне сон приснился. Я, правда, сильно позже осознал, что поучительный. Вначале я испытывал недоумение и странное предвестие тоски. В компании с людьми, которые весьма сочувствовали мне, осматривал я камеру в тюрьме, где много лет мне предстояло провести. Суд назначен был на завтра, но исход его был предрешен и всем известен. В камере стоял буфет со множеством разной посуды. И не нары были, даже не кровать, а привлекательного вида пожилой диван. Окно мое в тюремный дворик выходило — очевидно, мне позволено гулять. И стол довольно был большой возле окна, на нем уже лежало что-то. Все друг друга тихо спрашивали, явно обо мне заботясь, сколько книг мне в месяц полагается и сколько писем можно посылать. А мне уже не странно и не больно — я про все осведомлен заранее. Но только вот — про что, спросить мне неудобно. Очень хочется остаться одному, уже мне очень надоели эти незнакомые и суетливые доброжелатели. Я знаю их давно, однако же сейчас не помню, кто они. А по костюмам с галстуками судя — из администрации какой-то. В мою сторону они почти не смотрят и ко мне почти не обращаются, хотя выказывают нескрываемую жалость. Я почему-то думаю все время, что будут трудности с курением, и это беспокоит меня более всего. Какая-то немолодая женщина заботится о бытовом удобстве: трогает диван и проверяет, есть ли в нем постельное белье. Все наконец расходятся, пожимая мне руку, явно торопясь уйти из камеры. Я остаюсь один, закуриваю и плетусь к столу. На нем лежит стопа чистой бумаги, а отдельно — лист, на котором что-то напечатано. Я достаю очки, уже я знаю, что лежит там — обвинительное заключение. Я сразу же читаю про свою вину: «Неправедное чувство одиночества и жалобы на это вслух». А ниже — предложение комиссии какой-то (много подписей под ним): «Наказать реальным одиночеством на срок...» Я понимаю, что назавтра суд заполнит многоточие. И тут такая на меня тоска, и злоба на себя, и жалость к близким навалились, что от этих ощущений я проснулся. Лег на левый бок, наверно, а сердчишко этого не любит — первое, что я подумал, снова собираясь тихо спать. Но сон уже не шел. А мысли потекли — предутренние, трезвые и осудительные мысли. Что напрасно я болтаю, и что грех мне жаловаться, и что сны случайно не бывают, и что я — неблагодарная скотина. Запишу я это назидание, подумал я: внутри меня живет неведомая личность, более разумная и справедливая, чем та, что пьет и разглагольствует снаружи.

Пора теперь и к замыслу початой книги обратиться. Это сделать очень просто, ибо никакого замысла в ней нет. И в жизни моей так же было: я никак не мог найти приличную определенную дорогу, отчего упрямо брел по нескольким. Вся эта книга рождена словоохотливостью пожилого человека. И ничуть не более того. И я ее нисколько не рекомендую для внимательного чтения. Однако же, не полистав ее, вы упускаете возможность ощутить сочувственную грусть: вот до чего он докатился, этот некогда веселый выпивоха. И с немалым воодушевлением подумать, как еще вы далеки от горестного личного заката.

Я вообще расстраивать читателя нисколько не намерен. Уже много лет я помню дивные слова Зиновия Паперного. На каком-то выступлении литературном, еще в зал не выходя, он попросил Натана Эйдельмана: «Только умоляю, Тоник, не напоминайте, что Дантес убил когда-то Пушкина, не огорчайте зря аудиторию, не надо портить праздник!»

Светлые страницы непременно тоже будут. В начале года Петуха меня постиг на Украине как-то вечером — большой сценический успех. Еще и до отъезда на гастроли уже знал я, что в Днепропетровске буду выступать в театре оперы. Но как-то я забыл об этом, ибо думал о забавном совпадении одном. Ведь в этом городе Светлов родился, и воспел он яркую зарю свихнувшейся мечты российской. Не сбылась она, по счастью, и крестьянам не отдали землю в Гренаде. Но и Галич родился в Днепропетровске и воспел все пошлости заката той эпохи. А теперь в России мистика в почете, а Блаватская Елена — тоже из Днепропетровска. Ну, словом, я забыл о месте выступления. Но когда минут за двадцать до начала меня дернули проверить микрофон, я обнаружил между собой и залом большую оркестровую яму. И только тут с восторгом осознал, что я — в театре оперы. И я подумал: идиотом буду, если не спою. Что начисто лишен я слуха и голоса, никогда и ранее меня не смущало. Захотеть, но испугаться — вот что было бы позором, легкомысленно подумал я. И начал так второе отделение:

— Друзья мои, надеюсь, что первое отделение вам понравилось. (Жидкие и удивленные хлопки.) Поэтому сейчас я причиню вам небольшую эстетическую неприятность. Мне кажется, что глупо было бы — попасть на сцену оперы и ничего не спеть. (Смех, аплодисменты.) Неприятность состоит в том, что у меня нет ни слуха, ни голоса. (Провальная тишина — а в зале около тысячи человек.) Утешение только в том, что я спою вам коротко, а капелла и на украинском языке. (Полная тишина.)

В песне моей и вправду была пара слов на украинском. Аккомпанировал я ногами, чуть приплясывая:

Добрый вечер, девки, вам,
чура, да чура-ра,
я вже жинку поховав,
ку-ку!

Боже, что случилось в зале! Все ожесточенно хлопали, что-то выкрикивали, счастье носилось в воздухе. Я никогда еще не имел такого успеха. Мне бы сам Лучано Паваротти позавидовал. А после окончания концерта в артистическую ко мне лично пришел директор театра и пригласил через год выступить еще раз. Так что книжку эту пишет — не случайный прохиндей, а солист Днепропетровской оперы, прошу иметь в виду.

И в Черновцах я побывал в эту поездку. Там я тоже испытал нечаянную радость. Мне сказали, что в том зале, где я буду завывать мои стишки, играл когда-то композитор Ференц Лист. И я так бурно проявил свое восторженное удивление, что мне бывалый импресарио заметил свысока и снисходительно:

— Вы думаете, он мотался меньше вас?

В Черновцы я вообще приехал с нескрываемым душевным любопытством: ведь у нас в Израиле его повсюду именуют — «город А». Поскольку, если спрашивают человека: вы откуда? — услыхав, что он из Черновиц, на это реагируют коротким: «А!» То ли некую гордыню проявляли слишком часто черновицкие былые обитатели, то ли на отсутствие культуры сетовали чаще прочих — я доподлинно не знаю. А приехавши — немедленно спросил. И выяснил, что город был действительно культурный: непрерывные гастроли всяческих артистов, и остаточная аура империи австрийской, только главное — всего километров за двадцать до границы расположен этот город. И поставка всякой контрабанды — столь была бесперебойной, что хватало всей бескрайней Украине. У людей умелых и проворных было все, что нужно человеку.

А порой — и более того. Тут жить и жить, конечно, а евреи легкомысленно уехали. И скучно им теперь без ауры, культуры, контрабанды, этого в помине нет в Израиле.

Я благодарен Черновцам за пережитые минуты истинно религиозного экстаза. Я вообще-то редко обращаюсь к Богу. Часто мне бывает очень стыдно перед Ним — нет, не за себя, а за поступки тех, кто профессионально занимается служением Ему. Как эти служивые наебывают своего работодателя! А как они компрометируют Его! Но в этот раз я обращался к Нему прямо. В Черновцы из Киева (совсем ведь недалеко) ехал я несчетное количество часов. Не просто еле плелся хилый поезд, но, по-моему, и направление менял. Когда я по прибытии спросил, за что и почему меня трясли так долго, то с римской лаконичностью ответил мне встречавший человек:

— Такие рельсы.

К той минуте, когда сел я в поезд, чтоб вернуться в Киев, я уже довольно сильно освежился (только что закончился концерт, я поправлял свое здоровье). А в купе попав, немедленно добавил. И поплелся в тамбур покурить. Уже мы ехали, и на каком-то повороте поезд так тряхнуло, что плечом и головой я чуть не выставил стекло вагона. Было очень больно и досадно почему-то. Да, такие рельсы, горестно подумал я. До Киева еще оставалось множество часов. И вдруг меня пронзил высокий стыд за хамскую мою неблагодарность Богу и судьбе. Спасибо, Господи, подумал я (возможно, вслух), что есть еще у меня силы сотрясаться на кривых раздолбанных дорогах и ходить такими же путями, оскверняя Твою землю своим мизерным присутствием. Спасибо, что еще живут во мне готовность и желание спокойно нарушать Твои святые заповеди и грешить, испытывая удовольствие. Пошли здоровье праведникам, Господи, однако же и за мое — Тебе спасибо. И за близких я благодарю Тебя отдельно. И друзей моих покуда Ты щадишь. Удачи Тебе, Господи, во всех твоих задумках, неисповедимых и загадочных порой, как эта подлая дорога.

До купе дойдя благополучно, выпил я еще немного, ибо чувствовал большой подъем душевный. И довольно скоро появился Киев.

Сегодня на дворе стоит повсюду — зыбкое и неприкаянное время. Смутное, тревожное и полное неясных ожиданий. И такие злоба и вражда клубятся всюду в воздухе, что вряд ли они могут рассосаться от незрячей суеты политиков. Я просто в силу возраста уже за этим наблюдаю как бы чуть со стороны. И те бесчисленные штормы и цунами, что бесчинствуют в житейском море, — тоже не страшны моему утлому семейному суденышку. А факт, что некий долг за мной имеется, и должен я выплачивать когдатошнюю ссуду на квартиру — это на весь век моя Долгофа. От такого наступившего покоя — и беспечность моего неспешного повествования. Никогда и раньше я не угрызался от сознания морального несовершенства своего, теперь уж и подавно я спокоен. Нет моей заслуги в этом равновесии душевном, просто так удачно гены предков разложились. А жена вот моя Тата с раннего детства слушала по радио передачу «Пионерская зорька», и в местах, где говорилось о плохих учениках и нехороших детях, думала с печалью и тревогой: ну откуда они все про меня знают? Навсегда осталось в ней такое угрызение души. Но я ее посильно утешаю.

Да и радости мне щедро доставляет затянувшаяся жизнь, которая течет, что очень важно, — в удивительной и очень полюбившейся стране. В какой еще стране вахтер — охранник поликлиники районной вам пожалуется, что от расставания с Россией у него одна только печаль осталась: начисто пропала книга Ксенофонта «Анабазис»? А в какой еще стране увидеть можно (в Иерусалиме, в центре) две висящих рядом таблички: «Карл Маркс — элсктротовары» и «Франц Кафка — зубной техник»?

Мне тут недавно туристическая фирма из Америки внезапно заказала что-нибудь чувствительное и призывное сказать на кинопленку, чтоб ее показывать евреям из России. Всюду путешествуют они по миру, а в Израиль ехать не хотят, поскольку очень нашей жизни опасаются. А так как я в Америке довольно часто выступаю, то лицо мое знакомо, имя — тоже, и чего-нибудь такое пригласительное может повлиять на их маршрут. Я для этой цели написал стишок, и он, по-моему, довольно убедительно звучал:

> Мы евреям — душу греем,
> и хотя у нас бардак,
> если хочешь быть евреем,
> приезжай сюда, мудак!

И даже гонорар я получил, но чтобы это приглашение передавали — не слыхал. Что очень жалко и обидно, зря старался. Я в Израиле читал его со сцены —

все смеются. Нам, конечно, проще, мы уже привыкли к нашему гулянию по краю. Только жалко, что они не приезжают. Потому что нету в мире ничего похожего на нашу уникальную страну. Ни одной державе столько неприязненного времени не уделяют мировые средства массовой промывки разума. Ибо мы в Израиле — не только что евреи, вдруг загадочно собравшиеся вместе, но еще и оказались на передней линии борьбы с чумой, неведомой доселе по размаху. И уже она по миру ощутимо расползлась, но возле нас клубится наиболее зловеще. Мне забавно, что об этом противостоянии точнее всех сказал когда-то Папа римский Иоанн Павел Второй. У этого конфликта, проницательно заметил он, есть два всего решения: реалистическое — если вмешается в него Творец, и фантастическое — если обе стороны договорятся. Я вполне согласен с Папой римским.

Впрочем, пусть об этом пишут журналисты: им виднее и понятней злоба дня. А я хочу напомнить вам о вечном. Хорошо сказал об этом в Питере один четырехлетний мальчик:

— Я много наблюдал за взрослыми: они поговорят, поговорят и выпьют.

А поскольку до сих пор бытует медицинский миф, что выпивка вредна здоровью, я хочу в самом начале книги твердо заявить, что несколько десятков лет я проверял сию паскудную легенду на себе. Чушью это оказалось, не вредна нам выпивка нисколько. А возникло это заблуждение по нашей общей, в сущности, вине: мы часто выпиваем с теми, с кем не следует садиться рядом и делить божественный напиток. А вот это — вредно безусловно. Только проявляется намного позже. И облыжно обвинили в этом выпивку. Не сразу я додумался до истины и много лет себя бездумно отравлял. Только ныне я свое здоровье неусыпно и свирепо берегу: я начисто лишил себя общения с людьми, которые мне малосимпатичны. И любое возлияние приносит мне одну лишь пользу. Ну, естественно, я говорю о выпивке в количествах разумных. А то бывает утром жутко стыдно за вчерашнее, однако же — не помнишь, перед кем. Вот это вредно. Если часто. Присмотритесь, и согласие со мной намного освежит существование.

Благой совет преподнеся, я выпил рюмку, покурил, и что-нибудь сентиментальное мне страстно захотелось написать. О нашем нестихающем пристрастии к российской речи, например. У наших тут знакомых есть подросток — девочка, и имя у нее — еврейское вполне, но ласковая кличка дома — чисто русская: Снегурочка. Она на свет явилась потому, что из-за снега, выпавшего как-то в Иерусалиме, мать ее не выбралась к врачу, чтоб выписать рецепт на противозачаточное средство (это у нас строго по рецепту).

Еще я рассказать хочу историю из нашей мельтешной и бескультурной жизни. Очень пожилой приятель мой, искусствовед, попал в финансовое крупное недомогание. И в городской библиотеке Иерусалима учинили небольшой благотворительный аукцион. Двадцать пять художников и керамистов, знающие этого человека, дали для продажи свои работы. Отменные работы, между прочим. Ни копейки с этого не получая. Просто принесли и привезли. Из них семнадцать мы спустили с молотка. В аукционе молоток участвовал впервые: лишь отбивкой мяса раньше занимался этот деревянный инструмент. Работы были проданы в тот день по небольшой, сознательно заниженной цене. И несколько десятков книжек нанесли писатели, их раскупили полностью. И в тот же день отвезен был полученный доход. Испытывали радость все — и покупатели, и зрители, и авторы. Для этой цели я надел парик, в котором выглядел продажным пожилым судейским восемнадцатого века, но молотком стучал и цены объявлял — с высоким упоением.

Конечно, хорошо бы потревожить чье-нибудь отменно выдающееся имя и украсить мою книгу дивной байкой о душевной многолетней нашей близости. И это ведь возможно: трижды, например (с разрывом года в два), меня знакомили с Булатом Окуджавой. Все три раза он мне руку крепко пожимал и говорил приветливо, что очень рад знакомству. Ну, на третий, правда, раз в его глазах мелькнуло что-то, но не опознал, не вспомнил и опять учтиво мне сказал, что очень рад. Зато последнюю свою статью в газете посвятил он книжке, мною в лагере написанной. Но тут уже шла речь о человеке, незнакомом даже мне, поскольку Окуджава усмотрел во мне — тоску по элегической исповедальности.

А еще я помню на одной московской пьянке (я тогда приехал из Израиля на книжную ярмарку) — длинный и витиеватый тост Фазиля Искандера. Он было завел свою волынку по-восточному, но только уже сильно освежился, отчего утратил нить сюжета и нечаянно вдруг вышел на сионистов. Зря, сказал он, все евреев этих так ругают, они просто порешили возвратиться на родную землю, где стоит гора Сион. И тут я его резко перебил, чтоб не сужал он так неосторожно наши замыслы и планы. Он из темы тоста вылез кое-как, а после мы с ним обсуждали реплику мою. Недолго, правда, потому что оба напились. Но помню точно, что он был гораздо круче в геополитических решениях, чем я, и что одну из лишних рюмок я ему налил почти насильно. Объяснив, что для него это хуйня, а мне — мемуары. Нет, никак такие эпизоды мне не увязать в душевную и продолжительную близость, лучше я оставлю это попечение.

Потомкам я пока еще любезен. Моя внучка Тали как-то своей матери сказала:

— Я люблю ходить к бабушке, там у нее живет дедушка, он нас щекочет.

А теперь и книжку можно начинать. С заведомой готовностью терпеть неслыханные творческие муки. Потому что творческие муки — это не когда ты сочиняешь, а когда уже насочинял и убеждаешься, что вышла полная херня. Но до поры, пока перечитал, еще надеешься. А впрочем, у меня ведь нету никакой высокой цели: никого ни в чем не собираюсь убедить, а что-то опровергнуть или доказать — и не хочу и не умею. Тут Мишель Монтень отменно будет к месту: «Кроме того, что у меня никуда не годная память, мне свойствен еще ряд других недостатков, усугубляющих мое невежество. Мой ум неповоротлив и вял...»

А кстати, тут еще одно мне надо сделать упреждение. О нем благодаря Монтеню вспомнив, я его словами и прикроюсь: «Я заимствую у других то, что не умею выразить столь же хорошо либо по недостаточной выразительности моего языка, либо по слабости моего ума». Но здесь читателя вполне может постичь нечаянная радость. Мне однажды интересный факт попался: что цыгане в таборах варили необыкновенно вкусный борщ. Состав его менялся раз от разу: в поместительный чугун с водой, кипящей на огне, кидали члены табора еду, которую сегодня удалось наворовать. А так как всем понятно, что плохого не воруют, борщ цыганский неизменно удавался. Этот замечательный рецепт наполнил меня светлым оптимизмом. Да тем более, что я чужие мысли очень часто нахожу и там, где авторы до них додуматься не успевали: подходили близко, но сворачивали вбок. Поэтому в моем борще продукты будут с огорода чисто личного. А свежесть я спокойно гарантирую.

Сперва — о путешествиях, конечно.

ОДНОВРЕМЕННО
ВЗГЛЯНИТЕ
И НАЛЕВО, И НАПРАВО

Повсюду ездить — очень я люблю, и страсть мою усердно утоляю. В молодости это объяснялось любопытством, ныне меня колет в зад совсем иное побуждение. Оно понятно мне и объяснимо с легкостью. Я себя в Израиле чувствую настолько дома, что периодически ужасно тянет погулять по улице. Одна моя знакомая заметила со справедливой прямотой: нас тянет на люди, чтобы свой показать и у других посмотреть. И в неком общем смысле так оно и есть. Поэтому, как говорила некогда поэтесса Давидович, пока можешь ходить, надо ездить. Я это и делаю по мере сил. А что касается возможностей, то их предоставляет случай. Любое путешествие весьма обогащает кругозор. Сколь ни тривиальна эта фраза, в ней имеется разумное зерно, и я его сейчас охотно вылущу.

Будучи сам личностью в высшей степени слабообразованной и несведущей в чем бы то ни было, я с благодарностью ловлю любые крохи, что перепадают мне случайно с пиршества сегодняшнего знания. Впрочем, и вчерашние крохи мне столь же интересны и питательны. Я в этом смысле часто напоминаю собой коллег и друзей некогда знаменитого штангиста Григория Новака. Это было в очень, очень давние времена. Даже, возможно, еще раньше. В ходе какой-то затянувшейся ресторанной пьянки этот русский богатырь (и одновременно — гордость еврейского народа), осерчав на собутыльника, кинул в него стол. Нет, не опрокинул, даже не ударил его столом (что мог бы сделать ввиду былинной могутности), а именно кинул. Чем нанес телесные увечья. Нет, его, насколько помню, не судили, но лишили права поднимать штангу — дисквалифицировали, говоря по-спортивному. И стало Грише очень скучно жить. Однако же коллеги его не забыли и довольно часто навещали. В основном это были богатыри из Азербайджана, Грузии и Армении. Вообще ведь такой вид спорта, как поднятие штанги, стоит по интеллектуальной насыщенности сразу после перетягивания каната, именно такого уровня и были эти верные друзья. А сам Григорий Новак, как я уже намекнул, был евреем, из-за чего хранил в себе какие-то обрывки знаний, кои усердно пополнял, страдая неискоренимым национальным любопытством. Этими знаниями он теперь потчевал навещавших его коллег. И те в таком восторге находились, что каждый раз, уходя, неизменно говорили ему одну и ту же фразу:

— С тобой, Гриша, один вечер посидишь — как будто среднее образование закончил!

Именно такое чувство я испытываю неизменно, если мне вешают на уши все равно какую познавательную лапшу. Так что в этом смысле я — турист, но так как мне по жизни довелось бывать экскурсоводом, то не рассказать об этом просто не могу.

Каждый, кто хоть раз водил экскурсии, прекрасно знает, что турист — совсем особое двуногое и требует для обращения с собой особых навыков.

Есть у нас тут с Окунем приятель — чистой выделки еврей по разнообразному бурлению способностей. Был некогда пианистом, после стал доцентом по марксистско-ленинской философии, в Израиле образовался по туристической части. Вскоре обзавелся собственной конторой Кука, отправлял туристов по набитым и заезженным маршрутам, даже дом построил на всеобщем нашем любопытстве к путешествиям. Тут-то в нем и оживился мелкий творческий бес, почти было скукожившийся от густых коммерческих забот. А может быть, взыграла пресловутая духовность, жуткое и вязкое наследие каждого советского еврея. (Пошлое донельзя это слово, разве что с патриотизмом и романтикой оно сопоставимо по затасканности, но замены я пока не подыскал.) И на нас с Окунем эта духовность обрела живые очертания. Он сочинил экскурсии, в которых мы с Окунем были приглашенные эксперты. Мы отправились в Европу платным приложением к экскурсоводу из конторы. Саша Окунь должен был рассказывать о художниках, повсюду живших в разные времена, а я — о писателях и авантюристах. Окунь был в материале изначально, я же — тщательно и скрупулезно готовился. Мы побывали в южной Франции, в северной Италии, в Испании и Нидерландах. После прекратились эти дивные поездки: то ли снова подувал уставший бес, а то ли (что скорей всего) — печально выявилась хилая доходность всей затеи. И еще последняя поездка получилась с непредвиденной накладкой:

в некоем городе Голландии две бедные старушки оказались не просто в одном номере, но и в одной постели. И одна из них присутствие духа сохранила, царственно сказав другой наутро, что теперь она готова на ней жениться, но вторая юмора не оценила. И какие-то последовали письменные жалобы. И все закончилось, хотя довольных было больше, чем жалеющих. А на наш с Окунем просветительский гонорар мы еще и жен возили, что в моем лично возрасте равносильно исполнению супружеского долга.

Спустя года приятно вспоминать о тех кромешных ситуациях, из коих вывернулся с честью и достоинством. Так было у меня во время поездки по Франции. Нам предстояло посетить город Ареццо, в котором много лет провел Франческа Петрарка. Говорить о нем, разумеется, должен был я. И я отменно приготовился к почти часу автобусного повествования: три листа выписок о его биографии лежали у меня в чемодане с самого отъезда. Я даже два его сонета переписал, чтоб иллюстрировать историю пожизненной любви к Лауре. А когда настало мое время и уже я сел в автобусе за микрофон, то обнаружил, что листочки взять я взял, но, к сожалению, не о Петрарке. У меня там было много всяких заготовок, потому что я старательный, ответственный и обязательный человек. А микрофон включил я машинально, за спиной моей уже повисло доброжелательное ожидающее молчание.

Я ненадолго отвлекусь, поскольку от коллеги Яна Левинзона слышал как-то дивную историю о девчушке, попавшей в такую же ситуацию на экзамене. Приятель Яна принимал у будущих филологов экзамен, а второй вопрос в билете у девицы этой (первого она не знала начисто) был такой: «Творчество польского поэта Мицкевича». В отчаяние впав, а оттого — во вдохновение, девица бойко и развязно заголосила:

— Поэт Мицкевич был поляком и потому писал по-польски. Он так хорошо писал, что если бы он был венгром, то его, конечно же, любили бы все венгры, но он был поляк и его любили все поляки...

Учителю все стало ясно, только двойку ставить не хотелось, и поэтому он ласково сказал:

— Мне все про вас понятно, я вам дам последний шанс: скажите мне, как звали поэта Мицкевича, и я вам ставлю «удовлетворительно».

Девица медленно и вдумчиво ответила:

— Так ведь его по-разному звали. На работе по-одному, а дома по-другому, а друзья...

Сам преподаватель стихи Адама Мицкевича любил не слишком, отчего решил помочь хитрожопой бедняжке.

— Я вам подскажу, — сурово сказал он: — Как звали первого мужчину?

И лицо девицы расцвело пониманием.

— Валера, — с нежностью ответила она.

Вот в такой как раз ситуации оказался и я. Хотя немного лучшей: помнил почему-то год рождения Петрарки. И его немедля сообщил. И вдохновение, рожденное безвыходным отчаянием, окутало меня благоуханной пеленой. Я с убежденностью сказал, что мы все, отъявленные и отпетые питомцы русской словесности, должны ценить в Петрарке не столько его сладкозвучные итальянские напевы, сколько то влияние, которое он оказал на русскую поэзию. Поэтому не буду я вдаваться в чахлые подробности его печальной жизни, а наглядно почитаю тех поэтов, которые впитали его дивные мотивы и напевы. После чего я принялся читать все, что помнил. Начал я почему-то с детских стихов Веры Инбер. После я стремительно и плавно перешел на Константина Симонова. Я когда-то знал разные стихи километрами. И сантиметров пять во мне осталось. Я завывал и наслаждался. Сашка Окунь мне потом сказал (из чистой зависти, конечно), что я забывал называть авторов, ввиду чего автобус благодарно полагал, что это я сам пишу так разнообразно. И меня хватило на всю дорогу, вдалеке уже виднелся город. Мне похлопали, и я, еще пылая благородством вспомненных стихов, пошел на место. В нашей группе ехала одна ветхая и крайне образованная старушка. Она остановила меня и застенчиво сказала:

— Замечательно! Вы только извините, Игорь, но, насколько я помню, Петрарка родился не в том году, что вы сказали...

— Появились новые данные, — легко и снисходительно ответил я. Она кивнула с благодарностью. Я сел и выпил за удачу — у меня с собой, по счастью, было. Автобус уже стоял у почему-то конного памятника.

Но было бы неверно умолчать о случаях, когда я всю экскурсию отважно выручал. С нами по одной стране ездила редкостной капризности и столь же малосимпатичная женщина. К ней вся группа относилась одинаково, ничуть, конечно же, не проявляя это внешне. Разве только в городе Кондоме (очень может быть, что именно оттуда родом был творец презервативов) наше отношение немного проступило. Мы там были всего час, а когда стали уезжать, она устроила скандал, что хочет тут еще остаться. Хочу остаться в Кондоме, голосила она. И кто-то внятно пробурчал: «Как жаль, что ты в нем не осталась много раньше!» Она все время что-нибудь записывала, охотно объяснив, что это нужно ей для лекций, которые она незамедлительно по возвращении прочтет для любопытствующих пенсионеров. В этих целях она непрерывно требовала от нашего гида объяснения всего, что попадалось по дороге. Перегоны были длинные, а возле почти каждой деревушки стоял неказистый памятник местного значения — уверен, впрочем, что и местные жители слабо знали о происхождении каждого такого монумента. И довольно мерзкий требовательный голос этой пассажирки постепенно вывел весь автобус из себя. На меня посматривали с надеждой, и не стать Матросовым в подобной ситуации было бы низкой слабостью. Я сел сзади нее и внятным полушепотом сказал, что именно об этих незначительных скульптурах я осведомлен доподлинно и досконально, гида лучше не тревожить лишними вопросами, я все ей расскажу. Автобус благодарно и не без ожидания затих.

Поскольку часто попадались женщины с ребенком, было ясно, что стоят мадонны местного значения. Но так как весь автобус ждал разнообразия, то некая из них спасла из-под туристского автобуса чужого малыша (вон на руках у нее — видите?), другая же — наоборот: оставила свое единокровное дитя, уехавши в Париж бороться за запрет абортов. С мужиками было легче: тот ушел по пьянке в лес и стал известным партизаном, а вот этот был недолго мэром города, но через год сознался, что ворует из общественной казны. И горожане были так восхищены, что памятник ему поставили при жизни. Каменная девушка без никакого на руках ребенка оказалась местной Зоей Космодемьянской, тоже состоявшей на психиатрическом учете, но в деревне этого не знали. А полуразвалившийся от старости большой фонтан таким и был сооружен — в честь разрушения Бастилии. И Павлика Морозова из этих мест я тоже заготовил в юркой памяти, но монумента с мальчиком не попадалось.

И затихшая от зачарованности баба все это писала быстрым почерком. Отменную прочтет она, вернувшись, лекцию, подумал я меланхолически: там будет правдой только факт, что памятники были большей частью каменные и что решетки были из железа.

Туристу вообще следует отвечать незамедлительно. Можно называть любую дату (подлинность столетия — желательна) и как угодно связывать между собою имена и факты, но ответ должен быть молниеносным. Все равно турист забудет его столь же немедленно, как он забудет все остальное, что ему говорилось, но останется главное для любой экскурсии — благостное чувство тесного прикосновения к истории, искусству и истории искусства. И поэтому не думать нужно, вспоминая и колеблясь, а немедля и с апломбом отвечать. Работники Эрмитажа любят рассказывать, что раз в полгода непременно задается кем-нибудь из посетителей вопрос: где то окно, которое царь Петр пробил в Европу. И в ответ экскурсоводы грустно и занудливо мемекают, что это, дескать, образ, в переносном смысле сказано и вообще метафора. И слушатели грустно киснут. А однажды при таком вопросе рядом пробегал какой-то молодой сотрудник Эрмитажа. И уж раз так повезло, решил ответить.

— Окно на реставрации, — пояснил он на бегу сурово и отрывисто. И группа вся единодушно покачала головами с пониманием.

Еще и потому ведь следует отвечать немедленно и наобум, что сами объекты посетительского интереса — сплошь и рядом фальшаки или привязаны к тому, что повествуется о них, буквально за уши. Которые торчат, но экскурсантам это совершенно безразлично. А поэтому в местах, где вьются и кучкуются туристы, то и дело возникают новые, волнующие ум и сердце древние объекты. Однажды мы в каком-то итальянском южном городе вдруг увидели жестяную яркую табличку со словами, что направо через переулок можно повидать могилу Моны Лизы. Господи, какое счастье для туриста! Кое-как запарковав машину, мы туда отправились пешком и пылко вспоминали по дороге, как впервые мы увидели когда-то эту самую известную работу Леонардо да Винчи. Оказалось, что идти довольно далеко, к тому же — круто в гору, а такие трудности рождают у туристов пессимизм и скепсис. Как могла она здесь оказаться, вдруг возникнув, почему о сей могиле нету ничего в путеводителях, не упустивших куда менее волнующие и интересные места? Нас остановила яркая догадка, что отцы этого города, пылая завистью к соседям, у которых толпы экскурсантов каждый день, придумали и оборудовали этот привлекательный объект. Чтобы проверить правильность догадки, мы отменно вежливо пристали к пожилому итальянцу, сумрачно курившему на стуле возле дома. Английский он, естественно, не знал. А впрочем, если бы и знал, то вряд ли опознал этот язык в моем произношении. А тот американский, на котором говорил наш друг, ему бы просто показался варварским и диким. Тем не менее мы как-то объяснились. Более того: то главное, что он сказал нам, все мы поняли отменно. А сказал он вот что:

— Не ходите, там еще ничего нет.

В первый же свой год в Израиле я натолкнулся на такое же, незабываемое с той поры сооружение. Мы с одной киношной съемочной группой (Саша Окунь и я — о нас как раз снимался фильм) попали в Цфат, где на второй день съемок загуляли, пили до утра и в очень мутном виде оказались возле стройки небольшого каменного дома. А по пьянке (и волшебный был рассвет, к тому же) мы беседовали о высоком и вечном. Город Цфат весьма располагает к этому. Здесь в шестнадцатом веке жил великий (и великим почитаемый, что у евреев совпадает не всегда) ученый и мудрец Иосиф Каро. А главная работа его жизни — книга «Шульхан Арух» — содержит все почти законы и предписания, что нужны для праведной жизни всякому благочестивому еврею. Каро когда-то жил в Испании, бежал оттуда в Турцию, до Цфата он добрался уже в очень зрелом возрасте, здесь были у него ученики, и имя его свято в этом городе. О духе и томлении духовном мы и говорили что-то малосодержательное, но с большим душевным волнением. А возле этого почти законченного маленького дома уже скапливались каменщики, начиная день труда. И медленно прохаживался немолодой еврей слегка начальственного вида. Из пустого любопытства я попросил Сашку спросить у этого еврея, что тут будет (сам-то я иврит еще тогда не знал). Ответ я буду помнить всю оставшуюся жизнь.

— Это строят, — с важностью ответил человек, — тот дом, в котором Иосиф Каро писал «Шульхан Арух».

Так что к работе экскурсовода я был готов, по сути, с первых дней приезда. А учился я у Сашки Окуня сперва (он хотя любитель, но в тяжелом весе), а потом — у ныне уже покойной Марины Фельдман. И доныне я ей очень благодарен. Вскоре после первых же уроков (просто я ездил вместе с ней в экскурсионном автобусе) она доверила мне вести по Старому городу группу московских артистов из Театра юного зрителя. Два каких-то мужика, по-моему, там были, но запомнилась мне дружная щебечущая стайка симпатичных женщин разной молодости возраста. Уже у меня были мелкие примочки для установления в экскурсионной группе климата сплоченного одушевления. В еврейском квартале Старого города идет по середине мостовой вдоль каждой узкой улочки заметный неглубокий желоб для стекания воды, чтоб в сильный дождь не спотыкались пешеходы и чтобы мостовую было удобно мыть.

— Вы замечали на обеих плоских сторонах у сабель и кинжалов узкий желобок, идущий вдоль всего клинка? — спрашивал я строго и слегка торжественно. Все припоминали, что действительно такие выемки на саблях и кинжалах они видели.

— А для чего такое сделано — не думали? — сурово продолжал экскурсовод. И сам себе немедля отвечал (немедля, чтобы не успел никто догадаться, что просто для облегчения веса):

— Это сделано для стока крови. А наш город столько раз переходил из рук в руки, и такое творилось на его узких улочках, что мостовые здесь кладут с такой вот выемкой, взгляните себе под ноги, друзья!

Кошмарное очарование истории витало с той минуты в душах до самого конца экскурсии.

Один лишь раз очарование мгновенно испарилось. Я недоучел душевную чувствительность актрисок. У большинства из них на шеях были крестики, а я на эту важную деталь внимания не обратил, точнее, так старался не смотреть на их ложбинки и выемки, что крестиков заметить и не мог. А возле входа в Храм гроба Господня я их предупредил неосторожно, чтоб они не целовали мраморную плиту, на которой якобы обмывали Христа после того, как ушли стражники. Плита эта — фальшак, объяснил я, положена сюда недавно, и ее целуют настолько разные паломники, что каждый час ее моют специальной дезинфекцией. Когда я спохватился, было уже поздно. Светлые глаза актрисок потемнели и сузились. Уже в них не осталось ничего от благодарной преданности, только что сиявшей и лучившейся. Они все разом вспомнили, что это я распял ихнего Иисуса Христа на этом как раз месте. Ну не я, так мои близкие предки. И теперь такие мерзости им повествую о плите, на которой некогда лежало его божественное тело. И сплоченной стайкой кинулись они целовать эту плиту, время от времени с демонстративным омерзением на меня оглядываясь. Я молчал, ругательски себя ругая. После я повел их наверх, где они упоенно целовали отверстие, в котором стоял крест, и что, по очень достоверным данным, Христос был распят вовсе не здесь, я уже им не рассказывал. И за мое экскурсионное очарование я беспокоился не очень, потому что знал, что будет сразу после выхода из храма. Так оно и получилось: их немедля облепила толпа юных арабчат, предлагая всяческие бусы и браслеты, а посредником в быстротекущем счастье этих обретений мог быть только я. Я усердно торговался, сбивая цену с каждой туристической херни, которую им всучивали наглые бывалые подростки, и в засиявших артистических глазах я снова видел благодарную симпатию. И правда ведь, распял не я, а предки, и навряд ли непосредственно мои, а бусы со Святой Земли — высокое и истинное счастье. И дешевле получились почти вдвое благодаря участию носатого и пожилого нехристя.

В этом храме дивные случаются порою мелкие, но происшествия, заметные только участникам экскурсии. Однажды гид один привел туда очень солидного российского бандита. Ну, не буду я настолько груб — нового русского с двумя амбалами-телохранителями он туда привел. Этому крестному отцу лет шестьдесят уже, наверно, было, всякое он видел, но сентиментальности не потерял. (А впрочем, она свойственна бывалым и матерым — ведь отсюда и такое изобилие чувствительных песен о старушке маме сочиняется на зонах.) И когда они все вчетвером (телохранители его не оставляли) протиснулись с трудом в капеллу ангела (где и двоим-то тесновато), гид настолько трогательно все им рассказал о вознесении Христа из этой каменной могилы, что стареющий бандит пустил слезу. Когда они оттуда выбрались и два амбала увидали слезы босса, то они немедля тоже прослезились. И один из них спросил экскурсовода:

— А скажи, браток, а где же кости?

Но экскурсовод ответить не успел. Поскольку, слез не утерев, российский босс отвесил жуткой силы подзатыльник своему амбалу и свирепо объяснил:

— Ты что же, падла, не слыхал, что он вознесся?

Дочка Саши Окуня водила одно время туристические группы. У нее не раз, бывало, спрашивали, кто была Дева Мария — католичка или православная. Она им отвечала, что еврейка, и туристы недоверчиво качали головами.

Вот еще о нашем восприятии прекрасного. После проведенного дня восторженных показов разных стилей и красот архитектуры — тихо и почтительно (уже в автобусе) спросил турист экскурсовода:

— Извините, я никак не вспомню: рококо — это когда все с выебоном?

А однажды очень правильно ответила одна экскурсоводша на вопрос, застигнувший ее врасплох. На реке Иордан это было, а вся группа — из Германии приехала. Мне в Кельне это повестнул участник той экскурсии. Евангелие никогда он не читал, поэтому рассказ о том, что именно в водах этой речки некий Иоанн Предтеча крестил Иисуса Христа, поразил его до глубины души. Но почему ж тогда, спросил он любознательно, вся христианская религия не названа по имени того первого, кто был до Иисуса и крестил его? Экскурсоводша, с ужасом сообразив, что никогда об этом не задумывалась, ответила вопросом на вопрос:

— Вы — христианин?

— Нет, — ответил мой рассказчик. И добавил простодушно: — Я — еврей, я — инженер, из Кельна я.

И со свирепой назидательностью даже не сказала, а скорее выдохнула опытная экскурсоводша:

— Я вам советую: не лезьте в их дела!

Необходимость отвечать находчиво и сразу — развивает и, по-моему, спортивно закаляет каждого, кто водит экскурсии. А у отдельных личностей — защитную сметливость тонизирует. Мне как-то рассказали об одном экскурсоводе, которого в шесть утра подняли неожиданным звонком.

— Здравствуйте, — услышал он незнакомый мужской голос, — меня зовут Петр, а телефон ваш дал мне Павел...

И, не дожидаясь объяснения, зачем ему звонят, разбуженный экскурсовод незамедлительно ответил:

— Но у меня нет автобуса на двенадцать человек!

Любое путешествие весьма полезно еще тем, что в людях открываются черты, тебе доселе неизвестные, поскольку попадаешь в обстоятельства, которых до сих пор никак не ожидал. Я помню посейчас, как я в одной поездке в тех гостиницах, где не было носильщиков, таскал и подносил тяжелые чемоданы пожилых попутчиков. А среди этих стариков стояли неподвижно трое молодых мужчин. Им в голову не приходило, что как раз их неучастие роняет их паскудное мужское достоинство. Однако же подобные открытия бывают даже с близкими людьми.

Однажды двух моих приятелей (со мной, естественно) случайно занесло в грузинский город, широко известный пользой и целебностью своей воды. В Боржоми занесло нас, к знаменитым минеральным водам. Их не только пьют, как оказалось, но весьма успешно промывают ими организм, который, очищаясь, молодеет и функционирует намного безупречней. Так нам объяснили принимавшие нас местные люди, в подтверждение своим словам показывая на роскошные дома, в которых обитают, приезжая, все почти грузинские вожди. И завтра утром обещала чуть пораньше выйти на работу медицинская сестра Эмма — выдающийся специалист по этой части. А дело было вечером, и мы уже изрядно утомились в долгом переезде, мы кивнули — благодарно и не очень понимая, что нас ждет, немного выпили и кинулись поспать. А утром вяло и послушно поплелись в тот корпус, на который указали нам вчера. И приветливая Эмма (дама пожилая) величаво, но гостеприимно распахнула дверь в свой кабинет. И мы все трое — вмиг оцепенели и застыли, догадавшись, что нам предстоит. Поскольку на стене висел огромный бак, и от него спускался шланг, а завершалась эта толстая резиновая трубка — ярко-желтым медным наконечником, похожим на слегка уменьшенный пожарный брандспойт. И явно этот жуткий наконечник был несоразмерен беззащитным нежным дырочкам, в которые его должны были нам вставить. И мгновенно полиняли и осунулись мои приятели, в которых доблесть и отвага проступали в каждом шаге еще пять минут назад. Отъявленные мужики, и в армии служили оба — мне смешно и стыдно было видеть их сейчас. Но более того: они сплоченно и настойчиво подталкивали — двигали меня вперед, с любовью бормоча, что старикам везде у нас почет, что я уже по жизни много видел, вообще пожил вполне достаточно, и пусть я буду первым в этот раз. И я, сурово скрыв, что именно житейский опыт вынуждает меня трусить еще пуще, посмотрел на них высокомерно и презрительно, после чего решительно вошел. И дверь за мной закрылась — навсегда, быть может, ибо наконечник был чудовищно велик. Я снял штаны, трусы и лег на левый бок лицом к стене. Я обещал себе вести себя достойно и, чтоб легче было, начал вызывать в свою пугливо замершую память образ Муция Сцеволы. А как только ощутил, что наконечник мягко и совсем не больно оказался внутри меня, то сообразил, что было бы естественней мне вспомнить лагерных или тюремных педерастов. И я расслабился, что было преждевременно. Через минуту я почувствовал себя воздушным шариком, который надувают с помощью автомобильного насоса. Это настенный бак неизмеримого объема принялся накачивать целительной водой мой бедный и ни в чем не виноватый организм. К тому же Эмма, оказавшаяся вдохновенной энтузиасткой минеральной процедуры, непрерывно мне повествовала, что внутри меня на данную минуту происходит. К сожалению, я не могу пересказать детали и подробности, но видит Бог — они не облегчали надувание. А думал я все это время — только о немыслимых размерах бака. Но в секунду, когда понял я, что лопну, и легонько застонал — меня освободили и позволили уйти за ширму (выпускание воды обратно тоже было предусмотрено процессом), а затем все начали с начала. Тут уже иной поток из Эммы текст: она рассказывала, сколько знаменитейших людей (журчали имена) здесь возлежали, очищая их изношенные организмы. А некий из Италии киноартист — он вообще так полюбил тут находиться, что по три раза в год он приезжает, и его жена ревнует его к Эмме. К наконечнику она его ревнует, подумал я с глубоким пониманием. Когда я клал уже на стол оговоренный гонорар (вот слово точное для артистизма медсестры), то Эмма снисходительно сказала, что для первого приема я держался сносно, принял двадцать шесть литров — до рекорда далеко, поскольку многие выдерживают сорок.

А за дверью я увидел два лица, горящие доброжелательством и страхом. Я уже примерно знал, как наказать их малодушные натуры. И хриплым шепотом я сообщил, что этот наконечник — он не одноразовый, а постоянный, и его не моют, чтоб не повредить конфигурацию вводимой части.

После мы гуляли по огромной площади, курили, и я понял суть и глубину давнишнего российского образа: такая дружба, что водой не разольешь.

А одну историю о водных процедурах я услышал как-то в знаменитом Баден-Бадене. Я сперва шатался по роскошным паркам, слушая вполуха краткую историю литературы русской: имена Тургенева и Гоголя, Вяземского и Карамзина слетали с уст моего провожатого на каждой аллейке. Жуковский, Гончаров и Лев Толстой. За ними вслед посыпались великие князья и канцлер Горчаков. На композиторах я закурил и отключился. Бедный Достоевский проиграл здесь в казино так много денег, что ему воздвигли бюст на узеньком балконе того дома, где он жил. (А в городе Висбадене за те же самые заслуги его именем назвали улицу. Знай наших!) А во двор особняка, где жил Тургенев, нам войти не удалось. Ранее владелец дома всех пускал, но пару лет назад сюда явились русские туристы и засели выпивать на берегу пруда, который мне уже не удалось увидеть. Там плавали два лебедя, и кто-то из наследников великой русской литературы похвалился, что сумеет в лебедя попасть бутылкой. И попал. С тех пор сюда туристов не пускают. И пошли мы в заведение, второе по известности помимо казино — бассейны с той горячей и целительной водой, которой наслаждались некогда открывшие ее легионеры Рима. А в бассейнах этих — сделаны отверстия, откуда под напором бьет вода, массируя тела купальщиков на разных уровнях — от шеи до почти лодыжек. И передвигаясь постепенно вдоль стены бассейна, получаешь удовольствие от полного массажа тела. Группа наших русских экскурсанток так передвигалась, наслаждаясь постепенным перемещением теплой тугой струи, но вдруг застыла: некая туристка ни за что не пожелала уходить с одного места, где струя ей доставляла несравненное приятство.

— Двигайся дальше, — попросили ее спутницы, — ты всех задерживаешь!

Но виновница задержки умоляюще сказала:

— Вам-то всем сюда зачем? Вы и так замужем.

Я чуть не заплакал от сочувствия, услышав эти дивные слова. Но предстояло нам еще одно здесь развлечение: на верхнем этаже располагались сауны, а там ходили только нагишом. Пойдете? — вкрадчиво спросил меня Вергилий. Я решился. Мне скрывать уже почти что нечего, сказал я грустно. И не пожалел. Поскольку то, что я увидел, у меня не вызвало ни зависти, ни интереса. Посещение бассейнов стоит дорого, и те, кто позволяет себе эту роскошь, более ничем уже не могут похвалиться.

Но поедем дальше.

В путешествиях (и на гастролях) я неоднократно замечал, насколько благодатно действуют на нас порою те детали и некрупные подробности, которые нам попадаются совсем случайно и никак не относясь к тем грандиозностям, ради которых мы поехали. Возможно, это чисто личное, но я ведь и пишу о чисто личном.

Резкие перепады настроения — от радостной приподнятости до глухой тоски внезапной — были мне свойственны всегда, причинами бывали мелочи, настолько незаметные, что я не успевал их осознать. А если успевал, то неизменно поражался мизерности и пустяшности тех обстоятельств, что меняют настроение так радикально. Помню, как однажды я приехал в город Бонн, где через час мне предстояло выступление в недавно здесь возникшем Женском музее. Я ожидал какой-нибудь эротики, но залы крохотного юного музея густо пахли оголтелым феминизмом. Так, одна из комнат была вся заполнена изысками на тему мягкой мебели, исполненной из мужской одежды и так ловко скомпонованной, как будто это были не диваны, кресла и пуфики, а некие удобно скорчившиеся мужики. Музей был еще наполовину пуст (я говорю об экспонатах), а фойе, где уже стояли стулья и мой стол с микрофоном, — тоже пустовало (тут я говорю о публике). Две устроительницы жарко обещали, что, несмотря на полное отсутствие рекламы и оповещения (что-то там у них не получилось, кто-то их подвел и вообще экономический упадок), все-таки придет человек тридцать. Но не сразу, извините и пойдите погулять. И я пошел. А к тому дню уже я здорово поездил по Германии, мне завывать мои стишки весьма обрыдло, и это явно обвалившееся выступление вогнало меня в дикую тоску. Я потому сейчас и вспоминаю полчаса того гуляния, чтоб аккуратно перечислить мелочи, вернувшие меня обратно в дивное расположение души. Во-первых, во дворе стояла современная скульптура: три вертикально укрепленные и безобразно искореженные полосы строительного железа. Сколько помнится — «Подруги» называлось это дикое сооружение. «Есть женщины в русских селеньях», — вспомнил я меланхолически, и мне немного полегчало. А в торце музея приютилась лесенка, ведущая прямо со двора на второй этаж. Огромный около нее плакат всем сообщал, что здесь располагается городское общество лесбиянок. И пунктуально добавлялось, что это общество — «с ограниченной ответственностью». Со двора на улицу я вышел уже слегка посвежевший. Тут я уткнулся в пивную-закусочную с названием «Сократ-1», а метров двести пробредя, нашел такую же под вывеской «Сократ-2». На перекрестке, голову задрав, я обнаружил, что гуляю по просторной и уютной улице Адольфштрассе. В честь какого Адольфа была некогда названа эта улица, сомнений не было, но здесь никто не помышлял переименовывать привычные названия. И больше, видит Бог, ничего со мной за эти полчаса не случилось, но в музей вернулся бодрый и подтянутый израильтянин, из которого так и сочилась радость бытия и путешествия. Этот кураж немедля и естественно перехлестнулся на собравшихся (откуда они взялись — явно удивило устроительниц), и вечер удался.

А кстати, восхитительный кураж, который в нас играет накануне путешествия, точнее, в самом его начале, очень способствует поступкам странным и порою неожиданным для самого себя. Я до сих пор горжусь и вспоминать люблю, как мы с женой летели самолетом российской компании Трансаэро и предстоящим гостеванием в Москве были взволнованы и радостно возбуждены, а тут подъехал ящик на колесах, но давали только сок и воду. Мы уже летели минут сорок, в это время все компании давали и спиртное.

— Девушка, — обратился я к стюардессе с вежливым достоинством, — а где же выпивка?

— Вино сухое белое и красное, — ответила она, как автомат, — будет предложено к горячему питанию.

— Ласточка, — сказал я тихо и внушительно, — если сейчас вы не дадите выпить, дальше я не полечу.

Стюардесса крутанулась вокруг себя от удивления и возмущения, хотела засмеяться этой шутке, но подумала, что вдруг это не шутка, посмотрела на меня внимательно и длинно, упорхнула и вернулась с выпивкой. Жена даже не успела обругать меня, и я поэтому с ней честно поделился.

Я очень люблю истории про оговорки и ошибки гидов. Как-то в Киеве мне рассказали про экскурсовода, любящего точность и детальность. Было это в глухое советское время, за такую оговорку запросто его могли уволить, если не похуже. Жарко повествуя о древности, он сказал, что в это время Киев часто разоряли печенеги.

— Налетали они каждый раз, — добавил он и показал рукой, — оттуда вон, со стороны обкома партии.

А мой приятель Игорь Марков ездил на экскурсии с женой — она прекрасно ориентировалась в географии различных городов и говорила ему, где начать взволнованный рассказ о месте, где они остановились. Шла она впереди группы, и была у них система знаков — что и где повествовать. В одном из переулков Парижа он получил условленное сообщение, что здесь был некогда застрелен атаман Петлюра. Он убит был молодым евреем, мстившим за погибель близких при погроме в их местечке: конница Петлюры ворвалась туда, пылая боевым азартом. И французский суд убийцу оправдал. Экскурсовод был говорлив и эмоционален: лилась кровь, сбегались люди, бледный молодой еврей стоял, сжимая пистолет, — столпившиеся экскурсанты жарко волновались, чуть ли не воочию переживая давнюю историю. Но тут к экскурсоводу подошла жена и что-то виновато прошептала ему на ухо. Ни тон его не изменился, ни запал, но продолжать решил он на ходу, и группа потекла за ним, ловя дальнейшее повествование. А ему, бедняге, отойти хотелось поскорей, его терзала совесть профессионала, что такую он завел возвышенную речь совсем не на том месте, где студент убил Петлюру. Первый раз жена ошиблась в географии и так не вовремя покаялась в ошибке.

Я понимал его желание уйти с этого места поскорей: и у меня такое побуждение частенько возникало там, где я показывал заведомый (хотя и ненарочный)

исторический фальшак. У нас ведь некогда здесь по-
бывала ярая неистовая христианка царица Елена, мать
императора Константина Великого, давшего легаль-
ность христианству. А она — спустя три века после тех
евангельских событий — принялась искать свидетелей
распятия Христа. И отмечать места, которые с ним
были связаны. А так как она щедро и безоговорочно платила за каждый факт и каждую историю, то от
свидетелей и знатоков — отбоя не было. Мгновенно отыскались даже три креста — один святой и два
из-под разбойников. Поэтому все то, что здесь показывают впечатлительным туристам, довольно часто и
сомнения не вызывает, ибо никакого нет сомнения, что
это и по времени не то, и расположено не там. Однако
трогает сердца ничуть не меньше.

А игра такая — и впоследствии веками продолжа-
лась. Так, например, могила царя Давида в Иерусалиме
расположена в монастыре времен крестоносцев (как не
позже), но несоразмерность в тыщу с лишним лет никого
не тревожит. Даже самих верующих, кстати. У какого-то
достопочтенного рава спросили как-то, не беспокоит ли
его, что царь Давид покоится с очевидностью не в этом
месте благоговейного поклонения посетителей.

— Отнюдь, — ответил рав спокойно и находчиво, — если такое количество евреев уже столько лет
сюда приходит, то царь Давид наверняка уже сюда перебрался.

Я как-то тут стоял с Зиновием Ефимовичем Гердтом,
тихо что-то повествуя, когда вышел из толпы молив-
шихся довольно молодой еврей в кипе и лапсердаке,
направляясь прямо к нам.

— Я извиняюсь, — вежливо спросил он у меня, — это действительно артист Зиновий Гердт?

Я ошарашенно кивнул. Тогда он обратился к Гердту с просьбой об автографе. И вытащил блокнот и ручку.

— Я с удовольствием, — сказал Зиновий Гердт, изысканно изобразив религиозное сомнение, — а Додик не обидится?

Но в блокноте расписался, и мы с ним отправились наверх.

А прямо над царем Давидом (над его, точней, могилой) на втором этаже монастыря образовалось в некие незапамятные времена столь же достоверное место, где, оказывается, Иисус Христос сидел с апостолами на Тайной Вечере. И многие десятилетия течет сквозь эту комнату поток христиан, благостно поющих славословия и гимны.

Тут я вспомнил дивные слова, когда-то сказанные замечательным одним художником российским. Он совсем не циник, но настолько ошалел, помпейские увидя фрески, что, когда они Помпею покидали, жарко и восторженно с женою поделился:

— Слушай, ведь какое счастье, что Везувий извергался! Мы ж могли все это не увидеть!

А теперь я ненадолго отвлекусь на очень важную особенность устройства нашей любознательности к миру. С азартом отправляясь в путешествия, оцениваем мы весьма невысоко те познавательные радости, что нас напрасно ждут в родных местах. Я много лет довольно много ездил по России и в любом из городов отыскивал музеи, по которым с удовольствием шатался. А в Москве я тоже навещал музеи, но особо часто —

Третьяковку, ибо живопись давно уже люблю. Так вот ходить туда я сразу перестал, как только поселился от нее через дорогу. И однажды это с удивлением заметил. Но пойти еще два года не собрался. А как только переехал — вновь завспоминал и вскорости пошел. Такой вот феномен. И потому отвлекся я, чтоб лишний раз упомянуть: мне посчастливилось остаток жизни коротать в великом городе, и я об Иерусалиме собираюсь рассказать загадочное нечто и известное не слишком.

Мы спокойно ходим по узким улочкам Старого Города, вяло вспоминаем что-нибудь из той лапши, которую нам вешали на уши, когда мы только что приехали, спокойно и почти что равнодушно — словно стены комнаты, где мы живем, — окидываем взглядом исторические всякие места, и даже тень волнения душевного давно не посещает нас. А между тем Иерусалим — единственный в мире город, имя которого есть в перечне острых психических расстройств: иерусалимский синдром. Среди паломников, стекающихся в этот Город из самых удаленных уголков планеты, он встречается настолько часто, что уже описан психиатрами как уникальное (короткое, по счастью) душевное заболевание. В больнице Кфар-Шауль уже лет двадцать пять есть специальное отделение, где быстро и привычно лечат бедолаг, свихнувшихся рассудком от нахлынувшего в душу их восторга. Человек пятьсот за это время здесь перебывало. Были среди них пророки Даниэль и Элиягу, Иоанн Креститель (тоже не один), дева Мария, царь Давид и даже Сатана. А вполне здоровый (до приезда к нам) американец ощутил внезапно здесь, что он — Самсон, и взят был санитарами возле

Стены Плача: он пытался сдвинуть многотонный каменный блок, поскольку тот стоял неправильно и не на месте. А когда его уже в больницу привезли, врач попытался возвратить его в нормальное сознание простейшей логикой: Самсон ведь не бывал в Иерусалиме. Но Самсон не внял словам врача, он выставил окно и выскочил. Но убежал недалеко и на автобусной возле больницы остановке ожидал автобуса, чтобы вернуться и доделать начатое. За ним было послали дюжих санитаров, только опытная медсестра сказала, что она все сделает сама. И, подойдя к нему, она сказала: «Господин Самсон, уже вы доказали только что, что вы действительно Самсон, теперь вернитесь ненадолго, вам необходимо отдохнуть». Такую логику Самсон воспринял и послушно возвратился. А уже через неделю сам не помнил, что с ним именно происходило.

Сапожник из Германии давно мечтал сюда приехать, чтобы тихо и смиренно поклониться всем святым местам. Однако же, приехав, громогласно и прилюдно объявил, что он на самом деле — свыше посланный пророк по имени «Святой сапожник», и принялся провозглашать и проповедовать основы той морали, что забыли грешные обитатели нашего города. Тут я подумал мельком, что отчасти прав этот бедняга, но не будем отвлекаться от сюжета.

Тихая немолодая шведка (по профессии — учительница и психолог), только что вступивши в Старый Город через Яффские ворота, замерла от ужаса: на крыше дома через маленькую площадь от нее — стоял и улыбался дьявол. Вмиг переместившись с крыши вниз, он принялся входить в людей и выходить из них.

Шведка ощутила в себе дикую божественную силу, чтобы побороться с ним, и с криками набросилась на окружающих. А полицейского, пытавшегося задержать ее и образумить, она чуть не задушила, ибо именно в него укрылся в ту минуту дьявол.

А другая женщина вполне спокойно две недели путешествовала по Израилю в составе группы, а сорвалась — сразу по приезде в Город. Вдруг она исчезла из гостиницы. И только через двое суток обнаружили ее, точнее, необычным образом она сама внезапно объявилась. Без еды и питья она два дня бродила по улицам, разыскивая Иисуса Христа, поскольку явственно почувствовала (было озарение), что именно она — его невеста. Она все время слышала его голос и отвечала ему. А на исходе вторых суток этот голос ей сказал, что ведь она, по сути, — голубь, и пускай она летит на небеса. Подумав (рассудительно и здраво), что одежда помешает ей взлететь, она разделась и неслась по улице, размахивая руками. Только тут ее и обнаружили.

Ну, о Мессиях нечего и говорить — они являются так буднично и часто, что врачам, мне кажется, уже неинтересно содержание их кратковременного бреда, их немедля и успешно лечат. Но бывают свихи необычные: один паломник ощутил себя внезапно — ускорителем земной истории. Он призван был разрушить несколько святых исламских мест, чтоб вызвать битву Гога и Магога, а затем — приход Антихриста, чтобы вослед пришел Мессия. Был задержан при попытке поджигания мечети.

Даже гиды по Иерусалиму знают основные признаки душевного смятения от встречи с уникальным городом.

И если человек обособляется от группы, проявляет явную нервозность, прикупает белую одежду (или сам ее себе сооружает из гостиничных пододеяльников и простыней), с повышенным ажиотажем исполняет гимны и псалмы — тут можно ожидать и срыва. А дальше — спутанная речь, невнятное сознание и жаркие порывы громогласно проповедовать мораль. Не более недели тратят психиатры на лечение паломников, чьи души и рассудок отравляются восторгом после встречи с нашим городом. А мы, туземцы, преспокойно и нелюбопытно бродим по местам, таящим столь могучее духовное излучение.

Похоже, я распелся чересчур. Но очень уж приятно похвалиться обаянием тех мест, где пребываешь буднично и запросто. Вернусь я к теме.

Еще дивные случаются и разговоры в путешествиях. Порой такие, что жалеешь позже: почему ты, идиот ленивый, их не записал тогда на месте? А потом уже возможен только пересказ. Так было у меня однажды в Саарбрюкене. Представьте себе: юг Германии, в квартире небольшой пируют за столом два пожилых еврея и хозяйка. В недалеком прошлом — двое ленинградцев и один москвич. Уже в этом легкая содержится подсказка, только все же попытайтесь угадать — о чем они беседуют сейчас? Я голову на отсечение даю — не угадаете. Хозяин дома этот разговор затеял, он сейчас экскурсовод и много ездит по Германии. А разговор — о жизни и судьбе Дантеса. Поскольку тут неподалеку, в Сульце, — родовое их имение.

Дантес, вернувшись из России, вскоре занялся политикой. Чутье, сноровка, деловая хватка — стал он мэром города, потом его избрали даже в Учредительное собрание Франции. Ему нисколько не мешало, что иначе как «убийца» литераторы парижские его не называли. Это даже выделяло его и способствовало заметности. Как точно сформулировал Проспер Мериме, сказавши как-то, что Дантес «принес смерть Пушкину, а Пушкин принес ему бессмертие». Тут моя душа российского еврея не могла больше терпеть, и я спросил: неужто никакое воздаяние его по жизни не постигло? Все-таки постигло, мне ведь потому так и запомнился наш тот вечерний разговор, я раньше этого не знал. Дантес очень любил свою младшую дочь, она росла слегка подвинутой в рассудке. И — чрезмерно эмоциональной и чувствительной. Она боготворила в этой жизни — русского поэта Пушкина. И комнату свою в подобие часовни обратила, где иконой — пушкинский портрет висел. Она молилась на него. Отца она убийцей называла, избегала с ним общения и вообще его существование в упор не замечала. Это длилось несколько десятков лет. И умерла она, когда Дантес еще был жив.

Такой был разговор у нас, а про несчастную Россию мы в тот раз совсем не говорили, что довольно странно для немолодых евреев-россиян, собравшихся для тесного душевного общения.

Редкостно везет, конечно, тем туристам, кто наткнулся по случайности на старожила местного пространства. Тут услышать можно дивные истории, такие ни в одном путеводителе не сыщутся. Мой друг однажды был в Кижах — в расположившемся на острове музее старой деревянной архитектуры. Там церкви есть и несколько жилых домов. В одном из них экскурсовод им повестнул, что от печи под общие полати здесь идет искусно сделанный воздухопровод, и зимою лютой на полатях спать очень тепло. И вся огромная семья здесь спит вповалку. Друг мой, человек с воображением, себе немедленно представил, как сыновья с их женами, и дочери с мужьями, да включая холостых и незамужних, могут спать совместно. Получалась очень тяжкая картина неминуемого свального греха. Тем более что ночь глухая, да еще и выпившие все. Спросить экскурсовода — было неудобно, и к тому же — явно бесполезно: очень был советской выучки товарищ. Тут мой друг сообразил, что возле входа в дом сидевший старикан вполне мог оказаться старожилом этих мест. И смылся от экскурсии наружу.

Довольно дряхлый дед еще сидел на стуле около крыльца и медленно смолил махорочную самокрутку.

— А вы, отец, — спросил его мой друг, — давно ли тут живете?

— А всегда, — приветливо откликнулся старик.

И тут заезжий фраер мягко и тактично изложил, что именно его интересует в личной жизни обитателей такого дома. Он запинался и слегка неловко себя чувствовал. Старик, однако же, спокойно объяснил, что спали чуть поодаль друг от друга и что нравы были строгие, но те, которые ходили еще в девках, — те ложились в валенках, чтоб их на всякий случай даже в темноте немедля можно было опознать.

У фраера заезжего еще сильнее разгорелось любопытство, и спросил он: как же, если девка по беспамятству или, к примеру, опьянев, без валенок залезет на полати?

И тут помолодел старик, и блеклые глаза чуть заблестели, и с большим достоинством сказал он:

— А всенепременно уебут!

Мне в Казани как-то повезло со старожилом. А возможно, в Нижнем Новгороде это было — просто с Горьким оба города так тесно связаны, что точно я уже не помню. Но в одном из этих городов — штук пять попалось нам подряд мемориальных досок, что работал буревестник революции когда-то в этом доме. Я спросил, естественно, откуда столько мест, где протекала трудовая юность пролетарского писателя, и замечательный ответ услышал:

— Да работал он хуево, отовсюду его гнали.

Но необходимо тут заметить, что и обольщаться при общении со старожилами отнюдь не следует. Особенно если такой туземец — ваш экскурсовод. Его обязанность — не только сообщить вам информацию, но и доставить по возможности приятность, тут и следует не впасть оплошно в некое очарование напрасное. Об этом я вам на простом примере расскажу.

Приехал как-то в Иерусалим какой-то видный посетитель из Москвы, и Саша Окунь был к нему (и лицам из сопровождения) приставлен, чтобы разговор переводить. Всю их компанию вел по Старому городу главный смотритель этого древнего великолепия, водил он самолично только очень выдающихся гостей. А когда возле Стены Плача его спросили — правда ли, что посланные отсюда записки (вложенные в расщелины между камнями) достигают Бога, он медлительно и важно сообщил, что вот недавно он водил тут кандидата в президенты господина Джорджа Буша-старшего.

Все это было прямо накануне избирательной кампании, и вполне поэтому ясно, какую записку вложил Буш-старший в Стену Плача. И вот пожалуйста — он президент Америки теперь. И все восторженно заохали, запричитали, принялись искать бумагу и готовить ручки, а смотритель отвернулся в сторону слегка и доверительно сказал Саше Окуню:

— Я и соперника его сюда водил, он тоже оставлял записку.

Из далеких странствий возвратившись, путешественники пылко врут. И здесь не их вина, а тех друзей и близких, что кидаются толпой на выпивку по случаю приезда и галдят: ну, как там было? Что ты видел? И рассказывай подробней! А при этом выпивают и закусывают, будто со вчера во рту росинки не было, и хищно смотрят на тебя. Но цель и смысл любого путешествия (а потому — и содержание его) — лишь череда различных впечатлений. Это чувства, ощущения, мелькание случайных настроений, удивлений и восторгов, задохнувшиеся в горле восклицания. Ну, то есть то как раз, что невозможно передать словами. Тут и начинается вранье. Без умысла, а в горестных попытках передать очарование, остолбенение, оцепенение и нечто, что захватывало дух. Вот, например, — пещера в Турции, ее недавно обнаружили и наскоро открыли для туризма. Сталактиты там свисают, как огромные мечи и зубы, а растущие повсюду сталагмиты — нежные и разных обликов хуйки. А каменный раствор, который за столетия натек на стены, — он то хоругви и знамена более всего напоминает, то причудливый орган барочный, то роскошные и вычурные башни фантастических средневековых замков. Как это возможно рассказать? А как возможно объяснить те чувства ностальгии, удивления, симпатии, которые нахлынули вдруг на меня, когда стоял я перед памятником Ленину в американском городе Сиэттле? На побережье Тихого океана, между прочим. Покуда я курил и пребывал в ошеломлении от собственных переживаний, мне повествовали поразительную, чисто американскую историю. Чудак какой-то этот памятник привез аж из Словакии. А восемь тонн он весит. И поставил его где-то на дворе этот чудак, чтоб любоваться им с террасы, попивая виски. Постепенно памятник стал в землю уходить под собственной тяжестью. А тот чудак разбился в автокатастрофе. И тогда купил Ульянова владелец ресторана — чтобы посрамить коллег и конкурентов. Но вмешались городские власти: этот памятник являлся, по их мнению, наглядной пропагандой коммунизма. Но владелец ресторана гениально их перехитрил: он заявил, что памятник поставлен на продажу. А торговля — дело частное, святое, и объект продажи — неприкосновенен. Так что есть у Ленина цена, притом такая, что любой желающий немедленно уходит. И незыблемо стоит Ильич уже немало лет. Возле него свидания порою назначают, и цветы лежат на постаменте. А от бронзовой фигуры сбоку — то ли там штыки, то ли знамена, да и сам Ильич так устремлен вперед, как будто в светлое грядущее идет, которое, всем нам на радость, не случилось.

А кстати, много из того, что было в прошлом, тоже вспоминается впоследствии как некое куда-то путешествие, где дивные случались приключения. Сегодня мне таким как раз и видится тот год, когда я после института оказался далеко от дома. По Башкирии водил я грузовые поезда, и был я — машинист электровоза (очень уважаемая в те поры профессия и должность). По субботам машинисты с их помощниками (те, кто не был, разумеется, в поездке) собирались в роще под поселком Дема (от Уфы недалеко), и сотворялся некий карнавал с заведомо известным расписанием. Рассаживались чуть поодаль друг от друга две большие группы, разделявшиеся по гастрономическим пристрастиям. А разница — она вся состояла в том, что в пятилитровый бидон с пивом заливала одна группа туалетную воду «Сирень», а вторая группа — «Ландыш». Большие пузырьки с этой водой свободно и задешево приобретались в любой аптеке, а в воде той (кроме химии с цветочным запахом) большая доза спирта содержалась. Я не поручусь, что питьевого, но тогда нас это мало волновало. Содержимое бидона непрерывно пополнялось, а по ходу выпивания говоруны из каждой группы издевались над соседней за позорность вкусовых пристрастий. И часа примерно через два полемика переходила в драку. Возвращались мы толпой уже единой, крепко освеженные и со следами битвы почти все. А если праздник очень удавался, то бывали даже выбитые зубы. Пострадавший непременно заявлял, что этот зуб был все равно гнилой (чем понижалось достижение противника). Сегодня и понять я не могу, зачем я принимал участие в тех богатырских играх, только чувством путешествия возможно это объяснить.

Конечно, возраст изменяет наше восприятие, однако же — меняются порою и места, где мы бывали раньше и теперь приехали опять. Давным-давно когда-то были мы с женой в пещерах Киево-Печерской Лавры. А тогда они музеем были, и лежали там открыто щуплые тела Божьих угодников — монахов, которые по смерти не истлели, а высохли до вида мумий. Кожа (а порой и волосы) на головах у них была сохранна, а тела были прикрыты, но торчали руки — с кожей, столь же сохранившейся. До вида желтого пергамента она только усохла. Через три десятка лет я посетил эти пещеры снова. Но теперь они уже принадлежали церкви, мумии угодников под вышитыми покрывалами хранились, их уже увидеть было невозможно, разве что — поставить свечку, ибо они разно помогали от телесных всяческих недугов. Я полюбовался ростом Ильи Муромца былинного (он тоже там лежит, а был он — 177 сантиметров, что изрядным почиталось в его время) и благоговейно (чуть не написал — коллегиально) прикоснулся к покрывалу летописца Нестора. Уже собрался уходить, когда увидел в полутемной нише множество больших стеклянных банок, в каждой из которых ясно различалась небольшая голова, точнее, череп с желтой кожей. Это оказались головы подвижников, которые при жизни отличались такой святостью и верой, что уже многие столетия их черепа источают благовонное масло. Так они и называются — мироточивые головы. Библейское мирро, как всем известно, — это чистое оливковое масло (первого отжима) с благовонными добавками. А в христианской практике оно на букву сократилось и приготовляется из местного растительного масла с примесью ароматических веществ. И помазание сей жидкостью с молитвой специальной — благодать дарует и способность жить по-христиански. Так вот это самое миро — сочится уже многие века из тридцати двух черепов давно усопших угодников. А чудес на свете нет, как всем известно, только всем опять-таки известно, что они случаются. Я, например, к разряду чуда отношу не факт мироточения, а то, что при советской власти его не было. А кончилась она, и чудо вновь возобновилось. И приставлен к этим банкам специальный тут служитель, чтоб вычерпывать без перерыва натекающую благодать. А про ее целебность — уже многие века легенды ходят.

Долго я стоял, на это глядя. Боже упаси, не Емельян я Ярославский (хотя мы почти однофамильцы — он ведь Губельман), чтоб сомневаться в таинствах любой религии, мне просто интересно очень было. Но никак одну историю не мог не вспомнить. Полтора века назад (за год накануне Крымской войны) стоял на этом месте самодержец всероссийский Николай Первый. И спросил он у сопровождавшего монаха:

— Скажи-ка лучше, ты когда последний раз подливал масло вон в тот череп?

И монах (царю ведь не стемнишь) ответил огорошенно:

— В пятницу, Ваше Императорское Величество.

У каждого, кто много ездит, появляются любимые места, которые с большой охотой навещает он опять и снова. У меня есть два таких, и это странные, нисколько не туристские места. В Самаре уже трижды приходил я в бункер Сталина. Это загадочное место: здесь моя душа преисполняется каким-то смутным, неисповедимым чувством. Я здесь ощущаю дух империи, давным-давно уже (какое счастье!) канувшей в небытие. Это нора почти что в сорок метров глубиной — двенадцатиэтажный дом, если не больше. А похоже — на тоннель метро, сооруженный вертикально. И в такие же стальные кольца намертво, непроницаемо заключена эта гигантская дыра в земле. Два лифта (друг за другом вслед) возносят или опускают посетителей. На самом нижнем этаже воспроизведен кабинет генералиссимуса в Кремле. И даже несколько дверей (он обожал непредсказуемое появление) там тоже есть, хотя работает всего одна, а остальные — фальшаки. И зал для совещаний — копия, и карта сохранилась во всю стену. Множество подсобных помещений: тут и кухня ведь была, и комнаты обслуги и охраны, и механизмы вентиляции, не говоря уже о генераторе для собственной системы освещения. Продуктов было — на пять дней для нескольких десятков человек. Сейчас в тех комнатах, которые открыты, — только фотографии по стенам: тот безумный воинский парад, когда на волоске висела вся дальнейшая судьба страны. Какое-то немыслимое сочетание величия с убожеством витает в этом логове, которое трусливому хозяину не пригодилось. Еще порядком это впечатление усугубляют дюжие экскурсоводы, у которых внешность — сильно не музейная, и не оставляет никаких сомнений их былая принадлежность к ведомству охраны, пресечения и соблюдения военной тайны. С гордостью они рассказывают, что в начале войны в Самаре (Куйбышев она тогда была) такой же состоялся воинский парад, как и в Москве, — на страх и удивление посольствам тех держав, что наскоро сюда перевелись. И что начальства было здесь в ту пору — видимо-невидимо, поскольку собирался тут укрыться штаб ведения войны и сам верховный полководец.

Построили эту нору — за считанные месяцы вручную — человек шестьсот привезенных сюда в глубокой тайне метростроевцев со стажем, опытом и чистотой анкеты. Ни единого из современных механизмов там не применялось — только древний ворот (как повсюду — на колодцах) поднимал бадьи с землей. К тому же рыли — прямиком под зданием обкома партии и горсовета (частная была там раньше школа музыкальная — добротный дом). О том неслыханном труде нет ни единого воспоминания — я знающих людей просил это проверить. Ни единого. И я не удивился бы, узнав, что расстреляли их потом (поскольку просто в лагере — могли бы проболтаться). Только очень может быть, что уцелели, — потому что знать не знали, куда именно их привезли. Они вкопались в землю в день приезда и все месяцы работы там и жили, а в каких условиях — не хочется себе и представлять. Во всяком случае, они не появлялись в городе. А после, взяв подписку о секретности строжайшей, их могли обратно привезти. И я на этой версии остановлюсь, мне так душевно легче. Только всем этим проектом пристально и лично управлял Лаврентий Берия — вот откуда горестные подозрения мои. Я думаю об этом всякий раз, когда оказываюсь под невидимой и дикой толщины плитой, которая была положена, чтобы укрыть подземный бункер от любых бомбежек — даже и от газовой атаки.

И похожее — по некоему смертному очарованию — нашел я место в солнечной и жизнерадостной Сицилии.

В Палермо. Это было подлинное кладбище, но только — расположенное под землей. Под зданием довольно
древнего монастыря монахов-капуцинов. И покойники
там не в земле лежат, а выставлены напоказ. Шесть
тысяч их — в одежде своего столетия и выставленных
стоя или возлежа открыто на широких деревянных полках. В конце шестнадцатого века некий местный врач
изобрел простой и быстрый способ бальзамирования
умерших: какие-то он впрыскивал им химикалии. А сам
он вскоре умер тоже и секрет унес с собой в могилу, но
идея сохраняться после смерти — капуцинам очень по
душе пришлась. И множеству других, кто побывал на
этой выставке покойников. Им тоже захотелось после
смерти не в земле лежать, с годами обращаясь в голые
кости, а в почти сохранном виде, в собственной одежде
быть доступными для посещения потомков. И немедля
отыскался новый способ консервации: покойника по-
гружали в раствор мышьяка (потом он заменился изве-
стью), а вытащив, сушили восемь месяцев в холодной
камере. А после мыли в уксусе и надевали его личную
одежду. В катакомбах под монастырем, в нескольких
огромных залах, под высокими сводчатыми потолками
тянутся и тянутся ряды этих разряженных скелетов.
Женщины одеты в шелковые платья с кружевами, в
чепчиках и шляпках, а мужчины — в одеяниях, названия
которых разве что в истории костюмов можно отыскать.
Наполеоновский солдат, к примеру, — он в мундире,
голова его покрыта треуголкой, на руках — перчат-
ки, белые когда-то. Там залы для монахов-капуцинов
(в балахонах с капюшонами, они стоят или лежат), а
зал отдельно — для священников, а в зале светских

обитателей — учителя, врачи, художники и адвокаты, офицеры и какие-то еще профессии. У многих сохранилась кожа на лице и на руках, а то и волосы остались (три покойника отдельно вынесены за стекло — они как будто спят, настолько все у них сохранно), большинство, однако, — просто-напросто одетые скелеты.

Страшновато, я не спорю. Две минуты выдержала там моя жена. Потом ушла, сказав мне замечательную фразу:

— Только умоляю, ничего не трогай здесь.

Я засмеялся, первое оцепенение прошло, и я пошел шататься между этими рядами. Кое-где остатки живописи виделись на стенах, только за четыре века сильно заселились эти катакомбы, и свободных мест почти что уже не было. И от желающих захорониться так же — до сих пор отбоя нет. Сюда можно попасть лишь с разрешения высших приоров ордена капуцинов. Я ходил и думал, что ведь это — уникальный памятник нашему яростному и неистребимому желанию хоть как-то после смерти сохраниться. И в любом, даже кошмарном этом виде — но остаться на земле.

А после это странное кладбищенское обаяние внезапно совместилось с именем, никак не относящимся к Сицилии. Тут побывал когда-то итальянский поэт Ипполито Пиндемонти. Под впечатлением от этих катакомб он написал поэму, посвященную тому, что он увидел тут, и вообще — о жизни и о смерти. Городские власти именем его назвали улицу, ведущую к монастырю. Теперь я понял, почему таким знакомым показался мне адрес монастыря. У Пушкина стихотворение, написанное незадолго до дуэли, так и называлось — «Из Пиндемонти». Я слова из этого стихотворения твердил когда-то наизусть, так поразило и очаровало меня пушкинское вольное дыхание. И вот такая странная образовалась связь, что я туда еще раз обязательно хочу приехать.

Кстати говоря, из подземелья этого по каменной недлинной лестнице поднявшись, выйти на прогретый солнцем свежий воздух — тоже радость далеко не из последних.

Стоит, несомненно, стоит путешествовать. Наперед не зная, что увидишь, — даже лучше. Лишь бы этого хотелось. У меня одна знакомая работала когда-то в Эрмитаже. И сидела там недолго за конторкой возле входа, отвечая на вопросы, где и что. И подарила ей судьба один роскошный диалог с пришедшей парой:

— Вот мы купили билеты и не знаем, что смотреть.

— А что вас интересует?

— А нас ничего не интересует.

Про такое состояние души мне замечательно сказала одна ветхая старушка:

— Чем так жить — лучше, не дай Бог, умереть.

ХИЖИНА ДЯДИ ТОМА

Наверняка понятие «негритянская работа» некогда возникло у литераторов. И как-то очень прочно утвердилось в языке. Некто что-то сочинил, но появился этот плод труда и вдохновения под именем того, кто оплатил работу. За множество политиков писали книги нанятые ими литературные рабы, а негры, писавшие за советских вождей, вообще были часто хорошо известны. Мне рассказывали как-то (байка устная, за достоверность не ручаюсь), что в Тарусе жили сразу несколько известных борзописцев негритянской ориентации, им заказывали и журнальные статьи, и книги, это были мастера на все руки, тайна сохранялась свято. И во многих, многих городах водились грамотные и талантливые негры. Очень я обрадовался, где-то прочитав недавно, что работал негритянские труды Андрей Платонов и что многие переводы с китайского и корейского заказывала неграм Анна Ахматова (платили ей достаточно повышенную ставку, чтобы гонорара всем хватило). Список этот можно долго продолжать. И еще везде, повсюду обитали в мое время молодые востроглазые ребята (преимущественно — с длинными носами и в очках), писавшие чужие диссертации на любую заданную тему. Я сам знал нескольких таких, а было их — число немыслимое. И по всем республикам империи отменно защищались эти диссертации, плодя доцентов и профессоров.

Если чуть понятие расширить в смысле жанра негритянского труда, то я вступил на эту скользкую стезю еще на первом курсе института. Шел зачет по физкультуре, надо было на одних руках подняться по канату — метра три, не Бог весть что, но двум моим приятелям это оказалось не под силу. А физкультурный педагог не знал нас — подменял коллегу, так что смухлевать труда не представляло. Я сдал свое влезание одним из первых, обождал немного и пошел опять, назвав фамилию приятеля. Физрук кивнул мне подбородком на канат, я под него улегся — поднимались с пола — и немедля услыхал:

— Иди обратно и не суйся. За других чтобы сдавать, меняй трусы и майку.

Я конфузливо поднялся, а физрук добавил, вызвав общий хохот:

— И лицо.

Я бы забыл, конечно, этот первый опыт негритянства, но спустя лет восемь старший брат мой попросил, чтобы я сдал экзамен по математике за его приятеля, мучительно одолевавшего заочный политехнический институт. Я не мог не согласиться, а точнее, согласился с радостью, ибо немыслимый азарт авантюризма сотрясал и мучил в те года мою неустоявшуюся душу. Даже это мелкое мошенничество было мне целебно привлекательно. Только что, кстати, сел за то же самое в тюрьму Саша Гинзбург, но его так неумеренно жестоко покарала Лубянка — за три номера журнала «Синтаксис», открывшего эпоху Самиздата. Я о такой опасности не помышлял, ибо душой был чист, как дворник Герасим. Я вообще созрел изрядно поздно (если вообще созрел, в чём мои близкие довольно справедливо сомневаются).

На экзаменационную карточку была наклеена моя фотография, и даже печать на ней изобразил какой-то неизвестный мне умелец. Уровень в этом заочном институте был намного ниже нашего, а я когда-то математике учился с удовольствием, поэтому ответил очень бодро на вопросы и решил какую-то задачу (или уравнение, уже не помню). И преподаватель с равнодушным и незамысловатым лицом взял мою карточку и поставил мне четвёрку. Я удивлённо глянул на него, и он мне сухо сообщил:

— Вам этой отметки хватит...

Чуть помедлил и глумливо добавил, глядя на меня и чуть косясь на карточку:

— ...студент Иванов.

Я выскочил, благословляя этого безликого Песталоцци.

И еще лет десять утекло, и позвонила мне приятельница, Юна Вертман. Театральный режиссер она была, и помнят ее до сих пор ученики, ставшие весьма известными актерами. Сама она успела поставить очень немного, и не только потому, что рано умерла, но как-то плохо она вписывалась в мир советского театра, а водила дружбу — с самыми предосудительными людьми. С ней у меня связана память об одном удивительном переживании — я отвлекусь от негритянства ненадолго, очень уж была уникальна та вечерняя ситуация в нашем доме.

Юна как-то позвонила мне: ей надо было где-нибудь погостевать какого-то заезжего приятеля, не сможем ли мы их принять сегодня вечером. Да разумеется, я встречу вас в метро, незамедлительно ответил я. И побежал в районную кулинарию: мы тогда по бедности кормили всех бифштексами оттуда. Многие ли нынче помнят эти жалкие котлеты из мясных обрезков? А под водку это была царская еда. Приятель Юны оказался только что выпущенным на свободу зэком, а сидел он вместе с Юликом Даниэлем, написал о лагере отменную книжку, я горел желанием порасспросить его подробней (с ним сидел и Сашка Гинзбург), но не получилось. Часом позже Юны позвонила с той же просьбой давняя моя подруга Люся — к ней тоже приехал какой-то киношник, и ей сегодня вечером с ним было некуда податься. Итак, нас оказалось шестеро, о чем-то мы трепались, выпивая, и вдруг выяснилось, что оба эти мужика — из города Свердловска в молодости. Дальше в разговоре обозначилась еще какая-то деталь, и вдруг киношник вежливо спросил, не тот ли это самый человек, который некогда был арестован за Самиздат и ухитрился смыться прямо из милицейского воронка. Гость Юны жутко оживился и подтвердил: да, да, менты закрыли дверь как-то неплотно, и он ухитрился выброситься на полном ходу, догадавшись даже взять в руки запасное колесо для умягчения удара о дорогу. И сбежал. Не очень-то надолго, но сбежал.

— А я тогда был в комсомольской дружине и с ментами вместе вас везде искал, — радостно сообщил киношник. Мы оцепенели. Очевидной была неминуемая враждебность жертвы и преследователя, это не вязалось с дружеской попойкой, а что делать, я не знал. Но эти оба вмиг заговорили — и с настолько искренней симпатией друг к другу, что мы только переглядывались в молчаливом изумлении от этого скрещения советских судеб.

Но вернусь к негритянству. Юна мне звонила с просьбой. У нее была уже на выходе (вот-вот защита) кандидатская диссертация, но выяснилось вдруг, что ей не хватает одной публикации. Их полагалось некое число, в которое засчитывалась даже статья в научно-популярном журнале. А ты ведь, Гарька, пишешь всякую херню в эти журналы, горестно жужжала Юна, ты там знаешь всех, мне срочно нужна статья об актере Михаиле Чехове, я в тебя верю, ты ее немедленно накропаешь, у меня нет ни минуты времени, выручай.

— Но, Юна, — в изумлении ответил я, — дай Бог мне в жизни столько неприятностей, сколько я знаю хоть чего-нибудь о Михаиле Чехове!

— А я тебе прямо сейчас все расскажу, а ты это обернешь во что-нибудь научно-популярное, — обрадовалась Юна.

И с немыслимым воодушевлением за какие-нибудь минут сорок мне наговорила биографию этого действительно выдающегося актера и режиссера. Слушал я с большим вниманием и даже интересом, но никак не мог уловить, как можно это жизнеописание превратить в научно-популярную статью. Уже хотел я малодушно отказаться, только вдруг какой-то хвостик я поймал.

— Когда все это нужно? — вопросил я деловито.

— Позавчера, — счастливым голосом ответила подруга. — До сдачи реферата диссертации остался месяц. Можно два. У тебя есть уже идея?

— Есть только тень ее, но этого мне хватит, — ответил я словами, от которых не отказался бы и сам Шекспир. Я очень был обрадован этой смутной тенью. Перечисляя вехи творчества доселе мне безвестного Михаила Чехова, на пулеметной скорости Юна сообщила, что жесты и мимика актера, по мнению Чехова, рождают в этом актере соответствующие внутренние переживания. Этого было достаточно для моего спекулятивного мышления. Статью о том, что индийские йоги и великий русский режиссер Михаил Чехов думали одинаково, я накропал за одну ночь. Во мне играл и пенился азарт мошенника, и я этот азарт изрядно утолил. Все остальное было делом техники: в журнале «Наука и религия» у меня было достаточно приятелей, с которыми я разговаривал открытым текстом. И статью Ю. Вертман в номер вставили без очереди. Это была подлинная негритянская работа. Что судьба теперь запишет меня в негры прочно и надолго, я еще не знал.

А в семьдесят втором году под осень заявился к нам домой писатель Марк Поповский, давний мой приятель — главным образом, по Самиздату. Он задумал написать большую книгу о хирурге и епископе Войно-Ясенецком, человеке поразительном как по таланту, так и по стойкой приверженности вере, жившем в самые что ни на есть советские времена, изведавшем тюрьму и ссылку, но от веры и от сана не отрекшемся. Марк отыскал его дневники, нашел воспоминателей, когда-то его знавших лично, и горел от вожделения эту заведомо непечатную книжку написать, чтоб не пропало имя и дела такого человека. Но давно уже висел на Марке договор с издательством (и был уже проеден весь аванс) на книгу о народовольце Николае Морозове. А вы о нем, конечно, Игорь, знаете? Не более того, что он участвовал в убийстве царя и потом чуть ли не три десятка лет просидел в крепости. Немного, но достаточно, чтоб сесть и написать об этом книгу. Весь гонорар за вычетом аванса — ваш, но имя на обложке — мое. Классическая негритянская работа. Вы согласны? Разумеется! Когда срок сдачи рукописи?

И засел я в Ленинку надолго. Я читал журнал «Былое», «Каторгу и ссылку» я читал, и самого Морозова немного (почему немного, станет ясно из дальнейшего),

и постепенно в ужас приходил от явственной неиспол-
нимости задачи. Мне предстояло повесть сочинить об
основателе и теоретике российского террора, о редак-
торе первой нелегальной газеты, о великом и — что
чудо — состоявшемся ученом возрожденческой раз-
бросанности интересов и открытий.

А когда я одолел свой страх и стал писать, то целый
год меня не покидало чувство счастья. Потому что годы
шли — семидесятые, и ровно век тому назад в России
было то же самое. И я не канувшее время восстанавливал, естественно и густо привирая, а писал о том,
что понимал и ощущал вокруг себя. Чтоб это пояснить,
я напишу немного о Морозове, по праву черпая из той
давнишней (тридцать лет уже прошло) и непонятно как
прошедшей сквозь цензуру книги.

Юный Николай Морозов жадно слушал разговоры
взрослых о необходимости Россию как-то переделать.
Это было срочно и необходимо. В год освобождения
крестьян ему исполнилось семь лет. (Не могу не вспомнить кстати, что как раз в тот год, когда в России от-
менили рабство, в Лондоне пошли вагоны первого метро.) Но долгожданные российские реформы — только
усугубили и обострили эти разговоры о насущности
дальнейших перемен. Реформами остались недовольны
все, и все по собственным причинам, и лишь дух отчет-
ливой российской несвободы, дух оставшегося в душах
рабства эти недовольства в нечто общее объединял.
Все обсуждали перспективы и возможные пути России,
спорили до хрипа и попутно надо всем смеялись.

Но никто, никто, никто, ни единая живая душа, ни
единый развитый ум не знали такого единственного,

точного и совершенного пути, какой открылся юному гимназисту Николаю Морозову. А дело в том, что он еще до поступления в гимназию прочел два старых учебника по астрономии. Потом — брошюру о пищеварении, дыхании и кровообращении. А будучи уже в гимназии, перечитал немыслимое количество книг по естествознанию. Потом он принялся за историю, залпом проглотил несколько трудов об обществе, его устройстве и развитии, и окончательная истина воссияла перед ним немеркнущим и ослепительным светом. Человечество спасет наука. Лишь она позволит во всем мире (и в России, в частности) установить свободу, равенство и братство. Ибо развитие естественных наук — волшебный ключ к этому тройственному счастью человечества.

И в исполнение этой идеи Николай Морозов принялся себя готовить к равно увлекательным (на всякий случай — двум) и равно благородным профессиям: профессора университета и великого путешественника. Он собрал большую коллекцию окаменелостей разных периодов и даже подарил в московский университет им найденную челюсть плезиозавра. Он часы просиживал над микроскопом, он собрал коллекцию жуков и бабочек, он составлял гербарии, а книгами заставил все возможное пространство. Накинув по-студенчески на плечи плед, он бегал в зоологический и геологический музеи университета, отрываясь на часы, когда знакомые студенты-медики его брали с собой в анатомический театр. Чтоб не отстать от старших, там он ел и пил с ними вместе.

Николай Морозов (академик будущий) гимназию закончить не успел. Читал он столько, что не мог не выйти на людей, читавших книги и журналы нелегальные. В кружке, куда его позвали, говорили о свободе слова и о долге перед угнетенным и бесправным народом. А про упование на свет науки было даже заикнуться здесь опасно и смешно. Здесь обсуждались только средства пробуждения и возбуждения народа. Сделать это с несомненностью обязана была та молодежь, что получила все свое образование благодаря народному труду. И медлить было более нельзя, пора было вернуть свой долг. А споры были — только о конкретных действиях. Одни были уверены, что надо жить в народе, просвещать его по мере сил и помогать ему в его убогом прозябании. Другие были полностью убеждены, что народ уже готов к освободительному бунту, надо лишь ободрить и призвать его решиться. Третьи осторожно говорили, что сперва надо пожить в народе, чтоб узнать эту великую загадочную массу вчерашних рабов. И единственное общее из этих споров вытекало: как только наступит лето, надо всем идти в народ. А кружков таких — десятки были, это зримо воплощались в молодежи всероссийский дух и настроение.

То знаменитое хождение в народ мгновенно завершилось несколькими сотнями арестов, ибо в деревнях и селах юных городских смутьянов связывали и сдавали в полицейские участки сами же страдальцы, ради благоденствия которых это затевалось. Молодые люди шли в народ бездумно, вдохновенно, слепо, с полным самоотвержением и пламенной надеждой. Такое только лишь в России и случилось, кажется, за всю историю. А беззаветная и гибельная чистота души этих пошедших сопоставима только с полным их незнанием жизни и характера боготворимого народа. И поэтому они так верили друг другу, книгам и статьям, их уверявшим, что необходимо лишь припасть к народу, как Антей — к земле, и все несправедливости и неустройства рухнут сами от такого благотворного слияния.

А в Женеве, между прочим, жил один сбежавший публицист, который всех уже заранее предупреждал, что «нечего обращаться за помощью туда, куда надо, наоборот, протягивать руку помощи». Ткачев предлагал заговор, захват власти любыми средствами, и только после этого — переустройство. Но сторонников тогда у него было — двое или трое, да и то включая, кажется, жену. Это лишь потом, потом его прочтет своими цепкими глазами и его идеи полностью оценит некий не известный никому еще Владимир Ульянов.

Нашему герою посчастливилось: он беспрепятственно уехать смог в Женеву. Там он свиделся со многими людьми, чьи книги и статьи так повернули его жизнь. И, в частности, — с самим Ткачевым. Все наперебой пытались убедить его примкнуть к их именно категорическому мнению о способах преображения России. Тут очень важную особенность Морозова пора упомянуть и описать.

Его всю жизнь любили все, с кем он общался. Не за стати внешние, отнюдь: был он высокий и нескладный, был худым до подозрения в чахотке и носил очки, а волосы — лохматые до неприличия. Но был он жизнерадостен и весел, был умен и образован чрезвычайно, только знания свои скорей скрывал, чем выставлял наружу; главное же — был он искренне доброжелателен ко всем подряд и обо всех он без разбора отзывался в превосходной степени. И дух беспечности (однако же ничуть не легкомыслия) витал вокруг него и благотворно действовал на окружающих. Кроме того, он постоянно был в кого-нибудь влюблен, и это чувство счастья (во взаимности оно нисколько не нуждалось) тоже очень действовало на людей. Поэтому его и звали все всегда — примкнуть и разделить участие.

А он в Женеве мучался ужасно. Ибо пару раз сходил на лекции в университет, и вновь его свирепо потянуло стать ученым. Только мысли об оставленных друзьях, уже в тюрьме сидевших, боль за них родили в нем идею, показавшуюся юному Морозову — высоким шепотом судьбы. Если он борьбу за русскую свободу бросит и оставит именно теперь и здесь — такой бы это подлостью явилось, трусостью и мерзостью, что и в науку незачем идти — природа не раскроет свои тайны человеку, столь ничтожному душой и совестью.

И раздарил Морозов свои вновь накопленные книги, документы ему сделали отличные, а деньги на билет нашлись у тамошней студентки Веры Фигнер (Боже, как он был в нее влюблен! И почему-то все об этом знали).

Взяли его прямо на границе — по случайности нелепой. Документы заподозрили в подделке, пару дней он отпирался, но грозили посадить проводника-контрабандиста (дома — шестеро детей), и сдался Николай Морозов и себя назвал. А числился он в длинном списке возмутителей, смутьянов и преступников. И таким образом впервые он попал в тюрьму двадцатилетним.

В ожидании суда почти три года он провел в одиночной камере Дома предварительного заключения.

Для таких, как он, и было выстроено это историческое здание в столице русской империи. И продолжительность дознания легко было понять: в одном лишь Петербурге был составлен тридцать один том протоколов следствия, где на сорока восьми тысячах страниц перечислялось все, что говорили дети, собираясь пробудить отцов и сверстников. И два вагона с вещественными доказательствами — книги, письма, прокламации, записки — прибыли, чтобы явиться на суде. Осваивая непомерное количество пришедших сведений, один из офицеров «от чрезмерной работы и утомления впал в чахотку и умер». Это написал о нем коллега, выдержавший тяжкий труд «благодаря возрасту и здоровью».

А Морозов — обживался и вполне прижился в своей крохотной камере. Общался он с друзьями ежедневно (стуком, на прогулках и еще одним коварным способом, уникальным в истории тюремного дела, — чуть о нем попозже). И в неограниченном количестве им дозволялись книги, в камере Морозова они горой лежали, тихо осыпаясь иногда. Он довольно быстро выучил английский — по самоучителю и нескольким романам, после — итальянский. По либретто опер, ничего другого не нашлось. Потом испанский — «Дон Кихота» он прочел уже на языке автора. И часто по утрам он даже пел, проснувшись. Потому что всем нутром своим, всем существом он ощущал как несомненную реальность, что впереди еще — прекрасная и очень содержательная жизнь. А худ он был — индус во время голода.

Впоследствии у Николая Морозова было несколько различных кличек. Его звали Воробьем (за легкость и повсюдность), Арсеналом (за любовь к оружию), Сумчатым (повсюду он таскал с собою сумку, некогда подаренную Верой Фигнер), Зодиаком (за незаурядные познания в астрономии), Маркизом (за удивительную для всех мягкость и вежливость). Но ни одна из кличек не доставляла ему такой гордости и наслаждения, как Поэт. А так его прозвали за стихи, которые тогда читали тысячи таких же молодых людей по всей России. Стихи его печатались в нелегальных сборниках, издавались отдельно, заучивались наизусть, копировались и передавались в списках.

О, как же было хорошо мне ровно через век писать о самиздате той поры! Меня просто захлестывали радость и злорадство. Тем более что очень часто я заканчивал рабочий день советского писателя (хотя и негра) тем, что завозил куда-то или забирал какие-нибудь папки с самиздатом наших лет. Поэтому о том давнишнем я писал — как будто мне дано было благословить любого, кто когда-нибудь дышал в России запрещенным воздухом свободы.

История поэзии знавала всякие пути распространения, но тот, который найден был узниками Дома предварительного заключения, был уникален безо всякого сомнения. Тюрьму эту построили вполне гуманно: с первого и по шестой этаж ее пронизывали трубы канализации. От каждой из них шли на каждом этаже два ответвления по камерам. А сами стульчаки, похожие слегка на граммофонные уродливые раструбы, соединялись с общей трубой узким выгнутым коленцем, где всегда застаивалась часть смывной воды. Неизвестно, кто из заключенных догадался вдруг и, одолев брезгливость, вычерпал руками эту воду. А потом он постучал соседям, попросил их сделать то же самое, и потекла у них через пустую ту трубу отменная неторопливая беседа. А вскорости заговорила вся тюрьма. Вполголоса, поскольку слышимость была отличной. И надзирателям не удавалось пресечение: когда они врывались в камеру, то крышка стульчака уже была захлопнута, и наглое веселое лицо преступника так не гармонировало с вонью, пронизавшей камеру, что надзиратели выскакивали, матерясь. И начальство от бессилия махнуло рукой на эти подлые плоды тюремного прогресса. Туда ему, в конце концов, и дорога, этому гнилому книжному духу, той отраве, что вскружила молодые и пустые головы. А потаскали бы параши — и быстрей одумались наверняка. Однако же тюремный врач в своем докладе констатировал, что заключенные явственно и несомненно поздоровели от взаимных разговоров, многие избавились от нервного истощения, а жалобы на всякие недомогания заметно сократились. Стадные бараны, одержимы коллективным духом, сечь их надо и пороть — но это он в доклад не записал.

Первое свое стихотворение Николай Морозов прочитал, уткнувшись всем лицом в стульчак Дома предварительного заключения. Кося глазами в тетрадь, поправляя очки, потный от волнения, не ощущая вовсе мерзкий запах сточных труб, дрожа от страха, что его немедленно разоблачат, поскольку он сказал, что прочитает Огарева.

Стихи спасли его, явившись неожиданно и сразу, когда он однажды, сам не понимая почему, оставил чтение, со всеми перестал общаться и смертельно вдруг затосковал. С утра наваливалась слабость, изнуряющая тошнота, невыносимые головные боли, острое и давящее чувство прозябания в железной клетке. Утекали, испарялись невозвратно силы, мысли и само желание существовать.

И вдруг — стихи. Он бегал по своей каморке, не догадываясь поднять и пристегнуть к стене кровать, о стол и табуретку ударяясь непрерывно, потому что надо было двигаться в такт ритму, гулу, вдруг проснувшемуся в нем и с легкостью обраставшему словами. Это были стихи о тюрьме, непонятным образом избавлявшие от всех тюремных переживаний. И, несомненно, возвращавшие ему утраченное было чувство жизни.

Он переписал стихи в тетрадь, почувствовал усталость и опустошенность — это были сладостные ощущения, теперь написанное надо было срочно прочитать кому-нибудь. А слушателей было в достатке. Сквозь трубу читали здесь порою Лермонтова и Некрасова. И вот Морозов чуть осипшим, севшим голосом сказал, что почитает Огарева. И наступила тишина, и он впервые в жизни начал вслух читать свои стихи, и вмиг почувствовал, как это слабо, и наивно, и коряво, только было поздно прекратить. Да еще крышка стульчака ударила по голове и так застыла. Было нечем дышать, хотелось замолчать и исчезнуть.

Молчание показалось осудительным и невыносимо долгим.

— Это надо обязательно списать, продиктуйте, — раздался первый голос, тут же покрытый другими: восторгались и просили повторить. Стихи ведь были о тюрьме, о них, о том, что видишь и переживаешь, когда схвачен.

— Диктуйте, это непременно надо помнить наизусть, — сказал чахоточный сосед, вскоре умерший, суда не дождавшись. — Какие прекрасные стихи писал, оказывается, Огарев.

— Это не Огарев, — застенчиво сказал Морозов, которому хотелось прыгать и кричать.

Теперь восторгам не было конца, а похвалы удесятерились. Они все очень любили друг друга. Им было по двадцать лет, и они были заодно, и все были в плену у врага, и каждый бы отдал жизнь за другого.

Стихи были продиктованы, попали очень быстро на свободу и путем, уже традиционным для России, возвратились в нелегальном сборнике «Из-за решетки».

Жизнь Морозова обрела утраченный смысл, краски, звуки, снова стала полной и сулящей счастье несомненное.

Судили этих почти двести человек три месяца и проявили к ним неслыханное снисхождение. Почти все были отпущены на свободу, ибо время предварительного заключения намного превышало срок осуждения. И уже очень скоро общество российское сошлось во мнении (изрядно справедливом), что так называемый Большой процесс лишь укрепил всех этих одержимых в их решимости продолжить начатое.

Про общество «Земля и Воля», про его раскол и появление «Народной воли» я писал хотя и с удовольствием — уж очень современно говорили все тогда о русском рабстве, но чувство счастья испытал я, принявшись за нелегальную печать.

Недавний герценовский «Колокол» затеей был блистательной, удавшейся, достойной восхваления и подражания, но что-то с той поры неуловимо изменилось в воздухе. И стало ясно всем, что время всяческой борьбы из-за границы — кануло, ушло и кончилось. И только дома, в гибельном российском климате имела смысл и звучание свободная печать. Однако же проваливались все попытки. Наладить дело регулярное — не удавалось очень долго никому. Покуда не возникло дерзкое, неуловимое и поразительное предприятие — Вольная Петербургская типография. Так и значился этот ярлык на всех ее изданиях, приводя в бессильную, клокочущую ярость всех ревнителей недремлющего ока. А ничто сильней и глубже не точит устои, чем слабый и негромкий, но непрестанный и неостановимый голос обличения, насмешки и несогласия.

Как же было хорошо и сладостно писать мне это в семьдесят третьем году! Ведь не говоря о Самиздате с Тамиздатом, выходила уже несколько лет «Хроника текущих событий». И как за ней охотились! И безуспешно. А в регулярно выходившие листки эти (на папиросной бумаге) попадали образом непостижимым даже новости из лагерей и тюрем. Я знал нескольких участников этой высокой и погибельной игры, а с Толей Якобсоном, Юрой Гастевым — дружил, скрывая за насмешками свое благоговение и восхищение. А с Сергеем Ковалевым познакомил меня Толя, уезжая — вы друг другу пригодитесь, сказал он мне усмешливо и наставительно. Но не пришлось. Был вычислен Сережа Ковалев, и безупречно вел себя на следствии, и в лагере свой срок отбыл, и мы уже увиделись, когда он стал депутатом Государственной Думы и снова раздражал своих пластичных современников неукротимой архаической порядочностью. А с Наташей Горбаневской (это все она придумала) мы хорошо знакомы были еще по дому Сашки Гинзбурга, но подружиться не могли — уж очень разные писали мы стихи.

И преклонение мое перед душевной чистотой народовольцев — отнюдь не из журналов давних лет явилось непреложным ощущением, а было впечатлением живым, питавшимся от разговоров и общения с живыми, очень разными людьми. Ну, словом, я писал о Вольной Петербургской типографии, как бы свои благословения передавая множеству знакомых через солидное и черное учреждение — «Политиздат». Именно там выходила та серия «Пламенные революционеры», для которой сочинялась повесть Марка Поповского.

А поставил эту Вольную Типографию — вчерашний ученик раввинского училища (ешивы) из Вильнюса — неторопливый, основательный и малословный Арон Зунделевич. Он настолько хладнокровен и всегда спокоен был, идя на риск, что удивлялись этому контрабандисты западной границы — верные и постоянные сотрудники его. Он закупил станок в Берлине, переправил контрабандой через все кордоны и отправил в Петербург товарной скоростью, успев приехать для устройства и отладки. До трех сотен экземпляров многостраничной газеты печатал за один лишь день такой станок. И свободно помещался в те поры, когда не нужен, — в замечательной уютности кушетку. Так что даже полотеры посещали эту комнату раз в месяц и вполне могли при случае сказать, что комната — обычная и скучная. А из редакторов подпольной газеты «Земля и воля» приходил сюда только один. Секретарь ее, душа газеты и держатель всех материалов и статей, недоучившийся гимназист, несостоявшийся (пока) ученый — Николай Морозов.

А еще по всяческим салонам и гостиным шлялся вечерами обаятельно восторженный, веселый и доброжелательный, смешной и по-мальчишески наивный человек. Он был помощником присяжного поверенного Корша и повсюду был желанным гостем. А что касается опять-таки мальчишеского любопытства, то вполне оно понятно было: Николай Иванович Полозов на свете прожил только жалкие двадцать четыре года, вот и не остыла еще жажда все понять и все постигнуть. Ничего, в России это быстро остывает.

И Морозову со снисходительным расположением рассказывали часто новости, которые никак иначе не достигли бы подпольной типографии.

Общество «Земля и воля» вскоре раскололось — по незримым линиям непримиримых убеждений, и возникла та «Народная воля», во главе которой был — и вскоре легендарным стал — неуловимый Исполнительный Комитет. А в том, что он постановил и сделал, так была заметно велика (из лет сегодняшних мне хочется сказать — вина) роль Николая Морозова, что это стоит вспомянуть подробней. Потому что мысли о терроре (а скорей — о партизанских действиях) ему явились еще некогда в Женеве. Шиллер их ему навеял, а точнее, героическая пьеса о Вильгельме Телле. Пьесу эту он читал (вернее, перечитывал) в уютной и уже привычной обстановке: на большой стопе бумаги лежа в опустевшей на ночь типографии. Не то чтобы в Женеве было негде жить, но — не на что, поскольку деньги все Морозов сразу по приезде дал взаймы, а что не отдадут — сообразил немного позже. На еду нехитрую он наскребал, но спал уже давно на кипе забракованной бумаги, радуясь тому, что высоту подушки мог легко менять — бумагу добавляя или убавляя. А когда он прочитал в конце про вольного стрелка Вильгельма Телля, как тот возникает из засады и пронзает деспота стрелой, и говорит с утеса гордые слова, и исчезает вновь, то все Морозову и про Россию стало ясно. Тихо, словно мог кого-то разбудить, он встал и на клочке бумаги записал: «Телль. Выстрел. Свобода. Ультиматум. Способ!» — и улегся спать счастливый. Все теперь понятно было, просто и логично.

Связанная совестью и честью, группа заговорщиков должна существовать. Захватывать, однако, власть совсем не надо, тут Ткачев не прав. Не говоря уже о том, что захватить ее не просто, главное — что вовсе и не надо. Нет, пускай невидимая партия выносит приговор особливо усердным слугам деспотии. И приводит в исполнение его. Во-первых, этим покарается жестокое усердие, что наверняка заставит многих призадуматься. Но главное, что напечатает подпольная печать те требования, при исполнении которых все убийства моментально прекратятся. А потребуют они лишь то, что стало уже много лет назад обычной нормой жизни в европейских странах: полная свобода слова, полная свобода всяких обществ и собраний, всяческое обуздание недремлющего ока, сеющего в людях неискоренимый и позорный страх. А уж тогда — и пропаганда, и образование народа, и всеобщая разумная и гласная для всей России выработка идеала будущего строя.

А готовые на жертву — с безусловностью найдутся, и конечно же, он будет первым среди тех, кто кинется на гибель. Не других же посылать на путь, который он нашел. Науками займется без него то поколение, которому откроется свобода.

Идею о такой борьбе он неустанно и не без успеха проповедовал и терпеливо разъяснял. А так как именно на этот путь толкала воспаленных молодых людей и полицейская охота, и само болотное стояние российской жизни, и безжалостные казни пойманных, то постепенно все их устремления слились в единое и четкое. И приговор царю был встречен ими с полным единодушием.

Потом известный был подкоп в Москве, и не могли они уже остановиться. А Морозова судьба нечаянно спасла. Во-первых, провалилась типография (случайно обнаружили ее, заслуги сыска тут почти что не было), и как бы у Морозова образовался явный перерыв в его занятиях печатью. И разные психологические разногласия пошли у него с прежними друзьями (неохота мне в подробности вдаваться), а еще — рожать собралась его давняя подруга (и жена по сфабрикованному паспорту). И все сходилось к одному: пускай уедет ненадолго Воробей, в Женеве ему будет легче написать историю движения и привести в порядок свои мысли. Роль свою в истории России эти молодые люди, как ни странно, понимали, и архив, заведенный Морозовым, считали очень важным для грядущих поколений. Его даже с отъездом торопили, ибо вот уже вот-вот раздаться должен был и взрыв под Зимним. Так и получилось, что, когда Морозов возвратился (и немедля на границе схвачен был), то он уже не на мгновенную расправу над убийцами царя попал, а сильно позже — над остатками «Народной воли» был тот суд. И защищали те остатки — лучшие в России адвокаты, имена из первого десятка.

Выходило, что Морозов — только автор множества статей в «Народной воле», автор книги о террористической борьбе, написанной в Женеве только что (Желябов на суде о ней не то что снисходительно — скорее отчужденно отозвался), а на допросах все его друзья — и знать не знали о каком-либо практическом участии Морозова в движении. Ну, правда, был Морозов автором статей, за только чтение которых люди уходили в ссылку, но уже немного поостыло гневное бурление, возникшее вослед цареубийству, можно было ожидать и послабления. А сам Морозов ничего не ожидал, поскольку виселица или каторга — едино было при его весьма несильном здоровье. И адвокат у него был — из неизвестных, был отцом, должно быть, нанят. В камере, где познакомились они, он вел себя доброжелательно, приветливо — не более того. И ничего не обещал. И ни единым словом обнадеживать не стал. Какой-то Рихтер. И скорей всего — из немцев обрусевших, ибо явственный педант, аккуратист и буквоед. Типичное крапивное семя.

Но адвокат Морозова — блестящую и убедительную речь сказал в его защиту. (Два этих эпитета чуть ниже мне придется объяснить.) И несколько отрывков я тут непременно приведу, надеясь, что тяжеловатый стиль судебного красноречия конца того ушедшего века нам не помешает в нем услышать содержательную часть.

Трудный для разбора смысл и отличие государственного преступления, сказал адвокат Рихтер, заключается в том, что оно судимо только собственным временем, а уже через одно-два поколения может трактоваться как доблесть, как предмет гордости, как выражение лучших, в те поры покуда лишь подспудных требований назревающей эпохи. Вспомните, господа судьи, как откликались мы все еще недавно на робкие призывы покончить с крепостной зависимостью, уже ненужно, пагубно тяготевшей над Россией, вспомним, как откликалось правосудие на попытки громко воззвать об отмене постыдного для середины века, бессмысленного рабства российских землепашцев... Преходящая правда тех судебных приговоров — не урок ли она нам, осуждающим сегодня молодежь за горячую жажду перемен, возможно, уже назревших в воздухе времени?

Дальше Рихтер говорил о том, что Николай Морозов был как раз носителем и описателем тех устремлений, что назрели в русском обществе. И главный аргумент свой произнес:

— Выходит, господа сенаторы и сословные представители, что мы судим человека только за его убеждения. Вслушайтесь, господа: за образ мыслей, за то, что он думает как-то иначе, чем мы все. Но, господа, при несомненной разнице во мнениях по множеству вопросов, то есть в совокупности — той разнице мировоззрений, наверняка существующей даже между нами, собравшимися здесь сейчас, — что, если мы станем судить друг друга? Во что превратится само общество, если одни его члены воспользуются возможностью судить других за разные с ними убеждения?

Не остановится ли само развитие этого общества, не застынет ли оно в своем духовном движении, пагубно ликвидируя благостное разномыслие, рождающее в схватке и борении непрерывный поступательный ход истории человеческого духа?

Дальше Рихтер говорил о безусловной, явной одаренности своего подзащитного. И впечатление его коллег о нескольких других было таким же. Польза, которую они могли бы принести своей стране, так несомненна, сказал он, что, милость проявив, суд настоящее явил бы правосудие.

Но только был Морозов обречен, и никакие аргументы не могли его спасти. А мне — пора тут объясниться, почему эпитеты «блестящая и убедительная» были мной применены к защитной речи адвоката Рихтера. И почему его слова я тут нигде не брал в кавычки, как это принято с цитатами. А потому, что эту речь я сочинил с начала до конца, речь адвоката мне не удалось найти. Ведь суд закрытый был, и речи остальных не сохранились тоже. А толстый том речей защитников тех лет я прочитал от корки и до корки, чтоб усвоить стиль и обороты того времени. И речь я сочинил — в защиту Даниэля (с Юлием еще знаком я не был, посчастливилось чуть позже). А лагерь свой уже давно он отсидел, но эта речь была — как если бы я мог ее произнести тому назад лет восемь — столь же безуспешно, разумеется. Но сочинять такую речь невыразимо было интересно и приятно, и душевный свой подъем я помню до сих пор.

Подсудимые на том суде отказывались от последнего слова, но Морозову я приписал (поскольку я о Даниэле думал) тихие спокойные слова:

— Говорить что-либо оправдательное потому уже бессмысленно и нецелесообразно, что господа сенаторы — люди такие же несвободные, такие же подневольные, такие же обреченные чужой воле, как мы. Пожалуй, мы даже более свободны, хоть какое-то время поступая согласно убеждениям, а господа сенаторы много лет уже по рукам и ногам связаны в своих поступках страхом и благополучием. О чем же мне вас просить?

Суд вынес приговор, в котором было десять виселиц. Морозов этого и ожидал. Но высочайшее решение государя оставило смертный приговор лишь моряку Суханову (он приносил присягу некогда), а остальным — бессрочное заключение в крепость. Там тоже ожидала неминуемая смерть, отсроченная очень ненадолго.

А теперь я расскажу о чуде.

Заключенный номер десять ясно понимал, что умирает. Красные пятна на обеих ногах стремительно почернели, и обе ноги опухли, превратившись в толстые синеватые обрубки. Ходить было невыносимо больно. Только стоило прилечь — ноги немели, и сознание уплывало. Горлом почти непрерывно шла кровь. Он отхаркивал ее в парашу, глядя без удивления и ужаса, как выплевывает собственную жизнь. Притупились все ощущения, голова была мутной и тяжелой. Весь год этот прошел как в тумане (или полтора уже прошло?). Раньше они перестукивались оживленно, что-то хотели сообщить друг другу, но с каждым днем желание общаться уменьшалось. Было все время сыро, холодно и пусто. И не было отчаяния, жажды жить и сил сопротивляться. Боль только была. Она и мучила, и мешала забыться. Все внимание сосредотачивалось на этой неуемной боли. Он однажды подумал, что надо взять себя в руки и что-то очень важное припомнить, но и сама об этом мысль куда-то уплыла. Густела и наваливалась тишина.

Он чуть повернул голову, и взгляд его упал на толстый том только что выданной каждому узнику Библии. Ему достался экземпляр на французском языке, старинное издание с чьими-то пометками ногтем. Хотелось думать, что ее читали декабристы. Непостижимая какая эстафета — может быть, в ней тайный смысл? И много легче умирать, подумав, что прожил в одном ряду именно с ними. Люди ведь, конечно же, разделены по неизвестным для них тайным категориям: одним они живут, похоже дышат, за одно и то же отдают, если придется, жизни. И словно символы духовного родства — такие попадания одних и тех же книг в одни и те же родственные руки.

От того, что в голове, набитой все последние месяцы густым туманом, появилась эта связная законченная мысль, стало умиравшему приятно и тепло. Полузабытое им ощущение нашло какой-то кончик нити в слипшемся и затвердевшем клубке памяти: когда он выходил с процесса года полтора назад, возникло в точности такое же радостное чувство непонятно отчего. Оно возникло, чуть подлилось и исчезло. Вот сейчас пройдет и это.

Он насторожился: нет, не проходило. Странное, забытое, пугающее чувство. Не радость, нет — предчувствие радости. Так было в молодости: просыпаешься и ждешь радости, уверенный, что она придет. Но потому она ведь и приходит, вероятно. А сейчас? Странно, что боли в ногах нет. Просто внимание от боли отвлеклось. Так вот, о той давнишней смутной радости: к какой-то мысли относилось это вспыхнувшее чувство. Прямо где-то рядом эта мысль снова крутится сейчас. Да вот же она, вот! А я же умереть мог, вот дурак!

Морозов неуклюже ковылял по камере, при каждом шаге припадая на каждую поочередно ногу, и невыносимая боль мешалась с распирающим его восторгом. Он издавал хриплые лающие звуки, будучи уверен, что смеется про себя и что никто его не слышит. Вот какая мысль ему пришла: ведь он теперь свободен. Он волен делать то, о чем давно мечтал. От долга быть со всеми и как все отныне он свободен. А смеялся потому он, что вдруг ярко вспомнил, как еще во время первого ареста надзиратель в камеру ему принес для умывания некрупный таз с водой, стал рядом, чуть не за руку Морозова держа, и отказался наотрез сходить за мылом.

— Знаем мы вашего брата, — ответил он на просьбу о мыле, — только отвернешься, а вы — в таз и пропали. Намедни рассказывали мне: один из ваших в таз нырнул, а вынырнул — уже в Москве-реке.

Как же ты был прав, темный солдатик! Я немедля убегу отсюда, и никто меня не остановит. Не настигнет, не задержит и обратно не вернет. А потому что не придумано покуда средство поймать человека, убегающего в собственный мир. И надо только, чтоб он был, а у меня он есть. Было время, и я сам заколотил его парадные двери. А сегодня я войду в них опять. До свидания, господа охранники, сторожите мое тело, идиоты. Оно справится теперь и с цингой, потому что оно мне нужно. И конечно, с кровохарканьем справится. Тем более что я ему помогу. А кашлять надо обязательно в подушку, чтобы не было резкого воздушного перепада, от которого сосуды очень рвутся. А начну с того, что вспомню все, что знал, я прочитал достаточно, и книг пока не нужно. И немедленно — за Библию. Древнюю историю никто еще не прочитал глазами естественника. Все запоминать придется. Это даже к лучшему — быстрее время потечет.

Спустя двадцать с лишним лет известный в Петербурге врач с немалым изумлением заметит своему худому, как факир индусский, пациенту:

— Батенька, у вас рубец огромный вдоль всего правого легкого, ну просто от плеча до поясницы. Непостижимо, как у вас зарубцевался и погас такой убийственный туберкулез?

А много ранее (через шестнадцать лет им письма разрешили — в год одно) Морозов написал сестре:

«...Никакой смертельной болезни у меня пока нет, а что касается несмертельных, то их было очень много. Было и ежедневное кровохарканье в продолжение многих лет, и цинга три раза, и бронхиты (перестал считать), и всевозможные хронические катары, и даже грудная жаба. Года три назад был сильный ревматизм в ступне правой ноги, но, убедившись, что никакие лекарства не помогают, я вылечил его очень оригинальным способом, который рекомендую каждому! Каждое утро, встав с постели, я минут пять (вместо гимнастики) танцевал мазурку. Это был, могу тебя уверить, ужасный танец: словно бьешь босой ногой по гвоздям, особенно когда нужно при танце пристукнуть пяткой.

Но зато через две недели такой гимнастики ревматизм был выбит из ступни и более туда не возвращался!..»

С того памятного осеннего дня в камере номер десять Алексеевского равелина появился совершенно другой узник, иной Морозов — тот, который прожил вторую, очень долгую и очень яркую жизнь. Морозов — физик, химик, астроном, историк. Морозов, читавший книги на одиннадцати языках. Он вышел на свободу, пробыв в заточении двадцать пять лет (не считая первого трехлетнего заключения) — в самом конце тысяча девятьсот пятого года. И было ему — чуть за пятьдесят. Он прожил еще сорок лет, и до последнего почти что дня работал и общался с людьми. «Природа не засчитывает мне времени, проведенного в тюрьме, и согласитесь, что это с ее стороны справедливо», — объяснял он всем, кто проявлял удивление.

Когда закончили перестройку старинной государевой тюрьмы, то выживших троих перевели в Шлиссельбург. Под номером четыре он и пробыл там до самого освобождения.

И постепенно появились книги. Их сначала привозил тюремный врач — для переплета, а потом их разрешили. Даже специальные журналы разрешили — например, по химии. Четвертый номер их особенно просил. Он в том как раз письме к сестре ей сообщал, что у него сейчас период химии, он написал уже полторы тысячи страниц. Его труды смогли увидеть свет лишь после выхода на волю. Но и десятилетия спустя, и до сих пор звучат по поводу его работ слова удивления и восхищения. Оторванный от живого общения с коллегами и без единого эксперимента, разумом одним, однако изощренным до предельного накала, он опережал современную ему науку лет на двадцать. Фантастическими были его частые удачи.

Он открыл, например, инертные газы. Заключенный номер четыре на пятнадцатом году своего заточения однажды летом на прогулке что-то жарко объяснял своему давнему товарищу. Он пылко и несвязно бормотал, картуз его то на затылок наползал, то надвигался на очки, фигура походила на огородное пугало благодаря почти лохмотьям, на него надетым, — он даже летом очень мерз от худобы. И надзиратель с часовым покатывались от хохота, глядя на своего самого мирного и тихого из подопечных злодеев. А Морозов говорил, от радости жестикулируя излишне, что еще шесть лет назад пришел к идее, что в менделеевской периодической системе элементов не хватает нескольких веществ, которые с металлами соединяться неспособны из-за нулевой активности. Они инертны и недеятельны — неужели ты не понимаешь? И вот пришел журнал — они действительно существуют, эти инертные газы, и теперь войдут в систему. Представляешь, я ведь угадал!

Кристально бескорыстен был его научный интерес к устройству мира. Начисто лишен был этот интерес тщеславия, желания установить приоритет, любой вообще внешней цели. Был необходим, как дыхание. Возможно, потому он столького достиг.

И получил однажды разрешение кому-нибудь авторитетному свои работы показать. В девятьсот первом году некий профессор в Петербурге получил — на отзыв — рукопись по химии. Из департамента полиции она пришла. И с сожалением, слегка брезгливо он подумал, что всего скорее тут пустое баловство: какой-нибудь из политических в тоске от заключения свой вывихнутый ум к науке обратил. А если бы он знал, что автор этой рукописи — недоучившийся гимназист, он вовсе бы читать не стал. Но он, по счастью, этого не знал. И потому от эрудиции автора, от тонкости и изощренности научного мышления он получил ничем не омраченное удовольствие. Что искренне отметил в отзыве. Подумав мельком, не без сожаления, что обладатель этих явственно незаурядных научных способностей — не покатись он по наклонному пути — возможно, стал бы неплохим ученым. А теперь, в отрыве от лабораторий современных, он надсаживает ум, пустые и бесплодные теории изобретая. Вот ведь бедолага что удумал: атомы, по его мнению, — это сложные и разложимые структуры. И что элементы разных веществ могут превращаться друг в друга, как будто вовсе не являются простейшими и неизменными детальками. И это говорится, когда сам Менделеев, сам творец периодической системы элементов, написал, что «элемент есть нечто, изменению не подлежащее», то есть основа и кирпич, исчерпывающее слово — атом. Оттого и всякое их превращение — немыслимо и невозможно. И снисходительно профессор написал: «Конечно, никому не возбраняется предполагать, что элементы могут превращаться друг в друга, но опыты, беспощадные опыты показывают, что во всех случаях, когда дело как будто бы шло о превращениях элементов, была или ошибка, или обман».

А Морозов — более обрадовался, нежели огорчился. Он себя в науке чувствовал, как юный гимназист, нахально вторгшийся в интимные владения умов высоких и таинственно талантливых. И потому вполне доброжелательное равенство в тоне отзыва ему было важней гораздо, чем любое несогласие профессора. К тому же в правоте своей он тоже был вполне по-гимназически уверен. И прошло совсем немного лет, и «опыты, беспощадные опыты» подтвердили умозрительную правоту узника номер четыре.

Его идея о сложности атомов была предельно революционной по тому времени. И еретической настолько, что всерьез ее нельзя было принять, она обречена была остаться незамеченной. А он ведь предложил еще дальнейшую гипотезу: что в атоме имеются и положительно, и отрицательно заряженные частицы. На фоне общего научного убеждения, что атомы неделимы, он спокойно обсуждал свою первую в мире модель строения атома.

А кстати, эти глубоко научные идеи излагал он языком доступным, сочным, даже романтическим отчасти. Ведь никто не правил никогда его статей и публикаций к диссертации, никто не выхолащивал его язык до общепринятого уровня и тона.

И снова проницательность, приличная в то время разве что фантасту: в атоме сокрыта дикая энергия, которую вполне можно извлечь при расщеплении его. Возможно, именно таким путем и образуются новые звезды в результате взрыва старых — от высвобождения огромной порции энергии.

Было еще много всякого другого. В двадцати шести тетрадях вынес на свободу Николай Морозов чисто умозрительные новые идеи, а путем экспериментов подтвердились они сильно позже — с помощью немыслимой аппаратуры, оснастившей в ХХ веке все научные лаборатории.

А в Шлиссельбурге как-то Вера Фигнер спросила у Иосифа Лукашевича, человека столь же энциклопедических познаний, будущего известного геофизика, пока что — заключенного народовольца:

— А скажите мне, Иосиф, кем, по вашему мнению, был бы Морозик, занимайся он одной наукой? Где-нибудь в Европе, например?

И Лукашевич засмеялся, что-то сам себе пробормотал по-польски и ответил убежденно:

— Фарадеем. Это был великий химик и великий физик — Фарадей. Вам это мало говорит, Верочка, я готов объяснить подробней, но заложенного в нем — на Фарадея. Только вот какая штука, Верочка: так нельзя говорить о русских. Потому что стать в России Морозовым — это, как бы вам сказать — это величественней, чем стать в Англии Фарадеем. Хоть и бесполезней для науки, которая его лишена. Но величие и бесполезность — право же, они так близки друг к другу...

А еще, за книгой этой сидя, было мне забавно помянуть и тех, кто в эти годы сторожил веселого и даже что-то напевающего узника. Они ведь на свободе были, все эти служивые люди. За это время два коменданта крепости сошли с ума, а третий — перевелся, ибо опасался он такого же исхода. Первоначального смотрителя разбил на нервной почве паралич, его преемник пил напропалую и писал на всех коллег доносы, кончив тем, что по недоразумению или в горячке написал донос на самого себя — о непорядках, за которые он сам и должен был ответить. Был уволен. А другие — непрерывно сетовали на свою пропащую и совершенно каторжную жизнь, узникам они как раз и жаловались, кто бы их еще сумел понять?

Спустя несколько лет после того, как я это писал, мне лично довелось узнать, каким кошмаром жизнь была у вольных надзирателей и у охраны лагеря, где я сидел. Там зэков часто выводили, чтобы вскапывать начальству огороды или что-то делать по хозяйству, и такого я наслышался (меня не брали), что мне жутко жалко становилось этих поголовно спившихся и крепко недостаточных людей. И ничего я с этой жалостью не мог поделать. Хотя очень надо мной смеялись все мои соседи по бараку.

И в неполных пятьдесят два года вышел Николай Морозов на свободу. Ждала его кафедра в Вольной Высшей школе, пригласил его туда работать знаменитый в те поры врач и анатом Петр Лесгафт. Он не ахал и не восторгался современным Монте-Кристо, а пришел, представился и предложил Морозову — студентам химию преподавать, чтоб не пропали те богатства, кои накопил Морозов на острове Шлиссельбург. Морозов стал профессором, стал книги выпускать, работал он со страстью одержимого. Он занялся воздухоплаваньем, летал на самых первых самолетах, высказал и здесь какие-то идеи, а увлекся так, что чудом оставался жив несколько раз. Его догадки о микрофизике облаков — чуть позже, как всегда, — специалисты подтвердили с помощью приборов.

И ту же самую он сохранил наивную доверчивость. Насквозь продрогший незнакомый человек зимой однажды постучался в его дверь. И рассказал несвязно жалостную некую историю, глазами бегая по стенам в это время. И Морозов без единого вопроса сам отдал пришельцу свое зимнее пальто. А через час пришли двое друзей и с удивлением спросили, кто на визитной карточке Морозова, приколотой к дверям, мог написать — «старый дурак». Морозов догадался кто. Друзья негодовали, а он радостно смеялся, закидывая седую голову. Ибо всерьез его в то время волновала только давняя его теория о метеоритном происхождении лунных кратеров — сейчас он собирал к ней доказательства.

Да, вот еще: всего шесть лет поживши на свободе, снова отсидел он год в тюрьме. На этот раз — за сборник собственных стихов. Хоть обвинение было предъявлено издателю, но автор принял всю вину на одного себя. И на суде упорно защищался сам. Он говорил, что по статье «о дерзостном неуважении к верховной власти» — его нелепо обвинять, поскольку вне конкретного сегодняшнего времени и вне конкретного пространства все его стихи, они — лишь философия, если хотите, а статья закона — о России. И переглядывались многочисленные зрители: как чист и как наивен этот седой талантливый мальчишка. И ровно год сидел он в Двинской крепости. Ему смешон был комедийный этот срок, уже ведь двадцать восемь лет он отсидел.

Но тут вернуться надо ненадолго в Шлиссельбург. Однажды Вера Фигнер попросила его хоть на месяц, но отвлечься от науки и на Новый год ей подарить воспоминания о прошлой жизни. Ужасно не хотелось

прерывать работу о периодической системе строения вещества, такие там идеи возникали, от которых он зажмуривался, как от света, бьющего в глаза. Но чего бы стоила дружба, если б на нее жалели время? Вспоминать понравилось ему. И через месяц подарил он, как просили, толстую тетрадь воспоминаний.

А тут собрались Веру Фигнер выпускать. Они договорились так: ее рукою переписанную книгу она попробует с собою увезти. А не сумеет — сообщит в письме. А вскоре и письмо пришло: не только что не пропустили эти тонкие тетрадки, но и написал донос усердный комендант крепости. Что, дескать, вовсе не раскаялась злодейка Фигнер, ежели такое пишет.

Прочитав известие, пошел Морозов в переплетную мастерскую, аккуратным образом обмазал несколько сот исписанных листочков очень жидким желатином, разделил их на четыре части и зажал под прессом. Получилось у него четыре листа плотного, как фанера, картона. После этого он переплел в них, как в обложку, свою книгу по теоретической физике и принялся спокойно ждать освобождения. Опущенные в кипяток, листы немедля отдадут свой быстро растворяющийся желатин, и все обложки мигом распадутся на листы, покрытые спешащей карандашной вязью. Что стоили бы наши обещания друзьям, если какие-то коменданты крепости в силах повлиять на их исполнение? Так и возник, и скрылся до поры, и появился заново на свет первый том его воспоминаний.

А сидя в Двинской крепости, на целый год оставит он науку. Так попросила молодая, горячо любимая жена: из заключения ей привезти в подарок том вто-

104

рой. И вслед за ним она поехала, и поселилась рядом с крепостью. Ужели для контроля? Этот том он за год написал. И дар его литературный очень привередливый читатель оценил — Лев Николаевич Толстой.

Но с неких пор он отдавал все время той идее, что спасла его когда-то в Алексеевском равелине. Он ведь тогда решил, что и одной лишь Библии вполне достаточно для бегства в древнюю историю и собственное знание о мире. Он еще тогда остановился, пораженный, на одной — пожалуй, самой странной — книге Библии — на Откровении Иоанна, на Апокалипсисе. Знаток звездного неба, он вдруг ясно и неоспоримо обнаружил, что загадочные темные пророчества этой книги — не что иное, как символы различных созвездий. Описанием астрономических наблюдений, записью природных и космических событий — явственно увиделись ему все самые невнятные, таинственные даже фразы Апокалипсиса. Так появилась — вскоре после выхода на свободу — удивительная и необычная книга: «Откровение в грозе и буре». Все известные истории даты передвинул в ней Морозов, убедительно показывая, что написан был Апокалипсис не в первом веке новой эры, а на четыреста лет позднее. Появление его труда вызвало ожесточенную полемику, грозу и бурю породило в тихой заводи, где жили в мире и согласии все умудренные специалисты по истории тех канувших времен. В ходе полемики его идеи, начисто менявшие всю древнюю историю, разбиты были в пух и прах, развеяны по ветру и отнесены в разряд научной ахинеи, нередко порождаемой даже учеными и одаренными людьми. Морозов усмехался, всех благодаря за соучастие, и продолжал свою работу в том же направлении. Так явилось грандиозное десятитомное исследование «Христос», в подзаголовке названное им — «История человеческой культуры в естественно-научном освещении». А родилось ее начало там же — в гибельном, заплесневелом и промозглом Алексеевском равелине. Писал он эту книгу весь остаток своей жизни. В ней было выдвинуто несчетное количество гипотез из области древней истории, которая была им передвинута на несколько сот лет и сильно изменила вид. Тогда и родилась та шутка, что в отместку за свои тюремные года Морозов порешил отнять у человечества несколько веков его истории. И снова умудренные специалисты разносили начисто его затейливую кройку и шитье из ветхого материала полудостоверных фактов и противоречивых письменных источников (которые читал он — на одиннадцати языках). Но разносили — воздавая должное и необъятной исторической осведомленности, и самому размаху этого парадоксального ума, родившего такие дерзкие догадки и сопоставления. Значительную часть которых — так и не смогли отвергнуть с полным основанием. И не отвергли до сих пор.

Но более того: прошло чуть больше полувека, и появилось множество работ, в которых древняя история (и даже не такая древняя) — меняется, во времени значительно сужаясь. Авторы таких работ почтительно упоминают то начало, которое однажды положил недоучившийся гимназист Морозов. Ну, а степень правоты его — еще весьма нескоро прояснится.

А завершив свой многолетний (и десятитомный) труд, собрался Николай Морозов поработать с выдающимся прибором века — циклотроном. Он хотел проверить свои мысли о структуре и устройстве атома.

Но не успел. Уже ему ведь было — девяносто два.

Надеюсь, что хоть наскоро, но все же объяснил я, почему я так был счастлив, прикоснувшись к этой поразительной судьбе и личности.

И рукопись понравилась в редакции, и рецензенты (два историка) ее с научной снисходительностью тоже похвалили. И через год (такие были сроки) повесть Марка Поповского «Побежденное время» вышла в свет. Марк безупречно вел себя: он перед самым выходом книги заявился на прием к директору издательства и попросил, чтоб на обложке указали и меня — я, дескать, и сидел в архивах, и насчет сюжета помогал, и всякое такое. Выслушав его, директор замечательно сказал:

— Но, дорогой Марк Александрович, поймите, нам на обложке так вот (и провел рукой по горлу) хватит одного.

И очень мы потом смеялись оба. А понять директора легко было: несметное количество евреев там печатали свои разнообразные труды. А в том числе — и поносительные книги об Израиле. Самые черные из них были написаны евреями.

Но я отвлекся. Марк отдал мне все, что получил в издательстве, а на подаренном мне экземпляре книги даже написал стихи:

Я не водил пером,
я не махал пером —
и не хотел того, и не мог,
я лишь кассиром был, я был бухгалтером,
только бухгалтером, видит Бог.

Марк выдержал гораздо более тяжелое испытание: его стали хвалить за эту книгу. А какой-то с ним давно уже не знавшийся приятель написал откуда-то издалека, что наконец-то стал писать Поповский книги настоящие и честные, и вновь готов этот приятель с ним общаться. И наши с Марком отношения нисколько не испортились, хотя меня предупреждали знатоки-психологи, что негритянство очень рушит дружбу, одновременно с двух концов ее подтачивая очень крепко. А вскоре Марк в Америку уехал (царствие ему небесное, недавно умер он в Нью-Йорке), вследствие чего и книгу наскоро из всех библиотек изъяли — мол, уехал, так и вовсе не было тебя. У тех она осталась, кто купил, но и владельцы про ее существование наверняка давно уже забыли. Я ведь потому так и писал подробно о Морозове — нельзя, чтобы такая личность канула в небытие.

И, наконец, последнее. Историки рассказывали мне (а я и по историкам ходил), что есть легенда: будто бы в конце тридцатых, незадолго до войны — случайно или неслучайно — Николай Морозов с Верой Фигнер встретились и много обсудили. А Веру Фигнер в это время волновал кошмар, творившийся в России, и она хотела у Морозова спросить про степень их вины в этом кошмаре. И Морозов будто бы ее посильно успокаивал. И более того: он ей сказал, что он это безумие предвидел в те поры еще, когда он только-только вышел на свободу (то есть очень, очень рано посетило его это справедливое прозрение). И почему, он тоже объяснил. Его тогда повсюду приглашали, и в немыслимом количестве домов он побывал, где о России говорили люди образованные, с пониманием и знанием немалым. Только знаешь, Верочка, сказал ей якобы Морозов: говорили то же самое, что тридцать лет назад я слышал от отцов и дедов этих же или таких же будто бы интеллигентов и дворян. С такой же одержимостью они мечтали разом все переменить и все устроить, и Россию поносили — теми же словами. И пришедшие вослед за нами молодые — Верочка, поверь мне, — были этим духом и пропитаны, и вспоены на нем. Россию погубило образованное, лучшее ее сословие, а нынешние все убийцы — это извержение народа, о котором ничего они не знали, но, слепыми будучи, хотели пробудить. И пробудили, и нескоро это кончится, уж очень диким и нечеловечески безжалостным он оказался, этот вдруг разбуженный Везувий. И опять поверь мне, старому угадчику: хоть постепенно очень, только это изойдет и канет.

Над неиссякаемым упрямым оптимизмом Николая Морозова смеялись почти все, кто с ним встречался за его густую продолжительную жизнь.

ХИЖИНА
ДЯДИ ТОМА — 2

Я почему-то понимал тогда и чувствовал, что негритянство — это некая воронка, и меня в нее бесповоротно засосет. Настолько понимал, что даже мысленно прикидывал, о ком еще я мог бы написать с таким же удовольствием и интересом. А тщеславие — ничуть не мучило меня, спасибо генам местечковых предков. Мне хотелось делать то, что нравится и что могу, кормить семью и неустанно пополнять тетрадь стишками, обреченными остаться в ней навечно. Все хвалили повесть о Морозове, а на плантациях писательского промысла была нехватка негров, на которых можно положиться.

Среди сверстников Морозова, с готовностью сгубивших свои жизни, были очень одаренные люди. Это становилось явственно, особенно заметно по дальнейшим судьбам тех, кто уцелел, кто выпал почему-либо из коллективной одержимости их поколения. Пример ярчайший — близкий друг Морозова, хотя его и старше несравненно (двадцать восемь лет уже исполнилось) — Дмитрий Клеменц. Насмешливый и остроумный, резкий и в суждениях и в осуждениях, настолько он ценил свою независимость, что денег из общей кассы не брал, предпочитая зарабатывать какими-то статьями. Плотный, невысокий, круглолицый, всюду он ходил в простонародной подпоясанной рубахе, сапогах и кафтане. Обожал он всяческие розыгрыши, и одежда эта — очень им способствовала. Отправляясь куда-нибудь, ездил он только в общих вагонах и любил рассказывать, как ловились на него охочие до пропаганды случайные попутчики-студенты.

— Он на меня, милый, глядит, как щука на карася, прямо подмывает его обратить меня в свою веру. Тут я ему и помогаю: что, говорю, господин хороший, не из студентов будете? Тут он ко мне подсаживается и давай на ухо жужжать: и про налоги непомерные, и про бесправие, и что, дескать, собраться надо всем воедино и жизнь эту проклятую переделать. Я слушаю, киваю согласно, а потом ему говорю: значит, вы, господин хороший, полагаете достижение анархии по Прудону гипотетически возможным при помощи якобинских методов? У него от моих слов — лицо пятнами, и до самой станции молчок. А я ему еще перед выходом: а что вы полагаете о федерации вольных хлебопашеских общин? И тут он от меня бегом, как черт от ладана.

Клеменц был арестован одним из первых в «Земле и Воле». И держали его очень долго: он ни в чем не признавался, никаких имен не называл, на множество вопросов просто отказался дать ответы. Ему чудом повезло: вещественные улики, найденные при его аресте, начисто пропали, потерялись. Он был так обворожителен, этот сметливый простодушный мужичок, так остроумен и уклончив при всем его расположении к следствию, что ничего, ну ровно ничего не удалось вменить ему в вину. Была перехваченная переписка, но ее по закону нельзя было предъявлять в суде. И Дмитрий Клеменц отделался всего-навсего ссылкой. Тут и обнаружилась высокая незаурядность этой личности.

В Минусинск попал он прямо с арестантской баржи, медленно прошлепавшей по Енисею. В городе давно существовал прекрасный и богатый краеведческий музей, созданный неким бескорыстным энтузиастом. И в сотрудники по описанию коллекций сразу и охотно приняли грамотного молодого ссыльного. Около двух лет Клеменц читал все подряд, что удавалось выписать по археологии, географии, истории этого древнего края. Потом он выпустил книгу с описанием коллекций музея, и в глухой Минусинск посыпались восторженные письма специалистов. Он отправился с проезжей экспедицией по рекам Томи и Абакану — по безлюдной и нехоженой тайге. Привез он уникальные материалы и описания — он первым был, кто исследовал эти места. В последующие годы он оказался первым из ученых, исколесивших всю Внешнюю Монголию, и составил геологические описания, вошедшие во все мировые справочники. Он проложил по ней пятнадцать тысяч верст нехоженых до него маршрутов, собрал несколько тысяч образцов пород и окаменелостей, гербарий в сорок тысяч экспонатов. Он оставил толстые тетради записей обрядов, мифов, обычаев и традиций нескольких народностей, населявших этот край. Он участвовал в исследовании Каракорума, древней столицы монгольских ханов, и его статьи привлекли в Центральную Азию новые экспедиции из разных стран. Многие развалины древних храмов и руины древних городов обязаны ему своим открытием и интересом археологов. А памятники письменности и искусства — обнаружением и тщательной сохранностью своей. Потратил он на это все — пятнадцать лет.

Потом ему позволили вернуться в Петербург, работу предложив, с которой только он и мог бы справиться: организация этнографического отдела при музее императора Александра Третьего. Восемь лет отдал он этому отдельному, по сущности, музею, став его заведующим и пополнителем. Посылки, славшиеся отовсюду, — не музею посылались, а лично Клеменцу, поэтому и было их такое множество.

И в этом качестве он как-то пояснения давал царю, однажды посетившему музей. Конечно же, заранее шепнули самодержцу о былых грехах седого старика с быстрыми молодыми глазами и живой веселой речью.

Обширные познания при полном отсутствии ученого занудства и непринужденность легкого общения — весьма понравились царю. И он по окончании осмотра дружелюбно и доброжелательно спросил: неужели не жалеет господин Клеменц о своем таком напрасном прошлом?

— Я горжусь им, — был незамедлительный ответ. — Это были мои лучшие годы.

У сопровождавших дрогнули лица, а сам царь, приподняв брови, недоуменно пожал плечами и сухо попрощался. Посещение могло кончиться орденом, как объяснили Клеменцу знающие люди, а кончилось — довольно скоро — отставкой с пенсией.

А умер он в Москве, в начале Первой мировой, на руках у съехавшихся отовсюду старых друзей. И среди них, проведших жизнь в подполье, за границей и по тюрьмам, были столь же одаренные талантом люди. Но только предпочли они — борьбу за эфемерную российскую свободу.

А еще мне о Кибальчиче хотелось написать. Это ведь он был сочинителем взрывчатки, что закладывалась в Зимнем, и в подкопы, и металась в царскую карету. А что он был гением — узналось только после казни: будучи в тюремной камере уже, он передал адвокату схему первого в мире ракетного устройства.

В гостиницу «Москва» меня позвал поговорить советский классик Даниил Гранин. Был он краток, суховат и сдержан. Я был негром и его прекрасно понимал. Ему понравилась прочитанная повесть о Морозове. А у него давно уже закончился срок сдачи рукописи о народовольце Кибальчиче (лицо мое не выразило никаких эмоций), и договор вот-вот расторгнут. Очень жалко ему было возвращать давно потраченный аванс, а книгу сочинять — ни времени и ни желания у него не было. Вы как насчет Кибальчича? Я полностью в материале и готов, как пионер, ответил я с достоинством и радостью, которую, по-моему, не скрыл. Тут он замялся чуть, и я ему немедленно помог (мы, негры, деликатны и чувствительны к запросам белого заказчика):

— А пробную главу я привезу вам в Питер через месяц.

От такого понимания лицо его слегка раздвинулось в подобии улыбки, и со мною он немедля распрощался.

Я настолько был в материале, что не пробную главу, а чуть не половину повести привез немного времени спустя. Был Гранин столь же сух, а взявши папку с рукописью, прямо от порога отослал меня до послезавтра. Позвонить. И я совсем другой услышал голос через день по телефону. В нем были приветливость, коллегиальность и расположение души. Потом меня поили чаем, пристально расспрашивали и безудержно хвалили. Вот на этом я и подломился. Он ведь был всегда умен безмерно (это и по книжкам очень видно), его дружественность мне вдруг показалась искренней, и я, мудак наивный, возомнил, что я могу с ним о соавторстве заговорить. Тут он посуровел и мне с надменностью ответил, что в соавторстве он никогда ни с кем не состоял.

— А вот недавно вы сценарий с кем-то написали, — возразил я нагло.

— Это я его и написал, — ответил Гранин, — просто две фамилии пришлось поставить.

— Понимаете, — настаивал я гибельно и легкомысленно, — я с вами о соавторстве заговорил не только и не столько в силу авторского, вам понятного желания поставить имя, но и потому еще, что множество читателей узнает руку, стиль, ведь это у меня уже вторая негритянская работа.

Такая мысль ему и в голову не приходила, мне же было совестно об этом опасении благоразумно промолчать.

— Ну, мы еще поговорим об этом, — сказал он медленно, — а сделанную часть я завтра же пошлю в издательство, чтобы они не расторгали договор.

И с облегчением пожал мне руку.

Далее мне Гранин учинил такое хамство, что его я помню и поныне, потому что никогда со мной ни ранее, ни впредь настолько унизительно никто не поступал. Он просто мне не позвонил. Как будто не было меня. И не было договоренности и рукописи, им расхваленной донельзя. А через полгода его где-то встретила редакторша той серии (они в издательстве об этом негритянстве знали) и спросила, где же рукопись. И глазом не моргнув, ответил Гранин, что ее послал он по ошибке в некое другое издательство, она вернулась, и вот-вот он перешлет ее по правильному адресу. И тридцать лет прошло, и нет уже того издательства давным-давно, а рукопись он так и не прислал. А почему я сам не позвонил? Мне трудно объяснить. Как-то противно было, мерзко и рука не поднималась. Я ведь не просил его мне оплатить ту пробную работу, мог он позвонить и просто отказаться от любого продолжения, но не было и этого. А я уже писал о психиатре Бехтереве книгу, шли и сыпались стишки, мне не хотелось портить настроение. А много лет спустя, когда позволили российским людям стать людьми и вольнодумство разрешили, прочитал я, что заядлым и отпетым гуманистом стал писатель Гранин, просто — профессионалом гуманизма. И тогда мне остро вспомнилось то наплевательское и пренебрежительное хамство, но уже мне было разве что смешно.

А с копией той рукописи — дивная произошла история. Она валялась где-то в куче неразобранных бумаг, а тут меня арестовали, привезли домой и дикий учинили обыск. Длился он три дня, заметно был повернут интерес ментов к архиву, письмам и бесчисленному в папках самиздату. А валялось это все богатство — где попало, и внезапно отыскалась под диваном книга Евгении Гинзбург «Крутой маршрут». Но от машинописной этой копии была только вторая половина. И ко мне пристала неотвязно следовательница Никитина: куда я задевал начало? Я только плечами пожимал. Уже лет пять там эта копия валялась, никому давно не нужная — уже была такая книга в тамиздате. А Никитина не унималась: где начало? И как раз в минуты эти, вытащив из груды папок, молодой сыскарь рассматривал машинопись той части книги о Кибальчиче, что я отвез когда-то Гранину. А первая глава в той повести была мной названа — «Начало».

— Вот же оно, вот начало! — закричал сыскарь в восторге. И мою несбывшуюся книгу положили в папку с памятью о женских лагерях Гулага. И решил я, что писалось не напрасно.

Все, чего хотел я, как-то счастливо и неожиданно сбывалось. А хотел я, в частности, — большую книгу написать о том забытом начисто поэте, именем которого Морозов заслонился, когда первое свое читал стихотворение. Об Огареве мне хотелось написать. Но кто б со мною договор на эту книгу заключил? В писательском Союзе я не состоял и не совался, а писать в пространство, на авось — не мог, нуждаясь в регулярном заработке. Судьба, однако же, доброжелательно за мной следила. И едва я рукопись о психиатре Бехтереве сдал, как писательница Либединская (теща моя, Лидия Борисовна) мне предложила повесть о поэте Огареве сочинить. Для той же самой серии о пламенных революционерах. И со всегдашним опасением не справиться засел я за газету «Колокол» и подвернувшиеся книги — их было в достатке, даже слишком.

И тут я обалдел от изумления, иного слова я не подыщу. Немыслимо похожими оказались переживания людей, разделенных полутора столетиями российской истории. Среди них в изобилии ходила подпольная литература: как и в наше время, совесть и ум России говорили с ней из-за границы. Собирались тайные кружки, членов которых то и дело арестовывали и сажали. Разговоры в этих обществах почти ничем не отличались от кухонных нашего времени. Обсуждали произвол и несвободу, взяточничество и лихоимство властей предержащих, даже об отъезде за границу разговаривали так же, как евреи в середине семидесятых. В переписке Герцена и Огарева эта тема проступает непрерывно. Вот одно из писем Огарева — романтически высокий тон, но так они тогда писали почти все:

«Герцен! А ведь дома жить нельзя. Подумай об этом. Я убежден, что нельзя. Человек, чуждый в своем семействе, обязан разорвать с семейством. Он должен сказать своему семейству, что он ему чужой. И если б мы были чужды в целом мире, мы обязаны сказать это. Только выговоренное убеждение свято. Жить не сообразно со своим принципом есть умирание. Прятать истину есть подлость. Лгать из боязни есть трусость. Жертвовать истиной — преступление. Польза! Да какая ж польза в прятанье? Все скрытое да будет проклято. В темноте бродят разбойники, а люди истины не боятся дня. Наконец, есть святая обязанность быть свободным. Мне надоело все носить внутри. Мне нужен поступок. Мне — слабому, нерешительному, непрактичному, мечтательному — нужен поступок! Что ж после этого вам, более меня сильным? Или мы амфибии нравственного мира и можем жить попеременно во лжи и в истине?

Мне только одного жаль — степей и тройки, березы, соловья и снеговой поляны, жаль этого романтизма, которого я нигде не находил и не найду. Это привязанность к детству, к прошлому, к могилам...»

Огарев был истинным поэтом своего времени. Его стихи читали, переписывали, передавали списки, декламировали, клали на музыку. Ими жили. По ним поверяли и ставили мировоззрение, они были благодатным достоянием тогдашнего сознания современников. А некоторые из его стихов — те были самиздатом столь крамольным, что, уже уехав за границу, Герцен их боялся напечатать, чтоб не подвести покуда не уехавшего друга.

А еще я сладострастно повыписывал из «Колокола» фразы, полностью созвучные сегодняшнему времени — их каждый самиздатский публицист мог написать:

«Люди, на которых лежит кровь ближних и все возможные преступления, еще живы и даже пользуются почетом; нужно, чтобы их знало новое поколение, нужно, чтобы они были заклеймены общим презрением...»

Я так, дурак-образованец, радовался, это переписывая, словно что-нибудь могли переменить в империи советской те слова, что и тогда не доходили до российского сознания.

И на еще одну подробность натыкался я все время и в статьях, и в письмах Герцена: «Колокол» основал Огарев. А мой герой настолько заслонен был поразительной фигурой друга, что я еще и справедливость восстанавливал.

Ну, словом, перечислил я то главное, благодаря чему был крайне счастлив те два года, что кропал свой негритянский труд. А кстати, и писал я о весьма счастливом человеке. Был он болен эпилепсией, чудовищно обманут был в любви, и многими приятелями был не только предан, но и оклеветан; добровольно стал изгнанником, Россию обожая более всего на свете; много лет запойно пил, и что бы ни случалось, оставался сам собой. Нет, я, пожалуй, все-таки немного расскажу и здесь об этой странной и неповторимой личности. Есть у меня печальная уверенность, что к тем забытым временам еще не раз, быть может, обратится рыболовный взгляд историков, но просто так читать о людях той эпохи — более никто не будет. Уж чересчур впоследствии свалилось многое и на Россию, и на россиян, чтоб интересны были им те странные ростки свободы, что каким-то чудом зарождались в душах той поры. И очень жаль, поскольку и сегодня еще очень много общего таится в этих двух несхожих жизненных течениях.

Ему было двенадцать лет, когда казнили декабристов. И приглушенное, придушенное как бы на дворе стояло время. И Герцен очень точные нашел об этом времени слова:

«Тон общества менялся наглазно; быстрое нравственное падение служило печальным доказательством, как мало развито было между русскими аристократами чувство личного достоинства. Никто (кроме женщин) не смел показать участия, произнести теплого слова о родных, о друзьях, которым еще вчера жали руку, но которые за ночь были взяты. Напротив, являлись дикие фанатики рабства, одни из подлости, а другие хуже — бескорыстно».

Если вынести отсюда слово «аристократы», то созвучие эпох (сквозь полтора почти столетия) так поражало, что поеживался я, выписывая эту и подобные цитаты. А когда — двадцатилетние уже — кружок друзей собрали Герцен с Огаревым, то слились до неразличимости их разговоры — с тем, что говорилось в годы моей молодости на интеллигентских кухнях посреди империи советской. Впрочем, я от Огарева отвлекаюсь. Если Герцен был умом кружка, то Огарев — душой и сердцем. Это многие потом писали, и такую разницу в ролях они навеки сохранили.

А кстати, высшего образования герой мой не имел: занятия в Московском университете он забросил еще раньше, чем всевидящее око того времени заметило его гуляние по жизни. Снова Герцен: «Всегда глубокий в деле мысли и искусства, Огарев никогда не умел судить о людях. Для него все не скучные и не пошлые люди были прекрасными...» (А спустя много лет, уже в Лондоне — пообещает Герцен ящик шампанского тому, кто приведет человека, который не понравился бы Огареву.)

С такими вот прекрасными людьми и пел Огарев прекрасные, но возмутительные песни летом тридцать четвертого года прямо на улице. И был он арестован — по доносу одного из этих прекрасных людей. Сперва его, правда, выпустили на поруки родственников: зеленый, как апрельский листок, веселый, загульный и проказливый мальчишка, но спустя дней десять взяли снова. Потому что почитали взятые при обыске заметки, письма и конспекты — явно обнаружилось крамольное и дерзкое мышление. И тут же Герцена арестовали. И полгода провели они под следствием, к тому же — в одиночном заключении. Председатель следственной комиссии довольно снисходительно решил, что все их письменные прегрешения — «не что иное суть, как одни мечты пылкого воображения, возбужденные при незрелости рассудка чтением новейших книг». И к замечательному выводу пришел: «Двое этих юношей вредоносны, ибо... образованны и способны».

А впрочем, полгода заключения и ссылки в отдаленную губернию вполне достаточным казалось председателю для охлаждения сих пылких молодых умов.

Какая мягкость и гуманность, думал я, и лагерные многолетние срока моих приятелей невольно вспоминались мне при этом.

Все время заточения был Огарев несообразно счастлив: он наконец-то мученик за свободное слово, непрерывно сочиняются стихи, а от друзей и родственников еда и вино поступают в таких количествах, что хватает и на караульных надзирателей.

И сослан вовсе не на север он, а в Пензу, родной город, где отец его — влиятельный и уважаемый человек, а сам он знает с детства всех и каждого.

Но только Огарев — на то он и поэт — унижен и обескуражен. Он ведь пострадать хотел, мечтал о наказании суровом и тяжелом, а его не приняли всерьез.

Но молодость взяла свое, и к Пензе подъезжал он с нетерпением: созрела философская система, по которой равенство, свобода и цветение всеобщей справедливости — из самого устройства человека вытекали убедительно и внятно. И снова это был тот Огарев, в котором странно сочетались меланхолия с веселостью, а доброта, уступчивость и мягкость — с каменной и нерушимой твердостью во всем, что совести касалось или убеждений сокровенных.

А вскорости влюбился Огарев, немедленно женился, и отец его был полностью спокоен, умирая: образумился любимый сын, и миллионное наследство будет ему верным основанием для долгой и благополучной жизни.

Первое, что сделал Огарев, — на волю отпустил он около двух тысяч крепостных. Потом он выстроил огромную для той поры больницу. Мечту свою — устроить фабрику вольнонаемного труда — чуть позже он осуществил. Кудрявый странный этот барин запрещал мужикам снимать при виде его шапку, а бабам — целовать ему при встрече руку. И говорил он мужикам чужие непонятные слова: о чувстве личного достоинства, к примеру, что в себе его необходимо развивать.

По счастью, вскоре за границу он уехал — настояла молодая барыня.

В Италии жена оставила его, стремительно и пылко полюбив художника, недавнего знакомца из России. Огарев мотался по Европе, обучаясь химии и медицине, посещая лекции по философии, срываясь в частые загулы. Чуть позже эта женщина так ухитрилась обобрать его (точнее, обокрасть, он был доверчив, как ребенок), что остаток жизни он существовал на пенсию от детей Герцена. Впрочем, это все случилось позже, а покуда еще деньги были, Огарев ссужал любого, кто его просил о помощи. Но не известен ни один, кто этот долг потом отдал бы.

А в Россию возвратясь, он посвятил себя всего писчебумажной фабрике, построенной для воспитания в рабах вчерашних — вкуса к вольному труду. И снова он женился, и опять был счастлив, и стихи писались, и насмешливость друзей ничуть не умеряла его веру в то, что можно, можно в русском мужике образовать свободную личность. А уже давно был за границей Герцен, и немыслимо тянуло Огарева присоединиться к другу, но казалось низостью — уехать, не пытаясь побороться с русским рабством изнутри.

А зимой пятьдесят пятого года, среди ночи вспыхнув, до фундамента к утру сгорело его последнее российское предприятие. Говорили все потом, что фабрику подожгли сами крестьяне: видели они в системе вольнонаемного труда какую-то им непонятную барскую каверзу. И, не дожидаясь выяснения, сами разрубили этот узел.

Огарев приехал на пожар. Ярко пылало в ледяной февральской ночи первое реальное детище русской

утопической мысли. И странное, немного стыдное испытывал он чувство облегчения. Освобождения, скорее, от всего, что так привязывало его к России: от
надежд, иллюзий и наивности, растаявшей от близкого
огня. Теперь он мог уехать, что произошло довольно
скоро.

Десять лет они не видели друг друга. Десять лет.
А письма, как бы часто ни писались, никогда не заменяли им живого общения. Ибо какая-то искра возникала в каждом, когда рядом был другой. Они так
устали оба за первые два часа несвязных вопросов и
ответов, объятий, хлопания по плечу и даже слез, что
сразу же после обеда отправились спать, конфузливо
и насмешливо сославшись на свое стариковство.

Огарев приехал в Лондон, привезя с собою свежее
дыхание России, словно часть ее сгущенной атмосферы предрассвета. Он привез большую кипу рукописей,
ходивших в Петербурге по рукам, прозу и стихи, не
пропущенные цензурой или даже к ней не поступавшие
ввиду заведомости возмутительного содержания. И, пе-
реполненный идеями (в которых собственное разоча-
рование в быстром изгнании холопского духа играло
не последнюю роль), он предложил издание газеты.

В первом же номере был разбор отчета министра
внутренних дел царю. Личный отчет министра! Полный демагогии, риторики и фальши. Добавив то, что
утаил и не упомянул министр, газетный автор написал:
«Или господин министр не знает всего этого? Ну, тогда
он не способен быть министром».

От вольности такого подхода — волосы должны
были зашевелиться на голове у непривычного рос-

сийского читателя. Но поток писем, хлынувших вскоре в Лондон, подтвердил освежающую пользу тона, языка и полной раскованности газеты. Потребность в справедливости и воздаянии — глубинная и очень острая человеческая потребность. Голос справедливости утешает даже в случае, когда поздно уже исправить совершенное зло. А сама возможность воззвать к справедливости и воздаянию — целебна для души и разума. Вот таким недостающим голосом и стал для России «Колокол». В других странах эту роль давно уже исполняли регулярные обычные газеты. Но на то она ведь и Россия.

Выяснялось, что российское чиновное начальство — сплошь и рядом, сверху донизу, почти что поголовно — занимается жестоким вымогательством, поборами и взятками. «Они открыто говорят: дай денег, будешь сыт и спокоен; не дашь — погублю и разорю». Удивительными словами, кстати, заканчивалось письмо этого неизвестного россиянина: «Примите уверение в чувствах того высокого уважения, которое может питать рвущийся на свободу раб к человеку свободному...»

Излишне говорить, каким озоном радости дышал я, переписывая это для легальной книги в семьдесят шестом году. Однако вот что крайне интересно: почти тридцать лет спустя листая свою книжку о поэте Огареве, я все время натыкался на слова и мысли, полностью созвучные уже сегодняшней России. Господи, но полторы ведь сотни лет прошло! А «Колокол» тогда писал, что каждый, обретающий чиновную или судейскую власть, чувствует временность, непрочность, зыбкость своего положения. Поскольку он от произвола сверху — начисто, ничем не защищен. От чувства ненадежности и происходит лихорадочное воровство, поборы и грабеж казны и подвернувшихся удачно под руку.

Глухой тоской российской в душу мне повеяло от этой безысходной вековой похожести.

А вот еще. Какой-то безымянный автор усмотрел высокую роль «Колокола» как органа всероссийского покаяния. Ибо никак нельзя, писал он, перекладывать лишь на верхушку власти всю ответственность за грязь и мерзость, в которых погрязла Россия. Все мы поровну виновны, писал он, в зверствах и холопстве, кои друг от друга отделить нельзя. «Мы систематически воспитывались все в привычке и любви к насилию, этой оборотной стороне внутреннего и внешнего рабства, а без собственного освобождения каждого в самом себе и страна свободной не станет».

Я эту длинную цитату выписал сюда, чтобы зазря не повторять, насколько наши разговоры на интеллигентских кухнях — были те же самые спустя сто лет.

А тогда газетой «Колокол» чиновники пугали друг друга.

«Колокол» читали при дворе.

«Колокол» использовала как справочник комиссия по крестьянскому вопросу.

Им зачитывались студенты как в обеих столицах, так и в провинции. Он попадал в гимназии и семинарии. Дружеские и родственные семьи обменивались номерами, словно модными романами.

И длилось это — десять лет. В феврале шестьдесят первого года на одной из центральных лондонских улиц (точнее, поперек ее) висел огромный транспарант, подсвеченный газовыми светильниками: «Сегодня в России получили свободу двадцать миллионов рабов». Немыслимый банкет устроил тогда Герцен в честь освобождения. Первым произнес он тост за русскую свободу и просил простить его за хмурость: в Польше проливалась кровь восставших. Это было самое начало.

«Колокол» безоговорочно и сразу встал на сторону поляков. Понимая, что восстание заведомо обречено, и что одним из их читателей на Польшу наплевать, и что другие — чересчур еще рабы, чтобы сочувствовать восставшим за свободу. И что, боясь ожесточения властей, впадут и те и другие — в мерзостный и искренний патриотизм, который напрочь разорвет их зыбкие симпатии к двум лондонским неколебимым вольнодумцам. Так оно вскоре и случилось.

Описывая эти годы, я угрюмо вспоминал, как уже в наше время задушили Венгрию, как танки разутюживали Прагу и с каким злорадством обсуждали это жители империи советской. Словно вертится на карусели вся история российская с повторами насилия и унижения.

Но я еще немного расскажу об Огареве. Жуткая история случилась в его жизни очень вскоре по приезде в Лондон. Жена его, Наталья Огарева, полюбила Герцена, и Огарев — благословил их близость. Был патологически великодушен этот человек и устранился, пресекая на корню то бурные попытки друга объясниться, то истерики вчера лишь близкой Натали. Впоследствии один из современников, пытаясь нечто главное во всех поступках Огарева сформулировать как можно лаконичней, очень точные нашел слова: «разнузданное благородство».

И годами сохранялась эта внутренняя тайна — до таких немыслимых пределов, что родившихся у Натали и Герцена детей довольно долго все считали детьми Огарева. Позже, встретившись случайно, он сошелся с некой Мэри Сатерленд, и ее уличное прошлое ничуть его не озаботило. Он прожил с ней восемнадцать лет, она его боготворила, так и не сумев понять за эти годы, почему он все-таки уехал из России. И она же положила на его закрывшиеся глаза два медяка, которые он некогда привез оттуда.

Интересно обратиться ненадолго к той растерянности и к тому фиаско, что герой мой потерпел, когда пытался объяснить английской женщине резоны, по которым он уехал из России. Кстати, о России, когда он ее спросил, она всего два факта знала — я боюсь, что посегодня это знание присуще большинству земного человечества:

— Там у вас по улицам медведи ходят, а российский царь ссылает всех в Сибирь.

Казалось бы, он мог ей объяснить: в его статьях во множестве разбросаны различные похабства русской жизни, только лаконично все сложить и сформулировать — ему не довелось. И мне забавно было, что задолго до него — еще когда! — блистательно соединил все ощущения такого рода Александр Пушкин. Но известна много позже стала эта фраза, в одном из писем к Чаадаеву она была:

«Это циничное презрение к человеческой мысли и достоинству — поистине могут привести в отчаяние...»

И тут же хочется мне привести слова не то чтобы полярные, но очень важные для понимания той ностальгической тоски, что все почти года томила двух этих изгнанников великих. А слова эти когда-то о России Герцен написал:

«В нашей жизни, в самом деле, есть что-то безумное, но нет ничего пошлого, ничего мещанского».

Мы все в свои шестидесятые (как и они за век до нас) убеждены были, что свобода слова и свобода вообще — немедля все российские проблемы разрешат. Ведь если можно вслух совместно обсудить и сообща договориться — как же не найти путей к отменной жизни! И какая-никакая, но свобода все же наступила. А достоинство, однако, попирается с цинизмом еще большим, пошлость торжествует невозбранно, разве что безумие кошмарно возросло. Что эти двое нам сегодня бы сказали, посмотрев на их мечту о вольных русских хлебопашцах? Все-таки большое это счастье, что обычно люди умирают, не пережив свою эпоху.

И в одном лишь месте книги о поэте Огареве я слукавил, передернул и смолчал. Настолько полюбился мне герой, что я уклончивую полуправду написал об увлеченности его одним зловещим, страшным человеком. А Сергей Нечаев, как и всех, использовал его и выжал все, что было нужно: деньги, имя и участие. Впрочем, здесь присутствовал и третий, но и дружбу с Михаилом Бакуниным я обошел, как бы стесняясь слепоты поэта Огарева. Сказавший некогда безумные и яркие слова — «Страсть к разрушению есть творческая страсть», Бакунин сохранял им верность всю свою жизнь. К нему и заявился тощий воспаленный юноша, чье имя очень скоро превратилось в символ лжи, мистификации и полного презрения к любому человеку, если он не нужен революции. Написанный Нечаевым «Катехизис революционера» проклинали вслух и письменно все те, кто вольно и невольно следовал ему. Ибо словами точными и беспощадными там говорилось все, что полагали в глубине души (и воплощали в дело) ниспровергатели и разрушители во всех последующих поколениях. Это оттуда шли слова, на многие десятилетия моралью и заветом ставшие: «Нравственно все, что способствует торжеству революции. Безнравственно и преступно все, что мешает ему». Кошмарная мораль эта впоследствии перехлестнулась и на то, что делали с Россией устроители земного царства справедливости (поскольку революция — еще и мировая намечалась).

Я приведу отрывки из набросков, которые читал Нечаев вслух (как было в книжке у меня) Бакунину и Огареву.

«Революционер — человек обреченный. У него нет ни своих интересов, ни дел, ни чувств, ни привязанностей, ни собственности, ни даже имени. Все в нем поглощено единым исключительным интересом, единой мыслью, единой страстью — революцией...

Суровый для себя, он должен быть суровым и для других. Все нежные, изнеживающие чувства родства, дружбы, любви, благодарности должны быть задавлены в нем единою холодной страстью революционного дела... Стремясь неуклонно и неутомимо к этой цели, он должен быть готов и сам погибнуть, и погубить своими руками все, что мешает ее достижению...

Он не революционер, если ему чего-нибудь жаль в этом мире. Все и вся должны быть ему равно ненавистны... Он не может и не должен останавливаться перед истреблением всего, что может помешать ходу всеочищающего разрушения...»

Не сильно грамотный, не образованный совсем, лишенный литераторского дара начисто, — не мог Сергей Нечаев написать такие пламенные лаконические строки. В том, что часть из этого написана Бакуниным (отредактировано все) — сомнений нет, но только страшно было мне признать, что Огарев не мог не принимать в этом участие. Он так увлекся молодым и ярым разрушителем, что деньги для него достал (истребовал у Герцена) и множество нелепых прокламаций написал для якобы существовавшей многочисленной когорты всех соратников Нечаева в России. А Нечаев, как известно, просто врал. А Огарев, как выше было сказано, во многом разбирался, но не в людях. Герцену не просто неприятен, а скорее — омерзителен был этот человек, но друга переубедить он не сумел. Да и в плохом душевном состоянии был Герцен в этот год до смерти. Прекратился «Колокол», и связь с Россией оборвалась, и в семье настал разлад полнейший. Это время я не стал описывать подробно, мой герой еще не раз обманывался в людях. Но такую я к нему испытывал душевную симпатию, что нескольких побочных лиц из книги ею щедро наделил. И это правдой было: множество людей любили этого нелепого талантливого человека.

Когда книгу о поэте Николае Огареве прочитали и одобрили в издательстве, еще я на свободе был, но все уже вокруг дымилось. Этот запах ясно ощущала жена Тата, только ей никак не удавалось вразумить безнюхого мужа. Задним-то числом я понимаю, что уже был обречен, однако глупостей я мог бы сделать меньше. Но не об этом вся история.

Она о том, что есть у книг судьба, и Провидение за той судьбой следит, порою помогая так разительно и зримо, что не остается никаких сомнений и в существовании его. Уже я был в тюрьме, вживался с любопытством в новое существование и тихо радовался, что на негритянский гонорар семья моя прокормится довольно долго. Хорошо, что там не будет и в помине моего преступного имени, думал я, а то бы вмиг зарезали издание. А Тате в ужасе позвонила редакторша (она о негритянстве знала, как и прежде): на столе ее лежала верстка, но в цензуру надо было предоставить удостоверяющие ссылки на газету «Колокол». Ну, в смысле подлинности всех цитат, и даже тех, что были раскавычены и просто пересказаны автором близко к тексту. Поскольку Герцен с Огаревым, сами не подозревая, высказали множество антисоветских мыслей, я ими напичкал книгу, разумеется, — они звучали как свежайшая крамола. Вот, к примеру (только я прошу припомнить возраст всех вождей кремлевских того времени): «Страшная беда меняющейся России, писали авторы газеты, в том, что и посейчас жизнь ее и все перемены решаются теми же самыми зловещими стариками, что решали эту жизнь в гнусную эпоху Незабвенного. Их бы судить надобно, их деяния описывать необходимо, и в этом состояло бы главное и подлинное духовное и умственное освобождение страны от наследства пагубного и цепкого».

И тут я вспомнил (вот он, старческий склероз, куда кремлевскому), что я эту прекрасную историю уже в недавней книге помянул, теперь я просто из нее и выпишу (на склоне лет разумно — экономить силы и слова).

Тате предстояло перелопатить два или три толстенных тома подшивки «Колокола». Что-нибудь найти там быстро было просто невозможно. С этими томами Тата кинулась в издательство, редакторша ей предоставила опасные цитаты, только вместо помощи мешала их искать, ибо журчала непрерывно, поверяя свои женские печали. И Тата понимала: дело безнадежно, книга выйдет исковерканной, ежели выйдет вообще. А время истекало на глазах, начальство и цензура жаждали удостовериться в источнике. В придачу ко всему, у Таты раскалывалась от боли голова. Утром того дня арестовали нашего друга Витю Браиловского. Пространство жизни ужималось и темнело.

Тата отпросилась в коридор покурить и прихватила заодно с собой два тома «Колокола» и листки с предполагаемой крамолой. В коридоре возле подоконника ее незримо и неслышно ждало упомянутое Провидение. Необъятно толстые тома подшивки сами открывались на любой искомой цитате. Через четверть часа дело было кончено. Цитаты действительно принадлежали Огареву и Герцену, а не являлись злокозненной выдумкой негра-наемника (а кстати, опасения редакторши отнюдь пустыми не были: она-то была в курсе, кто писал, и знала в этом смысле криминальные замашки автора). И верстка повести «С того берега» прошла цензуру, в типографию ушла и стала книгой. А на гонорар от жизнеописания этого государственного преступника мы вскорости приобрели избу в Сибири.

Однако я причастен лично к некоему унижению, которому подверглось второе издание этой книги. Я не каюсь, я рассказываю просто. Был уже я на свободе, ветры вольные свистели по России, и затеял Горбачев ту памятную антиалкогольную кампанию, которая должна была империю от пьянства отучить. Как было трудно в это время водку доставать! И самогонная горячка разом вспыхнула. Но я о том, чего не ведал Горбачев в его смешных, заведомо пустых попытках разлучить народ с бутылкой. Потакая замыслу начальства, те холопы, что пониже были, начисто распорядились вымарать из выходящих книг малейшее упоминание о вековечном русском пьянстве. Вековечном и спасительном, добавлю, ибо не могу себе представить, как Россия (и сегодняшние мы) смогли бы выжить без целебного побега из реальности в стакан. А тут издательство затеяло переиздать удавшуюся повесть, но категорическое выставило мне условие: все эпизоды, где герои выпивали, — выбросить или тактично заменить на чай. Я малодушно (есть хотелось) согласился. И через месяц Огарев (он не был алкоголиком, отнюдь, но много и со вкусом пил всю жизнь), и Герцен, и все прочие герои книги, разговаривая о несчастьях русской жизни, пили не коньяк, а что-то непонятное, но не было уже там никаких упоминаний о спиртном в различных его видах.

Вы меня за сделанную пакость извините, Николай Платонович, уж очень в это время я в растерянности был, а вся моя семья — весьма нуждалась в пропитании.

Много лет спустя в Израиле мне заказали текст к уже отснятому кино — про разные красоты нашей маленькой, но солнечной страны. Точнее, фильма еще не было, мне предстояло уложить в порядке интересном и пристойном две кассеты снятого по всей стране материала. И теперь уже я сам был вынужден искать какого-нибудь негра, хорошо осведомленного насчет тех мест, которые засняли операторы. А Саша Окунь знал Израиль превосходно, я его и нанял в негры. Саша сочинил порядок монтажа всей кинопленки и принес наброски дикторского текста. Я его чуть переделал твердою рукой надменного заказчика, а после он записан был в моем прочтении. И фильмом этим уже много лет торгуют в книжных магазинах и автобусах туристских. Гонорар напополам мы поделили, потому что я давно уже усвоил: неграм переплачивать не стоит. Очень портится у них от этого характер, возрастают алчность и претензии. А вдруг еще чего-нибудь мне кто-нибудь закажет?

ВЕЧЕР В ГОСТИНИЦЕ

В широко известных строчках Ахматовой — «Когда б вы знали, из какого сора растут стихи, не ведая стыда» — мне обнаружился однажды смысл, прямо противоположный их привычному истолкованию. Ведь очень часто сор житейских впечатлений — необыкновенно драгоценен, а мы с небрежной торопливостью, самодовольно и блудливо лепим из него сиюминутное и проходное сочинение. Притом ничуть не ведая стыда. Со мной такое приключилось некогда, и до сих пор я помню смуту, что в душе моей недолго пометалась. Было это сорок лет назад, чуть больше даже, я тогда с усердием писал рассказы, воспаленно собираясь стать расхожим прозаиком. Два из них мне напечатать удалось в забытых уже начисто сборниках советской фантастики. Один из этих двух я приведу здесь целиком, поскольку без него никак не показать мне въяве мысль о драгоценном соре, некогда упущенном по слабости души. Читать сей текст сегодня мало интересно и неловко даже мне. Ирония в те годы мне казалась и броней, и камуфляжем, и отменной маской, под которой можно спрятать выражение лица — ну, словом, тем спасительным и верным средством сохранить себя и все же стать печатающимся автором. К тому же и налет бывалости она мне сообщала, как казалось мне тогда, а мужественным опытным мужчиной — очень быть хотелось и казаться. Нет, я ничуть не извиняюсь, просто я хочу предупредить. С довольно ключевым моментом моей жизни связана история, которую я изложу немного ниже, потому я так и выстроил эту главу, в которой суть — заявлена в начале лишь частично. Нам ведь не всегда заметен перекресток, от которого ты мог пойти по жизни и судьбе совсем иным путем, а мной однажды был воочию увиден этот перекресток. Но о нем — после рассказа. Он и назывался так же:

ВЕЧЕР В ГОСТИНИЦЕ

Уходя, гашу свет, уступаю дорогу транспорту, уважаю труд уборщиц и из последних сил взаимно вежлив с продавцом. Храню деньги в сберегательной кассе, берегусь высоких платформ и не разрешаю детям играть с огнем. Тем более что у меня нет детей. Весенние гололедицы моих любовей уже несколько раз без перехода в лето сменялись осенним листопадом. Осторожно, листья! Водитель, берегись юза и помни о тормозах. Я и тут поступал правильно.

У меня тихая и неброская работа, я не тщеславен и не мечтаю о своем блеклом портрете в отрывных календарях. Мою работу не за что самозабвенно и безумно любить, но, значит, не наделаешь и ошибок. Я член профсоюза, кассы взаимопомощи и безропотно плачу взносы какому-то из добровольных обществ — кажется, непротивления озеленению.

Еще лет пять назад я кидался в драку и лез в бутылку, пытался доказывать или убеждать, охотно бился головой о любую стену и махал руками так интенсивно, что среди глухонемых наверняка прослыл бы болтуном. Но потом незаметно выбыл из коллективной погони за мнящимся горизонтом и почувствовал, насколько легче и проще наблюдать за миром со стороны, быть лишь свидетелем. И жизнь моя, как стрелка на уличном циферблате, аккуратными ежедневными толчками равномерно задвигалась вперед. По кругу...

Только стрелке не видно, что это круг. Или не стоит об этом писать? Но ведь я хочу разобраться. Или не хочу?..

В тот вечер у меня было плохое настроение, и все безмерно раздражало в этом блондине с лицом умной лошади, которому крутые скулы придавали еще сходство с университетским ромбом в петлице его пиджака. Злил меня и сам значок, называемый «Я тоже не дурак», и непонятная услужливость блондина — он откуда-то знал все номера этой хилой труппы гастролеров и громко шептал мне, что будет дальше, хотя я вовсе не просил, — и его нервозность. А она явно была, и я не знал, чем она объясняется. К сожалению, свободных мест поблизости не было.

Я приехал еще утром в отмерзающий после полярной ночи северный городок и по гнущимся половицам его деревянных тротуаров сразу пошел в управление. А через час в тряском, как телега, вертолете, старательно валящемся в каждую воздушную щель, меня уже везли к месту, где начиналось строительство, — на створ будущей плотины.

Мы за полдня оговорили все изменения в проекте, а потом до позднего вечера еще сидели в домишке гидрологов, уточняя миллион мелочей. Но люди эти — я их уже больше не увижу, никакой не будет надобности приезжать — были мне одинаково и однолико безразличны, поэтому я взял бумаги, отказался с ними выпить и вернулся в город в тот утренний час, когда на улицах еще мало народу, и только в очереди за кефирной подкормкой для наследников стоят и курят первую сигарету зеленые от недосыпания молодые отцы.

Вот и вся командировка. Самолет мой улетал только завтра. Я спал, знакомился с соседями по номеру и курил, а вечером потянуло на улицу. Два стоявших рядом клуба (в обоих крутили кино) и маленький, но с колоннами театр глотали тонкий и непрерывный поток желающих убить вечер.

Я прельстился заезжими эстрадниками, чуть потолкался у входа среди местных девиц, и роскошный, баскетбольного вида рыжий парень оторвал мне один из двух своих билетов мужественным жестом, которым одновременно вырывал из сердца ту — подлую и непришедшую. А я сел поближе, наткнулся на общительного блондина и теперь с завистью думал о ком-то, наверняка занявшем мое место рядом с отставленным рыжим.

Тем временем на сцене вместо чечеточника, страдавшего одышкой (микрофон, естественно, забыли убрать), утвердилась маленькая полнеющая скрипачка в длинном платье, желтом, как измена, и открытом, как цветок перед опылением. Скрипка была ей ни к чему, с гитарой она смотрелась бы лучше, да и то не на сцене — очевидно, понимая это, она играла кое-как. Трезвая женщина, с одобрением подумал я.

И вдруг я понял, что знаю о ней все. Основным в ее несложной жизни была, безо всякого сомнения, счастливая и трепетная готовность в любой момент стать завлеченной и обманутой. Воспринимая этот хитрый мир только слухом и осязанием, она имела еще и ряд убежденных мыслей о назначении внешнего облика, и не последней из них была уверенность, что губы следует красить возможно шире и ярче, ибо мужчина — дурак и красному рад.

Ощущение, что угадал, было настолько весомым и прочным, что для развития внезапного дара я тут же решил потренироваться на блондине.

Учитель. Ну, конечно же, учитель. Преподает географию в шестых классах, по вечерам ведет кружок «Хочу все знать» и встречает с зонтиком жену — математичку, нервную, худую и впечатлительную. За полгода до отпуска планирует поездку в Крым, но потом уходит со школьниками в турпоход по родному краю. Любит поговорить за рюмкой о загадках науки и в силу отзывчивости постоянно сидит без денег. А сегодня бедная математичка не смогла пойти в театр (примерка первомайского платья, задуманного зимой), но продавать ее билет он не стал, стесняясь шныряющих учеников. Зато теперь хочет получить удовольствие сразу на два билета и для этого привлекает меня. Черта с два. И когда объявили антракт, я отказался идти с ним в буфет пить пиво. Впрочем, у меня было дело.

Сразу после стыдливой скрипачки наступил расцвет вокала. Тенор с сытыми глазами был объявлен в афише с красной строки и вовсе не делал секрета из своего таланта и случайности пребывания в этой труппе. Он венчал собой первое отделение, этот ржавеющий гвоздь программы, и был упоенно взвинчен, как петух в без одной минуты пять. Правда, плотоядно уставившись на кого-то в первом ряду, запел он действительно с чувством. Как сирена, увидевшая Одиссея. Он так исказил слова старой песни, что в перерыве я решил зайти к нему за кулисы.

Он сидел перед зеркалом, любовно изучая свое лицо.

— Послушайте, — сказал я от двери. — Вы поете: «Жизнь, ты помнишь солдат, что погибли, себя защищая». Вы понимаете — себя?!

— А кого же? — спросил тенор и засмеялся от превосходства.

После перерыва я отыскал свое законное место, но там — как она прошла без билета? — сидела она, явно она, так жестоко опоздавшая, и все простивший рас- цветший рыжий искоса смотрел на нее сбоку, как од- ноглазый пират на пассажирский парусник. И я понял, что не уйти мне сегодня от общительного блондина, и, сев к нему, сдался на милость победителя, покорно кивая, когда он шептал мне, что будет на сцене дальше.

А где-то на пятом номере он весь подобрался, и я снова почувствовал, что он волнуется. На сцену вы- ходил фокусник.

Так вот в чем дело, он еще любит эти детские штуки, и ясно теперь, чем он занимается с учениками. А дома от бесчисленных стараний перебита вся посуда, но ма- тематичка новую не покупает, зная из литературы, что мужа лучше держать в строгости.

У фокусника было длинное желтоватое лицо с тон- ким прямым носом и шапка седых волос, жестко кло- нящихся набок. Он был похож на старого индейского вождя — только дай ему лук или томагавк, он мигом оставил бы эти фокусы. Было ему лет пятьдесят, и фокусник он был очень слабый.

Просто тоже бывший учитель, злорадно подумал я. Чуть приноровился и пошел в профессионалы. Теперь бедствует и уже жалеет, но зато исполнилась голубая мечта ходить в театр со служебного входа. Ах, блондин, плохи твои будущие дела!

Фокуснику помогала женщина с мягким добрым ли- цом, никак не вязавшимся со зловещими кинжалами, которые по ходу обмана зрителей приходилось то до- ставать, то прятать.

А потом было что-то еще, а потом я вышел и об- легченно вздохнул. Знакомые пробирались друг к другу, чтобы спросить бессмысленное «Ну, как?», мужчины закуривали, женщины говорили о теноре.

В номере, где меня поселили, было три кровати, шкаф, диван и пародия на репинских бурлаков. Один из них по воле вдохновенного копииста высоко держал голову и зорко смотрел вдаль, вероятно провидя светлое будущее волжского пароходства. Да и ядовитый пейзаж был дружеским шаржем на природу.

Сосед, мой ровесник (или чуть помоложе), худой и лысоватый парень-газетчик, был мне довольно симпатичен. Еще утром, когда, усталый и пыльный, я ввалился в номер, он сразу же задал мне журналистско-милицейский вопрос: кто я есть.

— Хомо сапиенс, — буркнул я, и он больше ничего не спросил, очевидно приняв мое настроение за характер жильца коммунальной квартиры, где все кастрюли на замках. С полчаса он скучал над блокнотом и лениво почесывал бумагу пером, а потом опять решил культурно пообщаться и рассказал мне старую шутку о том, как один матерый журналист спросил у другого такого же, читал ли тот его вчерашний очерк, а тот жутко обиделся, обозвал его хулиганом и сказал, что не читал даже Льва Толстого.

Тогда я рассказал ему, как один геолог заблудился в тайге и пять суток голодал, хотя у него был карабин с одной пулей и лошадь, а на вопрос, почему он не пристрелил лошадь, ответил, что она за ним записана, а у них строгий завхоз.

И между нами установились прекрасные безразличные отношения. Честно сказать, этот парень чем-то заинтересовал меня, несмотря на обилие готовых заученных выражений — в Москве мне как-то не приходилось встречаться с их братом, и думал я о них приблизительно так же, как о девицах у кинотеатра. Но этот был совсем ничего, и любопытство к людям еще явно оставалось у него душевной, а не профессиональной чертой.

Наслушавшись его самоуверенных формулировок, я очень удивился, когда он сказал, что слово для него как женщина — силой не возьмешь, а только разумом, выдержкой, уговором.

— Ну, а любовь? — спросил я. — Женщина по любви, слова по любви?

— Понимаете ли, — сказал он. — Женщины, как правило, приходят сами по любви к людям красивым, а слова — к талантливым. А я — не красавец, как видите. И журналист тоже средний.

Через час я собрался отсыпаться, а он сказал, что время — деньги, потехе час, и куда-то убежал, вернувшись только к вечеру.

А перед моим уходом в театр мы оба поговорили с третьим соседом, сухим краснолицым стариком из древней семьи раскольников, когда-то бежавших на Енисей. Его неторопливая жизнь бакенщика месяц назад завертелась волчком, вспыхнула и испепелилась от творческого горения столичных киношников. Дело было так.

Молодые парни из документальной студии приехали снимать фильм о судовождении по сибирским рекам, и бакенщика прикрепили к ним как местного специалиста. Кто-то шепнул ему, что киношников надо слушаться, а то не заплатят денег, и старик это запомнил.

На одной из съемок он по всем правилам расставил бакены, зажег ночные огни и сел покурить. Юный оператор, пылавший от обилия идей, нашел, что бакены стоят недостаточно киногенично, и спросил, нельзя ли эти цветные огни-ориентиры разместить на вечерней реке по-другому.

— Почему не можно, можно, — ответил хитрый старик и, не моргнув глазом, переставил цветные стекла фонарей в точности, как его попросили. Он только умолчал, что теперь сочетание огней стало бессмыслицей, и, следуя этим путеводным звездочкам, пароходы немедленно врезались бы в берег, если бы штурманы еще раньше не сошли с ума.

Бакенщик — это стрелочник речных путей, поэтому во всем обвинили старика. От огорчения он жестоко запил и приехал в районный город — не искать правды, потому что знал, что виноват, а отвести душу жалобой. За неделю он тут очень прижился, понемногу выпивал с новыми знакомыми, потом добавлял с другими, и по утрам у него дрожали руки. Он утверждал, что его трясет некий Аркашка, требующий выпить — и действительно, после первой же утренней рюмки руки переставали дрожать. В фольклоре и в самом деле уже давно существует этот невидимый Аркашка, и старик говорил о нем продуманно и любовно. По его словам выходило, что Аркашка (а иногда Аркадий Иванович) вездесущ, всепроникающ и трясет пьющих без разбора, хоть ты будь министром речного флота. Вечером он запоминает и записывает, а по утрам ходит по должникам, и тут отдай его долю, а иначе будет трясти, и ничем от него не спасешься. Доктора все об Аркашке знают, но его ничем не возьмешь, он в любого входит и выходит, когда вздумает. А как задобрил его утренней рюмкой, он тебя отпускает и идет к другому. А по вечерам он трезвый, потому что работает — пишет, кто что пил и к кому завтра во сколько.

К сожалению, написанные слова не в силах передать красоту убежденного изложения, тем более что сам старик с Аркашкой очень дружил, был с ним запанибрата, никогда ему не отказывал — и уже неделю не мог выбрать время зайти куда-то с жалобой.

Я шел по пустому городу, освещенному холодным ночным солнцем, и заранее знал, что происходит сейчас в гостинице. Журналист мертвой хваткой вцепился в старика, успевшего за бесконечные часы на реке придумать тысячу невероятных историй и собственные версии всех мировых событий. Наверно, сейчас он сидит на своей кровати, касаясь старчески белыми ногами со вздутыми синими венами аккуратно поставленных рядом сапог с висящими на них портянками, и что-нибудь говорит, непрерывно потягивая «Север», который прямо пачкой держал вместе со спичками в кисете из тонкой резины.

А в соседнем номере два инженера (они летели со мной из Москвы) наверняка пьют портвейн — все, что осталось в городке к началу летней навигации, и говорят о женщинах, сортах сигарет и маринованных грибах под холодную водку. Они оба, несмотря на крайнюю молодость, уже интуитивно осознали, что общность людей рождается в совместных деяниях, и за неимением деяний устанавливали эту общность за столом. Оба только что кончили институт и изо всех сил прикидывались мужчинами, стараясь, чтобы каждый забыл, что другому только стыдные двадцать три.

А я шел и с неприязнью к себе думал, как надоело знать все заранее, понимать все, что происходит, и от окружающего мира ничего не ждать, поскольку все уже известно.

У окошка администратора, поставив чемодан под постоянный плакатик «Мест нет», сутулился все тот же блондин, и было в его фигуре что-то, заставившее меня подойти — значит, он приезжий: какого же черта бежать в театр, не устроившись на ночлег!

— Но я специально прилетел, поймите, я не могу не быть сегодня в гостинице, — говорил блондин в окошко безнадежным просящим голосом, обрекающим его на верный неуспех у любых мелких служащих. — Ну, пожалуйста, у вас же наверняка есть места по броне.

— Места по броне называются так, потому что уже забронированы, — опытно сказала администраторша.

Не успев подумать о ненужности мне этого сраженного служебной логикой унылого блондина, я наклонился к окошку.

— У меня в номере есть диван, — сказал я. — Не ночевать же человеку на улице.

— А вам лучше подняться наверх и прочесть правила распорядка, — готовно ответила администраторша. — На диване не полагается.

— На ночь можно, — сказал я миролюбиво, но твердо. — А завтра я уеду.

По инерции ответив, что нечего за нее распоряжаться, она улыбнулась блондину уже как постояльцу, а не назойливому просителю.

— Спасибо, — растроганно сказал блондин моей спине и через минуту догнал меня на этаже, невнятно произнося какие-то запыхавшиеся слова.

У любого мелкого благородства есть оборотная сторона — самому себе становится приятно; должно быть, большинство добрых дел и совершается из этого побуждения. Я толкнул дверь номера.

Старик босиком сидел у стола и одобрительно молчал, а журналист одетый лежал на кровати и читал тонкий журнал, вслух ругая какого-то автора очень разными словами: «кретин» в этом букете было самым приличным. Увидев нас, он перекрыл густой поток существительных.

— Как провели время? — интеллигентно спросил бакенщик.

Журналист не мог упустить такой возможности.

— Время не проведешь, — радостно сказал он.

Сейчас мне тоже хотелось поговорить.

— А ругать статьи коллег — профессиональное развлечение? — спросил я, снимая пиджак.

Блондин, молча подпиравший шкаф, вдруг бурно и настойчиво вмешался.

— Вы журналист?! — с пафосом спросил он. — Вы сегодня могли бы очень помочь человеку!

— Я даже друзьям не всегда могу помочь, — приветливо отозвался журналист, еще не остывший от статьи.

Блондин чуть оторопел и сразу ушел в защиту.

— У много путешествующих много знакомых, но мало друзей, — наставительно произнес он.

— Экспромт или цитата? — лениво, но заинтересованно спросил журналист и приподнялся, опершись на локоть.

Блондин явно заводил знакомство. Он перестал сутулиться и, кажется, стал чуть толще.

— Это Сенека, — высокомерно сказал он. — Слыхали о таком?

— Где уж нам, — податливо отказалась скромная пресса. — Нас времена пожара Рима не волнуют, мы про отвагу на пожаре вчера в Марьиной Роще.

— Нет, серьезно, — обманутый миролюбием его тона, блондин соглашался на ничью. — Вы сейчас чем-нибудь заняты?

— Вырабатываю мировоззрение, — устало сказал журналист и откинулся на подушку. — Друзья говорят, у меня мировоззрения нет. А без него писать — все равно что крутить фильм через объектив из осколков. Вот я и работаю над собой, — он прищурился на блондина и добавил: — В этом направлении.

Вошла горничная с бельем и, как флаг, взметнула над диваном простыню. Журналист повернул голову.

— Томочка, — сказал он ласково, — у вас мировоззрение есть?

Пухлая Томочка, не прекращая взбивать подушку, польщено хмыкнула:

— Что я — кассирша, что ли?

Блондин, вторично сраженный за последние полчаса, посмотрел на журналиста преданными глазами.

— Какие вы все уверенные, — сказал он.

— А не уверен, не догоняй, — победительно сказал тридцатилетний газетный волк.

Я вышел в коридор — полутемный, но с коврами, и сел в продавленное кресло. Странная штука — когда-то приучить и ныне постоянно чувствовать себя в этой жизни сторонним наблюдателем, очевидцем, по необходимости статистом, но никогда не более. А сигарета кончилась, и тлеющий огонь уже раздирал стружки табака у самых пальцев. На этаже перестали хлопать двери, кто-то кинул телефонную трубку, и из соседнего номера прорезался портвейный диалог двух зеленых колосящихся мужчин.

— Я ей прямо заявил — да или нет, а она смеется.

— Приготовишка! — сказал второй. Хоть эти не обманули моих ожиданий.

Когда я вернулся в номер, журналист сидел на кровати, надевая туфли, и был весь внимание. Блондин спешил, глотая куски слов:

— А у многих ведь такое, что они бы с удовольствием отказались...

Он знакомо улыбнулся мне и сказал:

— Я работаю в институте нервной патологии. Если вы не возражаете...

— Нет, нет, — перебил журналист, — никто не возражает.

Что-то напористое появилось в нем мгновенно, безо всякого перехода от иронической отдохновенной расслабленности десять минут назад.

Я пожал плечами, а журналист уже бросил: «Идемте», и блондин, еще раз улыбнувшись мне, покорно вышел следом.

Старик, зараженный их непонятной горячкой, натягивал сапоги и сопел. Я постоял, закурил, невидяще глядя в окно, и не раздеваясь прилег на кровать. Сигарета показалась мне очень вкусной. Надо было всю выкурить ее лежа, подумал я.

С полчаса я пролежал в полусне, думая о проектном бюро, куда мне завтра предстояло вернуться, о своих ненужных приятелях, о пожилом сотруднике с нарукавниками — он сидел за соседним столом, и у него была папка переписки с красной карандашной надписью «К ответу!», а то место, где спина теряет свое название, гораздо шире и подвижнее, чем плечи; и о душном коридоре, где все с утра до вечера курили и где дымились, не рождая огня, служебные микространи.

— У меня просто никак не доходят руки, — входя, громко говорил журналист, полуобернувшись к идущему сзади блондину, — а надо об этом писать и писать. У меня, знаешь, был странный случай...

Они уже на ты, машинально отметил я.

— Я выходил из кино с приятелем, ему лет сорок, здоровяк, веселый мужик. И вдруг я подумал: а вот Илюшка завтра умрет, а все останется по-прежнему, я с кем-то другим стану так же разговаривать. Ну, думаю, черт побери, отогнал от себя эту мысль почти силой, а утром позвонили, что Илья ночью умер от разрыва сердца. Ты знаешь, у меня шрам остался, будто я виноват.

— Видите ли... — очень серьезно и медленно сказал блондин.

Он не мог, как этот бродяга-журналист, через час после знакомства перейти на ты или сказать «Кури, старик!», подвигая собеседнику его же сигареты.

Они оба закурили, и блондин опять очень спокойно и медленно сказал:

— Видите ли, я с удовольствием поговорю с вами об этом завтра, он вот-вот придет, и я очень волнуюсь. Вы должны меня понять...

В дверь постучали. Блондин вскочил, по-школярски выхватив изо рта сигарету. Журналист хрипло крикнул «Войдите!». Старик уперся руками в колени и наклонился вперед.

В комнату вошел фокусник, еще не успевший снять черный великосветский фрак, в котором, по мнению циркачей всего мира, ловкость рук наиболее впечатляет. Сзади бесшумно шла женщина с мягким лицом.

— Добрый вечер, — сказал фокусник. — Мне на этаже передали записку с просьбой зайти в этот номер...

— Я хочу показать вам одну штуку. — Блондин судорожно глотнул слюну.

Кинувшись вбок, он достал из-за портьеры свой чемодан и поставил его на стол, сдвинув графин с водой. Журналист молча зашторивал окно. Стало сумеречно, в узких столбиках пробившегося света заплясала пыль. Фокусник стоял молча. Я поразился его глазам, живущим совершенно отдельно на длинном желтоватом лице с резкой насечкой морщин. Глаза были глубокие, очень темные и — как быстро пришло сравнение! — будто у пса, ударенного ни за что. Женщина взяла его за руку.

— Это моя жена, — сказал фокусник.

В чемодане оказались панель с набором переключателей, длинный шнур и объектив с гармошкой, как у старых фотоаппаратов. Блондин, суетясь, протянул шнур до розетки, направил объектив, и на белой стене под потолком зажегся светлый квадрат. Послышался неразборчивый шум.

— Только звук неважный, — сказал блондин. — Плохая запись.

Это была внутренность какого-то очень длинного полутемного барака. По всему земляному полу на клочках соломы, шинелях и рваных мешках вповалку лежали люди. Кто-то стонал. Все были в мятой солдатской форме без погон и в сапогах или обмотках. С изображения пахнуло застойным вокзальным запахом, объектив заскользил по телам и двинулся к задней стене барака. Высокий пожилой солдат застонал и перевернулся с боку на бок, вяло и бессильно откинув руки.

Снимающий устремленно двигался куда-то, и объектив кинокамеры торопливо проходил по всему, что попадалось на пути.

Легкая фанерная дверь открылась внутрь барака.

За ней была узкая комната с невысоким и длинным бетонным постаментом. Она была сделана очень тщательно, пол был тоже бетонирован. Уборная резко отличалась от всего барака.

— Сволочи, аккуратисты, — сказал где-то сзади журналист.

— Это лагерь под Харьковом, — удивленно сказал фокусник.

В уборной толпились люди, слышался приглушенный неразборчивый говор.

Снимавший этот странный фильм бесцельно крутил объектив, скользивший — как они снимали в полутьме, откуда аппарат? — по тесно столпившимся людям. Изображение то было очень расплывчатым, то вдруг четко выхватывалось чье-то возбужденное лицо с капельками пота возле красной полосы, оставленной тесной пилоткой.

Аппарат остановился на трех мужчинах в такой же солдатской форме. У них были темными тряпками обмотаны лица и глубоко надвинуты выцветшие пилотки — только чуть виднелись глаза и угадывалась полоска рта. Они сидели на краю постамента, твердо поставив ноги в обмотках на пол и, чуть подавшись вперед, смотрели куда-то вбок, застывшие, как на сельских фотографиях.

Объектив дернулся и в середине столпившихся ярко выделил бледное треугольное лицо с каплями пота на лбу и высоких залысинах. Лицо парня было очень молодое и тонкое, только резкие складки морщин опускались к краям губ от крыльев носа и сильно старили его, а так ему было лет двадцать. Парень волновался и трудно дышал.

Объектив вернулся к троим. Сидящий посреди встал. Неразборчивый шум сразу смолк, он заговорил, и хриплые, плохо записанные слова зазвучали весомо, как удары молота о сваю.

— Вас слушает трибунал советских людей, временно попавших к врагу. Отвечайте честно, от этого зависит ваша жизнь. В лагере, откуда вас привезли, вы были переводчиком. Это так?

Объектив застыл на белом лице пария. У того судорожно прыгнул кадык и разжались тонкие губы. Четко падали короткие, очевидно, давно уже продуманные слова.

— Да, я действительно был переводчиком.

— Как вы попали в плен?

— Я не трус, мы все тут попали одинаково.

— Вы вызвались в переводчики добровольно. И били наших солдат.

— Да, бил. Когда видел, что пленного сейчас ударит немец, ударит прикладом по голове, я бил его по лицу первым.

— Зачем?

Снова лицо парня. Он, кажется, чуть опомнился. Его ответы — наверное, студент, подумал я — звучали очень округло, по-книжному, диковинно для этой обстановки.

— Это звонко, обидно, но не больно, а главное — не смертельно. А немец тогда уже не бил, его устраивало, что мы расправляемся сами. Считаю свои действия правильными и в этом лагере снова пойду переводчиком.

— Вы сумели что-нибудь сделать за это время? — голос звучал гораздо мягче.

— Здесь есть люди, которые подтвердят: я устроил побег тех капитана и майора, когда узнал, что на них донесли.

— Верно, — сказал кто-то сбоку. — Это было, я говорил. — Сидевший в середине снова встал.

— Трибунал считает ваши действия оправданными и приносит вам благодарность, — сказал он, очевидно, улыбаясь, потому что видимая полоска рта раздвинулась и глаза стали ярче. — Вашу руку. Спасибо, товарищ! И оставайтесь пока здесь. Теперь того, из Киева, — сказал он.

Объектив проводил спины четверых, ушедших в барак, и снова заскользил по толпе, Здесь было человек пятнадцать — небритые, усталые, очень возбужденные лица. Трое сидели молча.

В дверях появился высокий плечистый парень со щетинкой коротких усов. Он заспанно щурил глаза.

— Шо тут за комедь? — спросил он. Его подтолкнули сзади, он оказался в сомкнувшейся толпе.

— Ну, чого вам? — опять пробурчал он, уже просыпаясь. Сидящий в середине встал.

— Вас слушает трибунал советских людей, временно попавших к врагу, — снова сказал он. — Вы работали надзирателем и вызвались добровольно. Вы били людей плеткой со свинцом и одному выбили глаз. Это было?

Толпа шевельнулась и сомкнулась тесней. Парень оглянулся вокруг, но еще не понял, что происходит.

— А чего же не слухають? — сказал он. — Раз поставлен, я слежу. И нечего спрашивать. Вы на это хто будете?

Он повел плечами, чтобы повернуться к выходу, но на него уже набросились те четверо, что его привели. Послышался всхлип, шум борьбы, на экране (снимающий всунул объектив прямо в свалку) замелькали руки и головы. Потом толпа раздалась. Рослый парень мешком лежал на полу, согнутые ноги его были притянуты к груди, руки связаны сзади, во рту торчал кляп. Он не шевелился,

Трое, обернувшись друг к другу, коротко кивнули.

— Трибунал приговаривает вас к смертной казни, — сказал стоящий в середине. — Приговор приводится в исполнение.

Тот дернулся и что-то промычал. Его подняли и несколько раз ударили о бетонный пол. Тяжело хряснуло тело. Потом его втащили на постамент и, подняв деревянную крышку, сбросили в очистной люк. Толпа молча потянулась к двери. Остались те четверо и трое из трибунала. Снимавший тоже пошел к двери, и только у самого выхода объектив вдруг повернулся назад.

Трое снимали с лиц повязки. Тот, что сидел в середине, уже снял.

Во весь экран прямо в объектив смотрело длинное лицо индейского вождя с тонким прямым носом и глубокими темными глазами. Жесткие прямые волосы чуть клонились набок.

Пленка кончилась, на стене задрожал размытый квадрат света. Журналист подтянул штору, и от солнца стало больно глазам. Женщина тихо плакала, держа фокусника за руку, а он сидел молча, и лицо его было, как маска. Потом, не оборачиваясь к блондину, он хрипло спросил:

— Откуда у вас?

— Это память нашего сотрудника, — быстро заговорил тот, пропуская куски слов. — Мы яркие пятна памяти научились снимать, а опыты делали на себе. — Он глотнул слюну и улыбнулся. — Я-то помню мало, а у пожилых целые километры пленки. Я на ваших представлениях два раза был в Новосибирске, я очень эстраду люблю, а потом узнал ваше лицо на просмотре. Я вас через Гастрольбюро искал, я только боялся очень, думал, ошибся.

— Мне потом не поверили, — медленно сказал фокусник. — А из тех никого не осталось. При побеге...

— Где вы были потом? — требовательно перебил журналист Фокусник прикрыл глаза, потом посмотрел на парня,

— Строил этот город, — сказал он.

— А по профессии?

— Учитель истории.

Все молчали. Фокусник встал. Жена его уже не плакала, только смотрела на него и держала за руку.

— Спасибо, — сказал фокусник блондину. — Если можно, я зайду к вам завтра, сегодня не разговор.

И вышел. Блондин собрал шнур и тщательно закрывал чемодан.

— А вы сюда что, специально прилетели?

Блондин отвечал вяло, после ухода фокусника с него мгновенно слетело нервное напряжение, и теперь он выглядел смертельно усталым.

— Я его раньше видел на сцене в Академгородке. Два раза, я очень эстраду люблю. А сейчас, как узнал, что труппа именно тут, сразу взял отпуск и поехал... Ему сейчас хорошо, наверное, — по-мальчишески добавил он, потом сказал: — Завтра улечу дневным. У меня дел! На три дня не отпускали, — и стал раздеваться, откинув на диване одеяло.

Уснул он почти мгновенно, неудобно приткнувшись щекой к кожаной диванной спинке. Журналист курил, горбился над блокнотом, а потом, словно диктуя самому себе, внятно сказал:

— И отстраненность, возведенная в жизненную систему, сейчас уже не оправдание, а вина... — И снова замолчал.

Я вышел в коридор. Навстречу неторопливо шла концертная скрипачка в другом уже, черном вечернем платье. Наклонившись в ее сторону, рядом шел плотный лысый мужчина, по виду — заведующий или управляющий. До меня донеслась фраза:

— Но у меня-то есть справка от месткома, что я уже больше не ворую.

Скрипачка тонко и понимающе улыбнулась его тонкой шутке.

«А когда она одета хуже, то чувствует себя дурой», — привычно подумал я, и это было последней каплей, и скопившееся за вечер выхлестнулось душной тоской. Когда мне все на свете стало ясно? И почему, по какому праву? Перехожу улицу на перекрестках...

С лестницы вошел в коридор старик-бакенщик, уже успевший, несмотря на ночное время, где-то основательно добавить. Он вплотную подошел ко мне и жарко дохнул в лицо — пахло, как из горлышка, но выцветшие глаза смотрели вполне осмысленно.

— Вот видишь, — сказал он. — Я это, сынок, еще от деда знал, а ему его дед передал от своего. Каин-то Авеля вовсе и не убил. Он только прикинулся, Авель — до поры только, до срока, а потом оклемался, и семья у него была и дети. Вот теперь по его линии дети себя и объявляют. Это они пока тихо жили, копили силу и никуда ее не тратили. Оно еще себя покажет, Авелево семя, а Каиновым теперь концы, придут на подбор такие, как наш этот.

И старик кивнул на дверь номера.

Только мне сейчас было здорово не до него, и, ощутив мое нежелание сочувствовать, он повернул к столу дежурной по этажу. Та молча подняла голову от книги. Она видела людей всякими, эта гостиничная дежурная, но наступали длинные вечера, и они одинаково приходили в ее угол посидеть, неловко привалясь боком к столу, и говорили, говорили, и она очень много знала о жизни, эта старая женщина с благодетельным уменьем слушать.

За поворотом коридора сидел на диване фокусник, и жена что-то быстро шептала ему. Человеку с жесткими седыми волосами предстояло в пятьдесят начинать сначала, потому что теперь он уже сможет не прятаться в раковину обиды и несчастья, но сейчас он хотел, наверное, как-нибудь растянуть время, чтобы завтра пришло попозже и можно было подумать.

Он что-то отнял у меня, этот мальчишка-блондин, а может быть, подарил. И еще что-то говорил журналист. Но что?

Я сел и записал абсолютно все — по порядку, в точности, как происходило. И теперь прочту сначала...

Такой вот был когда-то слепленный рассказ, теперь — о разговоре, из которого явилась тема. Было это в Красноярске, если вспомнил правильно. Тогда болтался я по инженерным командировкам не слабей, чем нынче — по гастрольным. А поэтому гостиница могла быть в Нижнем Тагиле, Молотове (ныне снова Пермь) или Свердловске (Екатеринбурге). Эй, а не в Норильске это было? Год я помню точно — шестьдесят второй. Нет, память моя все-таки за Красноярск. Не из-за бакенщика (с ним я встретился не в этот раз), а потому, что собеседник мой сидел когда-то в пересыльной тюрьме того города, где мы с ним познакомились, а я (на тридцать лет позже его) торчал на пересылке в Красноярске. Заведения такого рода были (есть и будут) в каждом из названных мной городов. И были одинаковы во всех городах зачуханные и набитые людьми гостиницы. В любой из них сидели за администраторским стеклом крашенные перекисью блондинки, то надменно, то по-хамски отказывая потным командировочным. Ибо мест в них не было никогда. А взятки я давать еще не умел. Но мне везло. Как и на этот раз. И более того: это был номер на двоих, а не на четверых, как я уже почти привык. Соседа своего, высокого худого литовца лет сорока, увидел я только вечером. Мы с ним не перемолвились ни словом, кроме «здравствуйте». Он без конца курил, потом ушел на полчаса, успев за это время крепко выпить, и опять чуть ли не одну о другую принялся прикуривать свою «Приму». Я полусидел на неразобранной кровати и с усердием кропал в блокноте ту херню, что мне тогда казалась прозой. Он улегся спать раньше меня, с отменной вежливостью пожелав спокойной ночи, и немедленно уснул. И столь же сразу застонал, и заскрипел зубами, дергался и что-то неразборчивое говорил то жалостно, то гневно. Через час проснулся, дико глянул на меня, попил воды и жадно выкурил сигарету. После чего стал спать спокойно и моим восторгам словоблудия уже нисколько не мешал.

А вечером на следующий день он молча выставил на стол бутылку водки и улыбчиво позвал меня к столу. Я вытащил из чемодана не успевшую протухнуть половину курицы, что мне почти насильно положила мама, а стаканы постояльцам — полагались в нашем номере. Мы чокнулись, щипнули курицу и закурили.

— Вы вчера во сне очень кричали, Виктор, — начал я, — какой-то снился вам кошмар...

— Я в этом городе когда-то чалился на пересылке, — охотно откликнулся он. И сразу пояснил для городского несмышленыша:

— В пересыльной тюрьме.

По-русски он говорил с легким прибалтийским акцентом, а что литовец, я узнал минутой позже.

Наш разговор я столько лет спустя перескажу без диалогов, ибо глупо сочинять их, а детали я не помню. Да к тому же говорил почти все время он, ему кому-то надо было выплеснуть те чувства, что его обуревали, я же только слушал — зачарованно и недоверчиво. Во-первых, те обрывочные крохи, что я знал тогда о лагерях, отвергали начисто любую возможность сопротивления. Он говорил как раз о нем. А во-вторых, на тумбочке возле кровати лежал у меня тот памятный всем россиянам номер «Нового мира», где напечатан был «Один день Ивана Денисовича». Солженицын был в моем представлении великаном и небожителем российской словесности. А мой тощий и невзрачный собеседник мне сказал, что был с ним в одном лагере, где мой кумир был нормировщиком (брезгливая гримаса), и что подлинная правда о лагерях — не написана пока и вряд ли будет напечатана при нашей жизни. Внезапно стал он говорить, что в лагере был счастлив и свободен много больше, чем сейчас, поскольку в лагере он собственными руками творил и справедливость, и возмездие.

Услышанное я сейчас перескажу. Много лет спустя я убедился в том, что слышал правду. А тогда — я верил и не верил, что такое может быть, но ощущал восторг и гордость.

Виктор был родом из маленького литовского городка, названия которого я отродясь не знал и забыл немедля по произнесении. Он отсидел всего десятку. Это сам он так сказал — «всего», поскольку было в лагере полно людей со сроком в четверть века. Экибастуз в Казахстане. Там после войны возник огромный угольный комбинат, с нуля построенный зэками. В лагере их было около пяти тысяч.

— Ваших там тоже много было, — сказал мне Виктор с подчеркнутым уважением. — Я потом в Норильск попал, потом на Колыму, везде сидело ваших очень много.

Я не шелохнулся. Эта тема болезненно меня волновала, но уже он начал говорить про главное, что поразило меня сразу и надолго. Он рассказывал, что в лагере у них году в пятидесятом возник подпольный совет зэков, и по приговору этого совета убивали бригадиров, потерявших человеческую совесть от желания удержаться и выслужиться.

— Кирпичом, ножами, топором, — сказал он так мечтательно и сочно, словно говорил о музыкальных инструментах в лагерном оркестре.

Их сначала вызывали, чтобы вразумить, и люди в масках (из портянки, с прорезью для глаз) негромко говорили им о том, что в рабстве они все находятся одинаково и что следует беречь жизни друг друга. А если вызванный потом не вразумлялся, то его неукоснительно ожидала скорая смерть. И так же поступали с лагерными стукачами. Как их вычисляли в общей массе, Виктор не знал, однако же члены совета ни разу не ошиблись. Кто-то из них каялся («и на колени даже, падлы, падали», — брезгливо сказал Виктор), им давали время, убивали только тех, кто не хотел остановиться.

— Пол у нас в сортире был бетонный, нескольких мы там прикончили, — сказал мой собеседник, который был (почти не сомневаюсь) исполнителем.

Потом этот совет возглавил голодовку — первый настоящий бунт в истории советских лагерей. Несколько дней продержались они, не выходя на работу, после голодовку прекратили, ибо слишком истощены были зэки. А потом приехало высокое начальство, требования зэков обещали рассмотреть, все потекло по-прежнему, но несколько сот человек выдернули на этап и отправили в Норильск. И среди них были все, кто проявил активность, — как видно, оставались неопознанные стукачи.

Сегодня есть уже воспоминания о тех событиях, но я-то слушал это в шестьдесят втором году и пересказываю только то, что помню. Для меня же все рассказанное этим суховатым молодым литовцем обернулось в тот же вечер очень острым жизненным переживанием.

— Я для чего тебе все это говорю, ты понимаешь? — спрашивая, он нагнулся над столом лицом к лицу, и тон у него был такой же, очевидно, каким некогда он говорил со стукачами и с зарвавшимися бригадирами. Я вопросительно молчал.

— Ты вчера весь вечер по блокноту чиркал, ты писатель? — У него были застывшие стеклянные глаза, в них отражалась лампа, стоявшая у меня на тумбочке.

— Я начинающий, — ответил я. — А вообще-то инженер.

Он чуть обмяк, откинулся на стуле и закурил.

— А жалко, — сказал он разочарованно. И очень по-мальчишески улыбнулся. — Я вообще-то никогда не видел живых писателей. Вот, думаю, встретил наконец.

— А для чего тебе живой писатель? — спросил я, хотя ответ уже прекрасно понимал.

Из длинного потока его речи (что, как правило, прибалты немногословны, я тогда не знал и потому не удивлялся) проступали мысли, до которых я дозрел спустя лет двадцать. Мы в долгу перед нашими детьми и внуками, говорил он. Если мы не опишем судьбы наших современников, попавших в мясорубку лагерей, и если все это кошмарное время канет в прошлое беспамятно, забудется и сотрется, то в будущем оно повторится. Зэки, выходя на волю, очень быстро умирают, не говоря уже о тех, кто умирает в лагерях. Поэтому сегодня надо с ними разговаривать и все записывать, а в этом, кроме пользы внукам, будет еще и возмездие тем, кто всю эту систему запустил и отладил. Потому что все эти истязатели и палачи уверены в своей безнаказанности и сохранении тайны. Потому что в этой стране никогда не будет Нюрнбергского процесса, и без людей, которые запишут показания свидетелей, потомки наши просто не узнают, что произошло, и будут беспомощны перед неминуемой новой эпидемией безумия.

Он употреблял слова, совершенно чужеродные его облику. Я мельком подумал, что от кого-то в лагере он слышал этот монолог из потертых, выцветших, не из живого языка выражений, но они его потрясли точностью, и он понес их как благую весть и чье-то завещание.

— Я многих знаю, — сказал он. — Если надумаешь, как жить, чтобы не зря прожить, я дам тебе их адреса и сам предупрежу, чтоб доверяли. А если испугаешься и не захочешь, то и станешь ты писателем и будешь до самой смерти гонять порожняк.

Спустя лет двадцать (чуть побольше), отсидев уже и сам, я наткнулся на судьбу одного поразительно талантливого человека и принялся ходить по бывшим зэкам, пытаясь отыскать хотя бы крохи сведений о нем. Свидетелей уже почти не оставалось. Те, кто еще жив был, ничего конкретного уже не помнили. А несколько — боялись до сих пор и не хотели вспоминать.

Жил Виктор в Каунасе и работал в какой-то конторе по наладке заводской вентиляции. Мы оказались с ним почти коллегами. А через час он то ли выдохся, то ли остыл, свой адрес молча записал в моем блокноте, мы с ним вяло обсудили, не сходить ли на вокзал к таксистам за второй бутылкой, и единодушно отказались от затеи. Я себя донельзя усталым чувствовал — как будто нечто неподъемное свалилось на меня, и я его держал. А впрочем, эту пошлую красивость я уже придумал только что.

Назавтра с Виктором увиделись мы мельком: в ночь я улетал, а до аэропорта добираться было долго, на такси не ездил я тогда. Нет, это все же был не Красноярск. Ну да неважно.

Окунувшись в московскую суету, я вечер тот почти не вспоминал. А через две недели, чуть освободившись и присев к листу бумаги, остро ощутил, что нахожусь на неком перекрестке. Я просто физически не мог не записать услышанное мной в гостинице, но я вступал тем самым в совершенно новое существование. И я немедля испытал ужасный страх. Нет, нет, я не советской власти испугался (хотя был только что посажен Сашка Гинзбург) — я по неведению и слепоте еще не представлял себе размах и хватку ее щупалец. Но в этом повороте, если б я решился на него, меня пугали непременная серьезность, напряженность и душевная погруженность на долгие года. А мне уже тогда жизнь представлялась дивной продолжительной игрой. Да, с перерывами на некую заведомо занудную работу для кормления семьи, но все-таки игрой и развлечением. Я, кстати, при первой же возможности избавился от этих перерывов на вынужденный труд — с риском для кормления, но избавился. Те обязательства, что я на себя брал, решившись поменять беспечное существование, уже заранее удручали и тяготили меня.

Я сдался. И рассказ я написал — который написал. И еще много лет гонял свой порожняк. Ничуть не чувствуя стыда.

ТЕНИ В РАЮ

Воинственное прошлое жителей Швейцарии осталось в том уплывшем времени, на будущее не распространившись. Когда-то это были отборные воины в европейских армиях любого местного владыки, который воевал с себе подобными, — и на противной стороне швейцарцы бились с тем же платным воодушевлением. Но время выветрило их наемную отвагу, и швейцарцы стали домоседами, часовщиками, сыроварами и патриотами. На память о былом остался только снайпер лука Вильгельм Телль. Еще в России навсегда запечатлелось профессиональное название охранника — швейцар. Сегодня вся Швейцария — страна такого умиротворенного покоя и хронического процветания, что по числу самоубийств — на первом месте в мире (или на втором, поскольку Швеция не менее благополучна). Лыжные курорты, сочные долины возле озер немыслимой красоты и отрешенные альпийские вершины — словом, это грех и упущение — Швейцарию не повидать и не проехаться по ней.

Нам повезло. Ревнивый Бог еврейский, благосклонно (в меру своего доброжелательства) взирающий на нашу жизнь, переселил на жительство в Швейцарию довольно много россиян — достаточно, чтоб нас с женой туда однажды пригласили.

Мы жили у людей немыслимого обаяния и гостеприимства. В их заснеженной деревушке возле города Нион я выпил столько виски, что уже за первые два дня блаженно понял: удалась швейцарская поездка. И в Женеве с очень славными мы виделись людьми, хотя сам город был чужим донельзя. Самый лучший в мире город можно усреднить и обезличить, возведя в нем столько офисов, контор и учреждений, как в Женеве. Шевельнулось во мне вялое желание добраться до холма Шампель, когдатошнего лобного места средневековой Женевы. Там по приказу Кальвина сожгли когда-то на костре великого ученого и столь же безрассудного еретика Мигуэля Сервета. Я, однако же, сообразил, какое скопище казенных зданий высится теперь на этом месте, и оставил глупую сентиментальную затею что-нибудь почувствовать спустя пятьсот уплывших лет.

И все-таки витал, витал в Женеве ощутимый дух седой цивилизации. То вдруг над островком, где по преданию любил сидеть Жан Жак Руссо, то под массивной древней аркой перестроенного дома, то в разбойном повороте узкой улочки. И Тата, моя чуткая жена, прекрасно это выразить сумела. Мы возвращались от приятелей в тот дом, куда пустили нас пожить, успели на автобус и уже почти доехали, когда мне Тата вдруг сказала:

— А давай сойдем на остановку раньше, я люблю гулять вечером по Европе.

А потом по Берну мы немного погуляли. Я вдруг вспомнил, что в середине тридцатых годов (или пораньше чуть?) здесь состоялся шумный и смешной, из наших глядя дней, историко-судебный фарс: решали степень подлинности «Протоколов сионских мудрецов». Понаехало полным-полно различных экспертов-специалистов и решили, что бесспорная фальшивка, к радости евреев и наивных гуманистов всех мастей. С тех пор пошли «Протоколы» по всему миру, издавались многотысячными тиражами, и спокойно их вовсю употребляла геббельсовская пропаганда, и в сегодняшней России они пользуются массовым успехом. Тут я громко рассмеялся, ибо в голову пришел мне довод, убедительный настолько, что вдвойне бессмысленной мне показалась та давнишняя судебная разборка. Да конечно же, фальшивкой были эти пресловутые «Протоколы»! Потому наверняка это фальшивка, что мои двусмысленно прославленные предки ведь на то и были мудрецами, чтобы догадаться о неоставлении ни строчки письменных улик.

По Берну погулять никак нельзя, не вспомнив, что когда-то, за конторкой стоя, здесь работал мелкий клерк некрупного патентного бюро — Альберт Эйнштейн. Сто лет назад он тут и сделал почти все свои главнейшие открытия. А на работе на него наверняка смотрели косо, ибо он, конечно же, в рабочие часы обдумывал свои идеи, кое-как справляясь с поступавшими проектами всеобщих растворителей и двигателей вечных. А когда я слышу, как печально жалуются чьи-нибудь родители, что их ребенок очень поздно начал говорить, я тут же вспоминаю это имя: сам Альберт Эйнштейн молчал до шести лет, говорю я, и это сразу утешает.

В Цюрихе мне было весело и любопытно. Тут когда-то побывал народоволец Николай Морозов, герой моей первой негритянской повести. И здесь училась его будущая подруга по подполью Ольга Любатович. Именно здесь, кстати, он познакомился и с Верой Фигнер — та приехала учиться на врача, но быстро увлеклась идеями свержения самодержавия. И все вокруг об этом говорили непрерывно, жаркие дебаты не стихали даже ночью, возмущая окружающий покой. А как его ценили сами местные швейцарцы, проще рассказать по мелкому воспоминанию Анны Сниткиной, жены Достоевского. Когда у них погибла от простуды крохотная, только что родившаяся дочь (в Женеве это было), молодая мать рыдала после похорон, и от соседей (что произошло, прекрасно они знали) к ним пришел посыльный попросить, чтобы она не плакала так громко, потому что это действует на нервы.

В Цюрихе на сборищах, почти что ежедневных, то читались рефераты разных партий, то заезжие пропагандисты выступали с пламенным зазывом. Спорили до хрипоты, до ругани и оскорблений, до скандалов и до ссоры навсегда.

Русская колония тут составляла несколько сот человек, и не только молодые люди мужеского пола. Ибо хлынула сюда, фиктивно замуж выходя, огромная волна девиц российских, одержимых жаждой получить образование. Еврейки тоже сюда хлынули — в количестве, как водится, изрядно нарушающем пропорции национальных представителей империи. Но страсть к образованию немедля здесь переходила в одержимость революцией, уж такая тут клубилась аура в то время. Даже русская была библиотека, поступали и газеты, и журналы. Думать о Ленине в Цюрихе было почему-то очень забавно. А Морозов, он ведь именно здесь написал свою книгу о необходимости террора, тихий был и бесконечно добрый человек, но в воздухе уже витало будущее самоубийство горячо любимой им России, с этими ветрами совладать не мог никто. А ранее бывал тут и герой второй моей негритянской повести — Николай Огарев, он приезжал сюда по какому-то поручению Герцена, который Цюрих не любил из-за семейных тягостных воспоминаний: тут его жена увлеклась поэтом Гервегом. Нас водили по городу молодая русская женщина и ее муж — немногословный местный житель, с очевидностью школьный педагог, как это скоро и подтвердилось. Что касается его немногословия, то дело было в нас: не зная языков, мы с ним могли общаться только через перевод, а это к болтовне располагает мало. На эту экскурсию я напросился ради некоего кафе, о котором понаслышке знал и собирался ощутить там ощущения (простите это масляное масло, но точней мои надежды выразить нельзя).

Надежды оправдались полностью. Я с давних пор очень люблю, когда на пьянках произносят тост, который может допустить лишь русский язык с его немыслимой пластичностью: за сбычу мечт! И я, как только принесли заказанный нами виски, именно его и произнес. Уже бывал я к тому времени в кафе (в Париже, в Риме), где когда-то сиживали люди, имена которых много говорят уму и сердцу, только так уже затоптаны все эти заведения немыслимыми толпами подобных мне туристов, так надышаны восторгами и охами, что я в них ничего не ощутил. А кафе «Одеон» знаменитым почему-то не стало. И не перестраивалось много лет. И выпив рюмку, сигарету прихватив, я пошатался чуть по маленькому зальчику. Полным-полно было людей, но это были не туристы, явно — местные. И в большинстве — мужчины. Все курили очень много, музыки, по счастью, не было, на стенах и на деревянных перекрытиях лежала патина, которую я чувствовал душевным нюхом, а никаких других следов мне нужно не было. В начале века тут сидели (даже и по времени почти не расходясь, а то и вместе) — Троцкий и Эйнштейн, любимый мной художник Алексей Явленский и грядущий дуче Муссолини. Стефан Цвейг почти наверняка здесь разговаривал за чашкой кофе с психоаналитиком Карлом Юнгом, учеником и оппонентом Фрейда. Не мог тут не бывать Азеф, поскольку подрывателей основ, боевиков и теоретиков ниспровержения здесь было видимо-невидимо. Здесь кричали, спорили и манифесты составляли художники-дадаисты. Они жарко обсуждали наступившую в начале века абсолютную свободу творчества, его раскрепощенность полную, необходимость в нем анархии и детского лепета. Время густо пахло озоном преображения мира, и как раз об этом говорили, собираясь, все тогдашние художники — поэтому, быть может, их любили слушать (и в России было так же, как в Швейцарии) будущие костоломы века. Ленин тут бывал неоднократно. Интересно: вспоминал ли Цвейг впоследствии, что рядом он сидел с творцом кошмарного, но безусловно звездного часа человечества?

Хорошо мне было в стенах кафе «Одеон». И я пошарил взглядом по сидящим. Кто из них прославит это место своим сегодняшним присутствием? Но никого такого не нашел. Все были респектабельны, благополучны и в нормальном состоянии ума. Во всяком случае — наружно. Так ведь оно было и тогда, сообразил я. И выпил еще рюмку виски за процветание этого дивного места. Больше в Цюрихе меня уже ничто не восхищало. И по дому Лафатера, знаменитого физиономиста, я скользнул пресыщенным взглядом, слушая вполуха, что сюда общаться с Лафатером приезжали Карамзин и Павел Первый. Здесь когда-то жил великий педагог и просветитель Песталоцци, только я учителей боюсь и не люблю еще со школы. Забавно, что на склоне лет во мне нисколько не остыло это двойственное чувство.

Дня через три был выходной, и нас, как обещали ранее, повезли двое новых знакомых посмотреть знаменитый фешенебельный курорт Монтре. Туда мы не заехать не могли: на нас лежало путевое поручение. Моя теща из Москвы по телефону попросила положить цветы на могилу Набокова. Категорической та просьба не была, однако же ослушаться нам даже в голову не приходило. Сам городок меня скорей расстроил, нежели порадовал, своей роскошной зеленью и прочими красотами, присущими великому курорту. Избыточно прекрасным было это место. Даже беспечная гладь Женевского озера мне показалась чуть отлакированной восторженными взглядами десятка поколений отдыхавших. В гостинице, где жил Набоков чуть не двадцать лет, нам дали адрес кладбища (российские туристы посещают его чаще, чем мусульмане — Мекку), положили мы цветы, я погулял вокруг и часть цветов перетащил к художнику Оскару Кокошке (пустовала бедная могила замечательного этого художника). После мы снова воротились к гостинице, где в садике напротив сидел величественный бронзовый Набоков. «Чисто райское местечко», — пробурчал я про себя. И вдруг подумал по естественной ассоциации, что именно сюда, поскольку место райское, могли бы отпускаться на побывку тени тех, кто некогда бывал в этих краях, а ныне — в очень разных обиталищах коротает свою загробную жизнь. И понеслось! Я закурил и молча наблюдал.

По всей длине центральной улицы пошла несчетная толпа отменно разодетых теней. Шли поколения за поколением российской высшей аристократии. Не будучи представлены друг другу, они раскланивались церемонно и осмотрительно. И рассматривали незнакомые им платья и прически. А в садике вокруг меня явились узнаваемые тени. Лица были те же, что я видел на портретах, время сохранило их и не попортило ничуть. Грузная тень Набокова пыталась тенью сачка накрыть живую бабочку, присевшую на бронзовую руку его памятника. Чуть поодаль стояли Герцен с Огаревым. Герцен что-то говорил, но Огарев его не слушал, вожделенно глядя на витрину с выпивкой наискосок через дорогу. И я их видел, как живых. А вон тень Бунина нагнулась, чтоб найти и кинуть камень в промелькнувшую тень Ленина, но не было камней в этой траве, да и бесплотная рука не в силах была камень ухватить. И Бунин выпрямился, виртуозно матерясь, а Лев Толстой стал быстро ему что-то говорить. Возможно — о непротивлении злу насилием, но все-таки скорей о том, что уже поздно кидать камни. И Осип Мандельштам тут был, но ни к кому не подходил, а всех рассматривал, надменно вздернув подбородок. Горький что-то тихо и стеснительно рассказывал Леониду Андрееву, мне показалось, что он жалуется на что-то. А на этих рослых собеседников смотрела, молча улыбаясь, щуплая тень Чарли Чаплина с тенью его тросточки в руке. Все тени явно собирались по взаимным интересам и пристрастиям профессии. Вон группа целая: там Тютчев, Гоголь, Вяземский, Жуковский — неподвижные, как будто их рисуют или фотографируют. Я сразу же узнал Бакунина с Кропоткиным. Усмешливо сообразив, что ведь сюда и заявились только те, кого я в состоянии узнать. Я ликовал и наслаждался. А историк Карамзин смотрелся очень странно рядом с книжником Рубакиным. Их жизни разделяло поколений пять, но они явно получали друг от друга удовольствие. Величественный Карамзин внимал Рубакину восторженно и жадно — он, возможно, от него узнал сейчас впервые, что он до сих пор — почитаемый в России историк. Я извертелся, чтоб увидеть Достоевского, но так его и не нашел: он даже на земной побывке, вероятно, предпочел хотя бы тенью оказаться в казино. Тут наступил закат, и петушиным криком закричал фельдмаршал Суворов (при мундире с орденами и со шпагой). Тени медленно и плавно исчезали, рассасываясь по местам своего назначения.

— Что ты так уставился на выпивку в витрине? — спросила меня Тата. — Мы ведь еще едем в гости.

До гостей, однако, а точнее говоря, до выпивки у нас в этих краях было еще одно великолепное попечение: повидать Шильонский замок. Он тут был неподалеку. Вечную славу у потомков принесла этому замку поэма Джорджа Гордона Байрона «Шильонский узник». (Сам Байрон тесно связан в моей памяти не со своей заслуженной поэмой, а с одной отменной строчкой поэта Саши Аронова о некоем еврее: «Однофамилец Байрона — Гордон».) Байрона подвигла на поэму тяжкая судьба женевского патриота Бонивара — он так страстно участвовал в борьбе против герцога Савойского, что злобный герцог заточил его в подземелье замка, цепью приковав к столбу. И там бедняга проторчал шесть лет. Потом его освободили и еще он долго жил в благополучии и почете у сограждан. Случилось это все в шестнадцатом веке. Я так легко пишу об участи бедняги Бонивара, потому что срок подобный — эка невидаль советскому читателю, хотя и на цепи сидеть не сладко. Байрон же пришел во вдохновение и написал высокую поэму, чем обеспечил на века поток туристов в этот замок. Походили мы по сохраненным залам (каждому заядлому туристу и почище замки попадались) и спустились в знаменитое подземелье, где толпа японских туристов азартно щелкала своими аппаратами, фотографируя на память столб и цепь. Столбы — колонны в этом подземелье — из песчаника, который мягок и удобен, чтобы расписаться. Накорябано имен там — тысячи. Естественно, мое теперь там тоже нацарапано. Любители-фанаты уже много лет разыскивают подпись Гоголя, тот сообщил кому-то, что оставил свой автограф. Тут я совершил открытие — печальное, но поучительное крайне. Фотографируют не столько столб и цепь, как имя Байрона, на этом столбе довольно явно процарапанное. Его уже администрация ради сохранности и чтобы легче находить, прикрыла лоскутом плексиглаза. Однако же под этим охранительным стеклом совсем не Байрон расписался! Там большая буква B латинская, все правильно, но только после этой B там выцарапана ясно видимая точка, после которой идет столь же заглавная У и остальные буквы фамилии. Айрон — так она звучала бы по-русски. Когда-то здесь была в каком-то месте подпись Байрона (с ним рядом некогда почтительно поставил свое имя переводчик «Шильонского узника» поэт Жуковский), но потом истерлось это временем и ветром. А весьма похожая расписка некоего простодушного Берчика Айрона — сохранилась. И ее благоговейно запечатлевают сотни (а скорее — тысячи) восторженных и впечатлительных туристов.

Ехали обратно мы, кружа по серпантину, по спирали горной дороги, постепенно набиравшей высоту. А я смотрел на зелень нисходящего в долины леса и помалкивал блаженно. Записал услышанную байку о каком-то мудром пожилом еврее, которого везли этой дорогой и заботливо спросили, не укачивает ли его от непрерывного кружения. А он в ответ спросил ворчливо:

«Если да, укачивает, вы поедете прямо?»

И в деревню нашу мы уже по темноте вернулись. Было мне уютно и возвышенно. И шествие тех теней, что увидел я в дыму от сигареты, было мною ощутимо, как реальное. И я решил, что стану жить разумно и красиво: напишу рассказ «Монтренин двор» и отошлю на отзыв Солженицыну.

Дня за два до отъезда выбрался я в книжный магазин. Конечно, раньше надо было выбраться, однако ж — не досужий путешественник я был, а концертирующий фраер, по утрам для отдыха мне свято полагалась выпивка, и я беспечно расслаблялся. А купивши книгу, о которой знал еще с Израиля, я очень пожалел, что не собрался раньше. Писатель Михаил Шишкин, тут живущий где-то, сделал замечательный путеводитель «Русская Швейцария». Написанный отменно, содержал он массу информации. Если бы я раньше почитал его, то по Ниону, маленькому городку в горах — совсем иначе бы ходил. Без той надменности, что свойственна пресыщенным туристам в малопримечательных местах. Поскольку русских теней тут ничуть не меньше оказалось, чем фамильных призраков — в английском старом замке. Когда-то Герцен попытался тут собрать свою семью, которая по трещинам взаимной розни на глазах разъединялась. И конечно, Огарев тут был, пытаясь их своей любовью вновь соединить. И тут эсеры-боевики прятали в отеле динамит, которым был потом подорван министр внутренних дел Плеве.

Я весьма обязан этой книге еще тем, что в ней наткнулся вдруг на имя, ранее неведомое мне. Уже домой вернувшись, я собрал доступные материалы. Эта женщина наверняка время от времени сидела в «Одеоне» тоже. И наверняка невдалеке от Карла Юнга, но не рядом, хотя были они близкие коллеги. Только лучше обращусь к тому, что прочитал. Судьба нарисовалась дивная и страшная.

Сабина Шпильрейн была любимой дочерью удачливого коммерсанта в городе Ростове-на-Дону. Училась, музицировала, кончила гимназию, трем европейским языкам была обучена заботливым отцом. Когда она была еще подростком, у нее погибла от болезни горячо любимая младшая сестра. И у Сабины началось психическое недомогание. Галлюцинации, дурные сны, депрессия, попытки кончить жизнь самоубийством. И Нафтали Шпильрейн, отчаявшись вылечить дочь у местных врачей, отвез ее в Цюрих. Там она попала к молодому доктору Карлу Юнгу, он нашел запущенную истерию и решил ее лечить психоанализом, которым в это время беззаветно увлекался. О своей российской пациентке он даже учителю писал, и Зигмунд Фрейд уже знаком был с этим именем. В лечении психоанализом имеется одна черта, замеченная сразу же его творцами: у пациента вспыхивает к доктору любовь. Сабине было девятнадцать, и она, конечно, полюбила Карла Юнга. Психоаналитик ей ответил пламенной взаимностью. Поэтому выздоровление Сабины вряд ли можно объяснить одним лишь торжеством психоанализа, но главное, что все недомогания прошли. Роман их длился года три (и в тайне протекал, поскольку доктор был уже женат), а после Юнг порвал их отношения. Однако же Сабина увлеклась, закончила в Цюрихе медицинский факультет и занялась психоанализом сама. А вскоре в Вене сделала она доклад, в котором главная идея потрясла настолько Фрейда, что он весьма заметно изменил основы своего учения. Ранее он полагал, что главный жизненный инстинкт, который движет человеком, — это Эрос, созидательный инстинкт продления рода. Молодая ученица сделала доклад, который назывался «Разрушение как фактор созидания». Она вводила новое понятие и веско утверждала, что стремление к погибели, деструкции и смерти — неразрывно в человеке со стремлением творить и созидать. И возникший в новой книге Фрейда инстинкт смерти (Танатос) — был уже на равных с Эросом в психическом устройстве человека. Фрейд упомянул короткой строчкой первенство Сабины, но не раз впоследствии его ученики с усмешкой говорили, что блестящая идея была попросту присвоена великим открывателем устройства нашей психики.

Почему коллега из России сделала такое поразительно глубокое открытие? Вопрос этот многажды возникал у психоаналитиков того времени. А я когда об этом удивлении прочел, то только усмехнулся понимающе. Не слышится ли вам в названии доклада («Разрушение как фактор созидания») отчетливая смысловая рифма со словами пламенного болтуна и фантазера, всюду разнесенными в те годы ветром времени? Пожалуй, не было тогда в Швейцарии ни одного из россиян, кто не слыхал (и в разговоре не употреблял) чудовищную фразу бунтаря Бакунина: «Страсть к разрушению есть творческая страсть». Отсюда — два шага до переноса этой мысли на глубинное устройство человека. Соглашусь со всеми, кто скептически пожмет плечами, только я уверен, что мышление Сабины (кроме знания о собственных недугах и влечениях) — с несомненностью включало и бакунинские дикие слова. А кстати, несколько десятков лет спустя в Женеве были найдены потерянные дневники Сабины Шпильрейн. И вот какие, в частности, слова там были (года за два до того доклада знаменитого она записывала мысли, приходившие ей в голову): «Демоническая сила, сущностью которой является разрушение (зло), — в то же время есть и творческая сила». А тут уж — совпадение полнейшее.

Недолго поработав в разных европейских клиниках, Сабина переехала в Россию. Фрейд горячо одобрил переезд: Россия представлялась мэтру очень плодоносным полем для психоанализа, к тому же — уезжало с глаз долой живое и безмолвное напоминание об авторстве основополагающей идеи.

В Москве был учрежден в двадцатые года солидный Государственный институт психоанализа: каким-то коммунистам-теоретикам казался очень перспективным этот путь проникновения в интимные глубины человека. Ибо, как торжественно и деловито сообщалось в те года, — «Класс в интересах революционной целесообразности вправе вмешиваться в половую жизнь своих членов». И еще одна прекрасная цитата, много говорящая о духе полыхающего замыслами времени: «Необходимо... электрифицировать огромный сырой подвал подсознания». В частности, психоанализу с восторгом покровительствовал Троцкий. Как только его влияние ослабло, институт закрылся навсегда. И более того: довольно скоро даже слово «психоаналитик» сделалось синонимом погибельного звания «троцкист». И рассосались без следа эти ученые, а имя Фрейда на десятки лет исчезло из научного упоминания. От этой травмы лишь недавно стала оправляться психология в России.

А Сабина в свой родной Ростов вернулась. В поликлинике врачом работала (легенда есть, будто читала где-то лекции) и с мужем вновь сошлась. Еще когда-то в Цюрихе, чтоб заглушить тоску по Юнгу, вышла она замуж без любви и дочку родила, но муж ее потом оставил. А в Ростове — возвратился. Родила вторую дочь. Все прошлое разбито было и зачеркнуто, ни о какой науке речь уже не шла. К тому же наступили те кровавые тридцатые, три ее брата (очень видные ученые) погибли в лагерях. Муж умер от разрыва сердца (слухи были, что ареста ждал и отравился). А когда пришла война, Сабина уезжать категорически и резко отказалась: более культурной нации, чем немцы, не встречала она в жизни, а поэтому и не боялась ничего. В первый свой захват Ростова немцы удержались ненадолго, а потом пришли вторично. И в последний раз великого психолога Сабину Шпильрейн соседи видели в колонне, что тянулась по центральной улице по направлению к Змиевской балке. С нею шли две дочки. Змиевскую балку вскоре стали называть Черным оврагом: там полегли под выстрелами двадцать тысяч человек. Возможно, больше, в точности никто не знает.

А уже намного позже разные мыслители напишут, что присущий в целом человечеству (открытый Фрейдом) дух Танатоса является дрожжами революций, войн и появления таких погибельных миражей, как нацизм и коммунизм. Но мне уже глубины эти недоступны.

И еще по паре городов мы побродили кратко и наискось. Признаки благополучного устройства жизни всюду раздражали мой наметанный российский глаз. Очень я душевно оживился от рассказа, как безумно процветает горный санаторий, сотворяющий омоложение усталых организмов. Тут желающим — за бешеную плату — впрыскивают вытяжку из печени эмбриона черного барана. И смешно мне стало, потому что век назад недалеко отсюда (но уже во Франции) как раз с баранов начинал свои эксперименты физиолог Воронов. Он половую железу барашка молодого — старому барану подсадил, и тот опять стал покрывать овечек. А после Воронов стал пересаживать семенники различных обезьян (орангутанги, павианы, шимпанзе отлавливались в Африке бесперебойно) — всяческим дряхлеющим, но с деньгами мужчинам. И именно его прославленным экспериментам полностью обязана российская наука за возникновение большого обезьяньего питомника в Сухуми. Советские вожди немедля после смерти Ленина всерьез разволновались за свое здоровье, и немыслимых размеров средства были выданы на экспедицию за обезьянами. Но это уже русская, а не швейцарская история. Забавно только, что омоложение в горах швейцарских — с непременностью от черного барана. Вот и толкуйте после этого, что человечество умнеет век от века.

Мне как путешественнику с опытом обидно было, что не побывали мы в Люцерне. Потому что я лишился из-за этого прекрасной фразы — как она могла украсить путевой дневник! Я б мельком написал: «В гостях у Вагнера бывал тут Ницше». Не пришлось.

А в Цюрихе дороги наши с Татой разошлись: она поехала домой, а мне еще недлинный предстоял вояж, который странным образом с заснеженными горами Швейцарии отменно рифмовался. Я летел на выступления в Тюмень, Сургут и Салехард. Когда мне это близкий мой приятель предложил, я ни минуты не кобенился и не скулил о диких расстояниях. За Северным Полярным кругом я бываю редко, с радостью подумал я, припомнив, что уже один раз был. И циничную придумал тут же шутку, всем ее настырно излагая. Мол, когда в швейцарский город попадаешь, то обычно спрашиваешь, кто из интересных личностей здесь некогда бывал, а в городах сибирских — кто из замечательных людей тут некогда сидел. Душевной острой болью эта шутка мне спустя неделю обернулась.

В Тюмени мне хотелось постоять и сигарету выкурить возле старого большого дома (кажется, гимназия когда-то), где четыре года, всю войну лежала — под охраной и врачебным сохранением — мумия Ленина, привезенная из Москвы. Эту сухую реликвию отправили в эвакуацию почти что первой, чтобы не досталась подлому врагу. Еще хотелось мне за рюмкой водки (пивом лакируя каждую из них) поговорить неторопливо с кем-нибудь из местных знатоков о прошлом этого такого непростого места: здесь когда-то ведь была столица Сибирского ханства. А под водку с пивом (и соленой рыбой из Оби, желательно — муксуном) — как дивно потекла б эта беседа о казачьих ордах Ермака и хане Кучуме! Если повезет и будет время, то еще бы и в Ялуторовск смотаться хорошо — там были в ссылке декабристы, и музей их есть.

Не получилось. Пили много, и с хорошими людьми, но мы в Тюмень приехали, уже побывши в Салехарде, и совсем иной мотив теперь шуршал и шелестел в моей пустой, но возбудимой голове. Поскольку в Салехарде я хотел сыскать какие-нибудь местные труды о страшной стройке, что когда-то здесь вершилась: о дороге Салехард — Игарка, названной еще в ту пору коротко и страшно: Мертвая дорога. И нашлись материалы, их я уже вез с собой.

А завывать стишки мне в Салехарде было очень трудно. Я уже давно избалован доброжелательным вниманием, отзывчивостью публики на байки и стихи, а тут — передо мной глухое расстилалось, полное молчание первых десяти-пятнадцати рядов. Откуда-то издалека я слышал смех, но задние ряды не делают погоду в зале, я выступал перед немой и вязкой пустотой. Забавно, что в конце были горячие и общие аплодисменты: первые ряды созрели или снизошли. Уже потом, на пьянке, мне усмешливо мою догадку подтвердили: да, билеты в первые ряды купило местное начальство, чтобы лично посмотреть на фраера, которого читать не доводилось, но чего-то где-то было слышано о нем.

Я не был удивлен, уже который раз я сталкивался с тем, что местные хозяева сегодняшней российской жизни в большинстве своем еще совсем чуть-чуть ушли от образа своих коллег недавних подлых лет. Уже они продвинутые люди, много понимают в нынешней текущей жизни, но только внутренне переменились очень мало и окаменело цепенеют от любых свободных текстов. Да к тому же — громко и со вкусом произнесенных. Замечательно когда-то было сказано, что русские писатели — все вышли из гоголевской «Шинели». Этот образ развивая, можно смело утверждать, что русское начальство — снизу доверху — все вышли из шинели сталинской. И вышли не совсем еще, и в разных ситуациях это особенно заметно. А впрочем, я, возможно, просто клевещу, чтобы избыть то памятное мне тоскливое недоумение, продлившееся весь тот вечер.

Утром я слегка опохмелился (фляжку я всегда с собой вожу) и вышел покурить на дьявольский, уже забытый мной мороз. Крыльцо гостиницы выходило на центральную улицу, всюду стояли современные дома, на фоне снега выглядя особенно красиво, ничего уже о прошлом не напоминало. В лагерные времена здесь во Дворце строителей был зэковский театр, в нем играли многие известные артисты, музыканты и певцы, а оперы и драмы ставил режиссер, когдатошний сподвижник Эйзенштейна. Симфоническим оркестром управлял былой руководитель оркестра одесской оперы. Здесь пела Лидия Русланова. За пианино тут сидел недавний аккомпаниатор Ойстраха. Зэк Дейнека, академик Академии художеств, оформлял этот Дворец культуры. А совсем неподалеку (по-сибирски судя) тут в поселке Абезь отбывал свой срок и умер замечательный русский философ (и историк) Карсавин. С ним судьба очень коварно поступила: он ведь был со всеми теми крупными философами и учеными, которых вынудили выехать, и он уехал из России. Чуть пожил в Берлине и Париже, только вскоре перебрался в Вильнюс. Что советская империя проглотит всю Литву однажды, он тогда не мог и думать. Так опять попал он в руки советской власти, и она его уже не отпустила. На каком-то лагерном участке, ото всех таясь, писал тут зэк — писатель Штильмарк свой блистательный роман «Наследник из Калькутты». Он хоть выжил, слава Богу, хоть о нем судьба пеклась, а сколько здесь других талантливых людей погибло — знать уже не доведется никому. Еще глухая есть легенда, что начальство лагерное — вольным докторам не доверяло, а лечиться — в лагерные лазареты ездило и привозило свои семьи, очень уж известные врачи сидели в этих гибельных местах.

И ни одна живая тень на этой улице передо мной не промелькнула. Словно заморозилось мое воображение. А если б я и знал кого-нибудь по их былым портретам, то не опознал бы все равно в колонне истощенных зябнущих людей, бредущих на работу под надрывный хрип овчарок.

Легче мне представить оказалось, как по этой улице однажды лошади неторопливо протащили несколько саней, в которых кое-как накиданные, не прикрытые ничем, валялись трупы. Это всем решила показать охрана стройки, как она карает за побеги. А отчаянные, обреченные побеги были часто. На поимку беглецов и авиацию пускали, и активно помогало коренное население — награда полагалась за содействие. И вряд ли хоть один из беглецов добрался до материка.

Я не спешил, я знал затейливую пакостность своей натуры: где-нибудь мне будет хорошо, красиво и уютно, и немедля поползут-нахлынут яркие, кошмарные воспоминания и мысли. О чем-нибудь, что пережил когда-то сам, или о том, что прочитал, увидел и услышал.

А немного времени спустя я снова целый месяц был в России. По гастрольному маршруту оказалось много поездов. Всегдашний житель города, я с безразличием смотрел на мелькавшие за окнами деревни, где уже десятки лет все жили огородом и надеждами. Мне становилось интересно в городах. И каждый раз мне было заново забавно убедиться в правоте давно уже возникшей мысли (наблюдения, скорее): красота сегодняшнего города любого прямо связана с количеством домов и зданий, уцелевших от гуляния советской власти. И никакой архитектурной дерзости не сравниться с выжившей столетней красотой. Еще себе за правило я взял: на поезде передвигаясь, при подъезде к городу любому я минут за десять до вокзала — ни секунды не смотрю в окно. Поскольку там всегда угрюмо простирается технологический пейзаж, отъявленно враждебный всякой жизни. Я не о заводах говорю, а о несчетных свалках всякого железа, механизмов, стройматериалов и всего, что было искалечено и брошено за долгие года лихого наплевательства на все, что не годится в данную минуту.

А еще повсюду восстанавливались церкви, и сентиментальный перезвон колоколов упрямо походил на панихиду по усопшей наглухо душевности российской.

Потому что в воздухе сегодняшней бурлящей жизни — два мотива нескрываемо витают: выжить (среди большей части населения) и быстрей разбогатеть, при этом уцелев (у несравненно меньшей, но заметной части). А оба этих яростных мотива всякую душевность — исключают наотрез и начисто.

И радость я испытывал везде. Все города почти что на глазах переставали быть провинцией. В них появлялся (а точнее, оживал, возобновлялся) свой неповторимый облик, нехотя выветривался дух советского промышленного захолустья. И повсюду — яростно кипела жизнь, которая уже вот-вот, казалось фраеру заезжему, — нормальной станет и благополучной.

Между прочим, и не только мне такое мнится. Как-то мне один приятель замечательно в Израиле сказал: сейчас есть множество евреев с потаенной и пленительной мечтой. А суть ее проста: найти недорогого логопеда, чтобы выучил детей пристойно выговаривать букву «р», и возвратиться в свой родной российский город. Это обаяние ожившей жизни так воздействует сквозь дымку расстояния. Но, впрочем, я опять отвлекся.

А спустя полгода оказался я в Америке. И выступал в Нью-Джерси, в замечательно красивом доме одного известного пианиста. Дом был очень русский, мне его хозяйка показала, посоветовав еще по заднему двору пройтись — вон там, где ходят люди, выпивая и куря, лужайка наша того стоит, чтоб на ней немного погулять. Лужайка? Я не знаю, как назвать точней это огромное, поросшее кустами и травой пространство под старыми деревьями. Со вкусом запущенную подмосковную усадьбу это чем-то напоминало, хотя, видит Бог, усадьбы подмосковные мне видеть довелось только в изгаженном и запустелом виде. Я прошел этот большой участок до конца по мощенной камнем узкой тропке, вышел за ворота в задней части забора. И вот тут я обомлел. Буквально в метре от забора шла забытая железная дорога. Повсюду между шпал росла трава, а рельсы потемнели, их давно уже не шлифовали, придавая блеск, вагонные колеса. Но эта брошенная колея не выглядела мертвой. Над ней висела аура отдохновенного музейного покоя. Я побрел на выступление с досадой, что нельзя прямо сейчас — на той, к примеру, деревянной скамье — спокойно сесть и записать то, что мгновенно и ожиданно вспыхнуло в моей заглохшей было памяти.

Точней — в сознании моем. Я понял, почему я в Салехарде, глядя на дорогу, пройденную тысячами зэков, ни единой тени мысленно не смог увидеть. Потому что не хотел я видеть ничего, что отравило бы мое душевное гастрольное благополучие. Со мной случилось то же, что случилось с миллионами людей, боящихся того немыслимого прошлого, желающих забыть о нем и свой покой души не растревоживать. И не читаются поэтому воспоминания о лагерях — а потому и не хотят их издавать издатели, привычно чуткие к читательскому спросу, и равнодушная трава забвения растет над памятью замученных людей. Но благодатна ли повсюдная трава?

Мне довелось однажды побывать в Дахау. В Мюнхене автобус есть, на нем конечная остановка так и обозначена: Дахау. Пассажиры его вряд ли чувствуют толчок сердечный, прочитав название городка, где издавна живут. А я на эту надпись на автобусе — смотрел с непониманием и ужасом: у нас ведь очень точные ассоциации навеки сохранились с этим словом. А потом ходил я по большому лагерю-музею, недоумевая, как из него выветрился начисто тот дух отчаянья и смерти, что когда-то здесь витал. По-немецки аккуратно выглядели сохранившиеся чистые бараки, даже печи для сжигания трупов тут смотрелись как реликвии какой-то мирной отошедшей технологии в каком-нибудь политехническом музее. Словно здесь была когда-то некая обычная и будничная фабрика по производству дыма (а еще — волос и золота, что сохранялось на зубах), а что материалом были здесь живые люди — этого почти не ощущалось. И с таким же отрешенным чувством постоял я в газовой камере под сотнями опрятных дырочек в потолке — как будто правда в душевой. А возле каждой из печей стояла грубо сваренная из железных полос тележка. Это на нее клали тело после газовой камеры, и тележку заводили в печь, освобождая для новой погрузки. Вдоль печей была протянута музейная цепь, чтоб любопытные туристы ничего не трогали руками. Никаких дежурных не было, однако — полагали, что цепи вполне достаточно для хорошо воспитанных людей. Я сызмальства себя к таким не относил. Поэтому я молча переступил ограду и попробовал, как это делалось. Тележка очень оказалась тяжела, громоздка и малоподвижна. Как с ней управлялись двое истощенных до предела зэков, было страшно думать. А еще пылала печь, и рядом за спиной лежала очередь из трупов. Я немедля выскочил на воздух покурить.

А пару лет спустя попал я в дом одного киевского коллекционера всяческих камней. Он хвастался своим собранием, любовно обсуждая каждый экспонат, я вежливо и равнодушно слушал и смотрел — я камни не люблю и слабо ощущаю красоту их цвета и слоистости. А один большой (с некрупное куриное яйцо) черный кристалл с блестящими гранями хозяин дал мне подержать.

— А это не природный, это технологический камень, — пояснил он мне, — вам будет интересно, это сколок накипи внутри печной трубы, мне его привезли из Освенцима.

Я долго не мог выпустить из рук этот кошмарный сгусток отошедшей дымом жизни.

Зло запредельное, зло абсолютное — оно ни описанию, ни изображению любому — начисто и напрочь недоступно. Более того — оно из памяти стремительно уходит, словно шлаки, могущие отравить душевную систему. И нужны усилия ума и воли, чтобы эту память встряхивать. И кстати, немцы это делают — с настойчивостью и назойливостью даже. Что касается России — лучше промолчу я, соблюдая такт уехавшего человека.

Только я все время думаю об этом. Потому еще, что множество убитых были бы наверняка близки мне, к русской относясь интеллигенции. По ней смертельная коса прошлась особенно активно. Я — вульгарный и непроходимый атеист, но, думая об этих людях, очень я хочу, чтобы загробный мир существовал. И чтоб они хотя бы там сумели получить вознаграждение за их земную преждевременную и мучительную гибель.

Но теперь вернусь на Мертвую дорогу. Ни одна из дьявольских и грандиозных затей того времени не породила столько мифов. Самый из них звучный — будто бы Иосиф Сталин, ознакомившись с проектом, высказался, словно Петр Первый: «Русский народ давно мечтает иметь выход в Ледовитый океан...» А ему было видней, конечно. Миф, который оказался наиболее устойчивым, сохранившись по сию пору, — прост и достоверен много более: под каждой шпалой этой брошенной и незаконченной дороги — кости заключенных, строивших ее. А проложить успели — километров восемьсот.

Понять восторг отца народов нам не трудно: он, попыхивая трубкой, видел карту. А на ней — тянулась вдоль берега Ледовитого океана, рассекала Уральские горы (за Полярным кругом там была долина) и ползла к Игарке (это Енисей уже) красивая и аккуратная линия железной дороги. Он, с его характером, не мог не помнить, как ему однажды доложили: прямо в устье Енисея (года два уже, как шла война) преспокойнейше зашел немецкий линкор «Адмирал Шпеер», покрутился там, как дома, и ушел. А как шныряли там немецкие подлодки! Пусть теперь попробует какой-нибудь мерзавец — база Северного флота будет там теперь.

И потянулись в этот край потоки заключенных. По весне сорок седьмого года это было. А теперь совсем немного — о природе тех краев. Там десять месяцев в году стоит зима с сорокаградусным морозом и свирепыми ветрами. Нет, конечно, не все время ни мороз такой, ни ветры, но достаточно и месяца для человека, кое-как одетого, полуголодного (точней, голодного всегда), работающего на распахнутом пространстве, а ночующего — в шалаше, землянке или домике из торфа и травяного дерна. До минус двадцать пять бывало по утрам в таком укрытии. И спали там по очереди, места не хватало. А когда бараки появились, там такая же осталась теснота. Двухъярусные нары из жердей. Матрас или тюфяк — большая редкость, их обычно забирали уголовники. Обувь свою первая смена передавала второй. А снега выпадало столько, что в пургу по трубы заносило паровозы, про насыпь, где укладывались шпалы, нечего и говорить.

А летом начинал свирепствовать комар. От этих кровожадных насекомых дохли лошади и падали олени. Были случаи самоубийства часовых на вышках. Пытка холодом не менее мучительной сменялась. Грязь и бездорожье летнего сезона (вся почти работа делалась вручную) этот страшный рабский труд не облегчали. А наказывая, заключенных ставили «под гнуса», возле вышки, шевельнешься — пуля.

Я не нагнетаю ужас специально, я выписываю крохотную часть того, что прочитал в сухом и сдержанном труде историка, поднявшего архивные и бывшие в печати сведения и воспоминания. И вот еще одна (оттуда же) случайная некрупная деталь: за два всего лишь месяца сорок восьмого года были освобождены из заключения (сактированы) восемьсот пятьдесят человек, ставших на стройке инвалидами. Случайно обнаруженная цифра больше говорит об этой стройке, чем любые подвернувшиеся под руку слова.

Но вырастала насыпь, на нее укладывали шпалы, и протягивались рельсы, и мосты на реках возводились. Приблизительно сто двадцать тысяч человек работало на этой стройке. И все время подвозился новый кон-

тингент рабов. О смертности — весьма глухие цифры
есть: примерно триста тысяч человек осталось навсегда в
районе этой вечной мерзлоты. И невозможно их могилы
разыскать: скопившиеся трупы каждые несколько дней
вывозили в ближайший карьер, где их бульдозер засы-
пал землею кое-как. За каждую такую ездку вывозили
двести-триста человек. Того, вернее, что еще вчера было
людьми. На стройке было много пятьдесят восьмой статьи («политики»), бытовиков и обреченных по указу о
хищении народной собственности (те, кто собирал остатки на уже убранном колхозном поле). Это перечислены
здесь те, о ком известно было, что они работают усердно
и послушно, а на стройку отбирались именно такие. Уголовники здесь гибли только от междоусобных неурядиц.

Прошлый век в истории России был таков, что никого не впечатляет эта цифра. Что такое триста тысяч в той империи, которая убила несколько десятков
миллионов собственного населения? Но спустя пять
лет — свернули эту стройку, а спустя еще два года —
полностью забросили ее. И дорогостоящей она была, и
нужность ее стала расплываться, и куда пограндиозней
обозначились проекты покорителей природы. А потом
ее засыпало песком, разрушились мосты, и рельсы
скрючило, остались только кое-где бараки и как вехи
той эпохи — вышки караульных. Мне дали фильм,
совсем недавно снятый по-любительски историками
края, и смотрел я эту ленту уже дома, в Иерусалиме.
И неудержимо дрожь меня трясла. Настолько попу-
сту здесь мучились и гибли люди, что останки стройки
этой — самый точный памятник эпохе. Мертвая дорога — так ему и надо называться.

ПОТЕМКИ
ЧУЖОЙ ДУШИ

До сих пор я помню этого высокого лощеного красавца. У всех моих приятелей тех лет внимание к одежде почиталось мелким и смешным пижонством. Нынче думается мне, что это нарочитое презрение к тому, во что одет, — простейшим было способом пристойно пережить ту бедность, в которой большинство из нас годами обреталось. Ну, сейчас это неважно, просто интересно вспомнить, что моя реакция на рослого красавца тесно связана в памяти с его костюмом безупречного покроя (объяснить два этих слова я тогда сумел бы только ссылкой на какое-нибудь яркое кино о светской жизни прогнивающего запада, а я с тех пор продвинулся немного). Да к тому же среди бела дня все это было. Я заехал к своему знакомому, чтоб одолжить необходимую мне книгу по психиатрии, — почему-то в Ленинской библиотеке она все время кем-нибудь читалась. А мой знакомый тоже был врачом-психиатром, и был уже давно доктор наук, я почитал его обширные познания и только молча удивлялся, почему он кажется мне менее умным, чем следовало быть при эдакой таинственной и проницательной профессии. В гостях там был этот красавец, и хозяин, представляя нас друг другу, уважительно сказал, что Юрий — выдающихся талантов физик. Про меня он коротко сказал, что журналист. Он вообще меня немного презирал, поскольку знал, что я еще пишу фривольные стишки. А Юрий, пожимая мою руку, снисходительно зачем-то сообщил, что много уже лет он с журналистами нисколько не общается. В ответ я буркнул, что он прав, это пустые и никчемные создания. Мой ровесник (чуть за тридцать было мне тогда), он выглядел укорененным представителем какого-то блистательного слоя населения — с такими я еще ни разу не встречался в те года. Мне дали книжку психиатра Ганнушкина о характерах, и я ушел, пообещав читать ее не слишком долго.

А спустя неделю этот Юрий позвонил мне. И сказал все тем же барским тоном, что весьма рекомендован я знакомым нашим общим, чтобы написать о некоем его изобретении. Я фразу, сказанную при знакомстве, вспоминать ему не стал и пригласил приехать. Буду через час, ответил он, и адрес уже есть. Я недоумевал настолько, что постыдный (для моей тогдашней психологии) поступок совершил: проверил в холодильнике, какой у нас обед сегодня, можно ли кормить им — не зазорно ли кормить им столь изысканного гостя. Но минут за десять до того, как он был должен появиться, я случайно выглянул в окно. Мой именитый гость остановился около угла соседнего дома, вытащил из пиджака карманное зеркальце и тщательно осматривал свое лицо. Потом поправил чуть прическу и направился к подъезду. Это как-то сразу успокоило меня. Но он-то что волнуется, заботясь, как он выглядит, подумал я усмешливо, и вся моя встревоженность прошла.

Он равнодушно проскользил глазами по картинам и иконам, составлявшим гордость и утеху моего существования, и сразу потускнели для меня его костюм и величавая осанка. Сели мы за стол на нашей крохотной уютной кухне, я поставил на плиту обед, от рюмки водки он не отказался.

— Что вас привело ко мне? — спросил я вежливо и с непривычной деликатностью.

И длинный услыхал я монолог. Уже мы съели суп и макароны ели, выпили уже по третьей, он не мог остановиться. Суть его изобретения напоминала всякую расхожую советскую фантастику, такую в детстве я читал. На лазерном луче, который может километры одолеть, заносится в войска противника (а можно — просто в города с густым гражданским населением) какая-то любая информация. К примеру, сеющая страх, а можно — успокоенность, глухое безразличие, глубокую апатию свободно занести. Поскольку этот луч доносит до людей те биотоки, которые свойственны участкам мозга, пробуждающим у человека названные состояния — эмоции. И биотоки эти — прямо попадают в мозг. Любому-каждому, кто на достигнутом пространстве обретался. Весь этот текст, произносимый мне, был упакован в напрочь недоступную терминологию, но я уже достаточно с учеными общался, чтоб уметь вылущивать зерно. Все остальное относилось к мытарствам, которые мой собеседник претерпел, пытаясь донести свою идею до специалистов. Был он физик, кандидат наук, преподавал в известном институте — подозрение, что я имею дело просто с пациентом моего знакомого врача, рассеялось во мне, едва возникнув. Ничего я написать не мог об этом, ничего не понимая, и напрасно этот гость ко мне пришел. Сварил я кофе, сел и закурил.

— Уровень обеда вашего, — нагло сказал Юрий, вытирая рот свежайшим носовым платком, — весьма заметно превышает уровень общения.

Я чуть не поперхнулся дымом и заметил, что общение предполагает для второго собеседника хотя бы краткую возможность вставить слово.

— Так извольте, — милостиво согласился гость.

Я стал его расспрашивать, откуда так доподлинно известны биотоки мозга и как именно они присутствуют на лазерном луче. В ответ услышал то же самое, что изливалось полчаса назад. Но тут он спохватился, кажется, и вдруг спросил, где моя жена. «Она в музее, на работе», — коротко ответил я. «У вас удачный брак, я это чувствую по дому, — сказал он. — Это большая редкость». И без перехода обрушился на женщин. Главное, что он в них заклеймил, — готовность бросить человека, если он уже не столь надежен, как когда-то, и попал в беду, пускай и не надолго. И тут меня постигло озарение. Сам удивляясь, что такое говорю, я с видимым сочувствием спросил:

— А вас жена разве совсем не навещала, когда вы лежали в психбольнице?

— Я вам этого не говорил! — ответил он так всполошенно, что я почувствовал невыразимое облегчение. И некий сделал жест рукой недоуменный: как же, мол, конечно, вы упоминали.

И разговор наш смялся, как отрезало. Он вяло мне рассказывал, как пережил тяжелую депрессию, уничтожающие отзывы специалистов получив, а так как все его изобретение лежит на стыке нескольких наук, то каждый из ученых — в узкую свою дудел дуду, не видя общего. Я помышлял только о том, чтоб он ушел. Я обещал подумать и проконсультироваться с кем-нибудь, он прямо на глазах обрел свой прежний вид.

После его ухода я немедля позвонил врачу-наводчику.

— Зачем вы посылаете ко мне своих пациентов? — спросил я с вежливым укором. — Параноик в чистом виде, даже я это почти сразу усмотрел.

— Игорь, — в голосе врача звучала не вина, а осуждение. — А можете ли вы мне дать гарантию, что это все-таки больной, а не какой-то гений, нашим временем не понимаемый? Уверен, что вы мало разговаривали с ним, он вас забил своей историей, а я, пока подлечивал его депрессию, провел с ним многие часы. Он образован и умен, и в институте — на счету прекрасном, и от женщин, кстати, нет отбоя. Только этот вот провал, его идея. Ну, а если это не провал?

— Есть специалисты, — неуверенно ответил я, прекрасно зная, что последует за этим.

— Вам сейчас должно быть стыдно, — проницательно заметил доктор. — Сколько раз в истории науки ошибались эти все специалисты — мне ли вам рассказывать об этом?

Он был, безусловно, прав, и я его всецело понимал — читал я в те года вполне достаточно, чтоб с этим согласиться.

— Ну, не знаю, — тусклым голосом ответил я. — И чем же я могу ему помочь?

— А ничем! — торжественно и громко заявил мне доктор. — Не смогли, и ладно. Только сразу думать о злокозненности умыслов другого человека — вид такой же паранойи, если присмотреться.

— Извините, — пробормотал я сконфуженно.

— Ничего, — ободрил меня врач. — Вы только книжечку не зачитайте насовсем.

И многие года прошли, и я всегда того несчастного красавца вспоминаю, когда мне вдруг мельком кажется, что я хоть что-то понимаю в людях. Те глубины (бездны, как сказал бы Достоевский), до которых падки мудрые и умудренные писатели, мне напрочь недоступны, да и не встречаются они мне что-то в людях, попадающихся мне по жизни. А простейшие мотивы — уцелеть, разбогатеть, прославиться — они ведь на поверхности лежат и сразу же заметны глазу. Но вот способность учинить подлянку и предать — я никогда не замечаю в человеке. И люди, мне интересные, сразу делаются мне так душевно симпатичны, что уже я больше ничего не вижу в них. Об этом много раз с насмешкой говорили мне друзья, жена за сорок лет немного приучила верить ее бдительному мнению, но слепота моя никак не переходит в зрячесть. А уже ведь семьдесят почти — прощай, как говорится, молодость. В тюрьме и лагере (пожалуй, в ссылке тоже) было много проще: там заведомому недоверию способствовала атмосфера жизни, а точней сказать, — существования. Но я и там встречал людей, к которым чувствовал огромную симпатию, а к некоторым — и живую благодарность. Более того: в числе десятков трех (скорей — гораздо больше) тех чекистов, прокуроров, следователей и других служебных лиц империи, которая немало помытарила меня (но ведь и я же ей упрямо досаждал), мне сразу вспоминается лицо нечаянно меня ободрившего человека. За полгода до посадки это было. Мне пришла повестка из Московской областной прокуратуры. Для свидетельства по некоему делу. И приплелся я на Пятницкую улицу, заведомо готовый ко всему. Заместитель областного прокурора, молодой и чуть одутловатый, принялся мне вяло задавать вопросы о моих стихах, которые содержат клеветнические измышления. Речь шла о тех, что были напечатаны в журнале «Евреи в СССР», и тех, что в изобилии ходили в Самиздате. Я ему готово и послушно вешал на уши давно уже отваренную мной лапшу: что вовсе не пишу стихов, пишу я издающиеся книги, но весьма люблю фольклор, который собираю много лет. Порою даже правлю, ибо авторы фольклора — люди часто не чрезмерно грамотные, и размер стиха у них хромает, тут я иногда встреваю. Только никому это потом не отдаю, распространением ничуть не занимаясь. Я это излагал с такой же вялостью, с какой мой собеседник задавал вопросы. Я бы бодрее отвечал, но дико мучился похмельем от вчерашних чудных посиделок. А воды мне как-то не хотелось у него просить. Через давным-давно не мытое огромное окно прямо мне в лицо светило солнце, для московского апреля возмутительно горячее и яркое. Уже мы больше часа так бесплодно просидели. Кажется, он начал кипятиться: сообщил, что сам имеет право выписать на обыск ордер и покажет мне мои же записные книжки, где содержатся наверняка мои стихи, читаемые в списках. Я ему на это отвечал, что ради Бога, только я ведь говорил уже, что это я фольклор порою правлю, а уж это — дело чисто личное, мое и книжки записной. За это время солнце чуть переместилось, луч его упал на прокурорское помятое лицо, и понял я, насколько общее у нас недомогание. Мы очень прямо посмотрели друг на друга, и едва ли что не братство ощутили. Я-то уж — во всяком случае, но я почти уверен, что и он. Откуда-то принес он два стакана ледяной воды, сам предложил мне закурить, если курю, и быстро-быстро начеркал на двух листах бумаги все, что я ему так долго лопотал. Потом сказал, что я могу идти, со мной за дверь зачем-то вышел, осмотрелся вдоль по коридору, руку мне пожал тепло и крепко, внятным шепотом произнеся слова, немыслимые для конторы этой:

— На совершенно правильной позиции стоите. Удачи вам.

Я вышел, благодарный и взволнованный. Что вскорости меня прихватят с совершенно неожиданного бока, мне тогда и в голову не приходило. А восторженное удивление свое запомнил я надолго. Мне тот человек понятен был, поскольку острая раздвоенность сознания (о ней сегодня неустанно пишут разные психологи) была патологически присуща человеку, проживавшему в системе страха и единомыслия.

Но вообще-то говоря: о ком с высокой достоверностью сказать мы можем, что насквозь прозрачны ему люди сквозь любое хитроумие их замыслов, поступков и мотивов? Лично я — такого не встречал. К писателю Эмилю Кроткому пришел как-то маляр — договориться о ремонте, уже тягостно назревшем. Книжные шкафы и полки увидав, он доверительно сказал:

— Вот я уже давно заметил: если в доме много книг, то люди там живут хорошие.

После чего, подробности ремонта уточнив, он взял большой аванс и больше не пришел. Кто лучше разбирался в людях — тот маляр или мудрейший афорист России?

Все это сейчас я вспоминаю и перебираю потому, что пережил недавно странное, неведомое раньше ощущение от встречи (и случайной, и не личной) с человеком, мне известным только по его неряшливо написанным заметкам о былом.

На столе моем лежат три старые потрепанные тетради большого формата — на таких можно записывать приходы и расходы, их использовали для множества хозяйственных и прочих записей в советское время. Но эти три тетради в линеечку заполнены по обеим сторонам каждой страницы убористым аккуратным почерком. Малограмотность автора не поддается никакому воображению. В этих записях — все, что осталось от человеческой жизни, кончившейся четверть века назад в больнице города Усолье, где-то около Иркутска. Автор их провел в лагерях и тюрьмах тридцать семь лет подряд — две трети своего земного срока.

Как-то после выступления в Тель-Авиве ко мне подошел очень пожилой (однако же подтянутый и энергичный) человек и сказал, что у него хранятся некие воспоминания когда-то умершего у него в больнице пациента. Я давно присматриваюсь к вам, сказал этот человек, и вам, пожалуй, я могу доверить эти записи. Их автор перед смертью умолял меня их напечатать. Посмотрите, это интересно. Он оставил телефон, и вскоре я к нему приехал.

Бронислав Жак-Фейфель еще дал мне, кроме этих трех тетрадей, краткое описание своей жизни — для детей и внуков изложил он собственную удивительную биографию. Столь типичной оказалась она для нашего кошмарного времени, что я только мрачно усмехнулся своему спокойному прочтению. Человек этот прошел два немецких концлагеря (остался жив благодаря паспорту родственника-поляка). Что он делал для сокрытия главной улики своего еврейства — описать словами невозможно. В результате мучительных надруганий над плотью (он порой не мог ходить из-за кровавых ран) кожа подалась и растянулась, и уже ни общих бань, ни медкомиссий он не опасался. А потом во Львов вернулся и почти немедля был отправлен в ссылку — по доносу. Так и оказался он в Иркутской области, где вскоре стал врачом работать. Городок Усолье, из которого уехал он в Израиль, ссыльному врачу обязан появлением онкологической больницы, очень редкой в тех краях.

А теперь — о трех тетрадях и их авторе. Я сразу же хочу сказать, что человек этот мне малосимпатичен. Но уже давно он умер, а его тетради по путям непредсказуемым пришли ко мне, и мне, выходит, выпало писать. А обоснованно и связно это чувство, что теперь я должен, — я, признаться, выразить не в силах. Далее вы все поймете сами, проницательный читатель.

Георгий Кайгородцев родился в двадцать шестом году. Ему исполнилось четырнадцать, когда впервые он попал в тюрьму. Какое-то, по всей видимости, провалившееся воровство: он сызмальства промышлял им на воскресных базарах. И провел он в лагерях и тюрьмах — тридцать семь лет. Ни разу не выйдя даже на короткую свободу. Срока ему все время добавляли в местах отсидки — за побеги, ножевые драки и убийства. География тех мест, где он сидел, — от Риги до Магадана, а лагеря конкретные еще не раз я назову по ходу изложения его кошмарной жизни. Он очень быстро стал своим в среде профессиональных воров и участвовал в общих толковищах, на которых приговаривали к смерти. По давно сложившейся традиции (закону) вор не мог убить другого вора без решения об этом общей сходки. Самовольного убийцу вызывали на круг, и воры буднично, как на собрании в какой-нибудь конторе, осуждали преступившего закон. Каждый, кто имел право голоса, произносил свое мнение. Чаще всего оно бывало единодушным. Тот, кто убивал убийцу, должен был отдать свой нож надзирателю и, разумеется, получал новый срок. Так на одном из рудников в Бурят-Монголии вор по кличке Теплоход зарезал, поругавшись, вора Пятака и был приговорен на общей сходке, и вор по кличке Зенгер очень точно, к восхищению собравшихся, всадил ему нож в сердце, убив с одного удара. Так получалось не всегда. Вор Мишка-Партизан, которого убили в Ванинском порту, накинул себе рубашку на голову и упал только на двадцать седьмом ударе ножом. О Партизане, впрочем, стоит рассказать подробней, ибо его смерть связана с еще одним категорическим запретом: вор, на время оказавшийся на воле, не имеет права надевать погоны и носить оружие. Во время войны этот запрет нарушили тысячи, а в лагеря потом попав и защищая свои жизни, стали насмерть воевать с ворами. Только я не собираюсь писать о войне воров и сук (а ссученными были обозначены все взявшие в войну оружие) — об этом есть уже достаточно и мемуаров, и легенд. Я говорю о ворах, скрывших свое участие в войне, а их, разоблачив, наказывали беспощадно. Мишка-Партизан многие годы пользовался чрезвычайным авторитетом. Грабил магазины, кассы и поезда. Попался он во время войны, получил свои десять лет, отправлен был на фронт в штрафную роту и воевал с такой отчаянной и безрассудной храбростью, что с него сняли судимость и перевели в гвардейский полк. Он был там в полковой разведке. Славился отвагой и умом. Был ранен, в плен попал, бежал и воевал у югославских партизан. После войны он все свои награды (в том числе — и югославские) в присутствии друзей побросал в реку, объявив, что он не за Россию воевал, а за святую воровскую жизнь. И принялся за прошлое. На воле его все боялись, а когда попался он и привезли его на пересылку, воры сразу же свели с ним счеты. На сходке каждый говорил, что Партизана следует зарезать потому еще, что он вполне может перекинуться к сукам. А Партизан сказал, что хочет вором умереть, и молча поднял на голову рубашку. Воры Будка и Хохол исполнили приговор сходки.

Ножом такие казни совершались не всегда, ножей на зоне часто не хватало. Саньку-Цыгана на прииске Альчан задушили поэтому жгутом, он ни секунды не сопротивлялся.

Не то чтобы мне жаль таких людей, но этот римский стоицизм невольно вызывает уважение.

Еще одна история такого же калибра связана с любовью. Вор Юрий Виноградов (кличку автор не назвал) тоже был на фронте и в каком-то незапамятном бою ухитрился с одной пушкой (все артиллерийские расчеты рядом были перебиты) задержать наступление немецкой танковой колонны. Был тяжело ранен, в госпиталь отправлен, более уже не воевал, вернулся к прошлому и вскорости попал на Колыму. Естественно, что о войне молчал. Однако же его разыскивала любящая медсестра, его фронтовая подружка, с которой они собирались пожениться. Ей охотно помогали в розысках, поскольку за тот бой был Виноградов награжден, а разыскивать Героя Советского Союза лестно каждому. Ушло на это несколько лет. Копию указа о награждении лично принес в барак надзиратель, вора Виноградова за что-то не любивший. И счастливое письмо от медсестры еще там было. Сходка собралась немедленно и тайно. Дело было уже ночью. Виноградова разбудили и зарезали. Во сне воров не убивали, этого традиция не допускала.

Во второй тетради, кстати (он писал ее в больнице, из которой уже не вышел), мельком сказано у Кайгородцева: «Что такое женская любовь, еще не знаю, это говорю честно».

Когда и почему Георгий Кайгородцев (кличка — Жорка расписной) порвал с ворами — непонятно. Что-то для себя решив, он резко поменял свою масть. На редкостную — так отваживались жить на зоне считанные единицы. «Ломом подпоясанный» или «Один на льдине» — так именовалась эта масть. Оба названия достаточно говорят сами за себя. Ни с кем. А значит — против всех. Он и ворам был враждебен, и чужой для мужиков. Тут и пошла вся поножовщина, убийства, карцеры, перемещения из лагеря в лагерь.

Воры, как известно, не работают на зонах («Вор не будет пачкать руки тачкой, а воровка никогда не будет прачкой») — Кайгородцев же работал всюду, куда забрасывала его зэковская судьба. Он добывал вольфрам и молибден на рудниках Бурят-Монголии, мыл золото на Колыме, работал в каменном карьере на строительстве Братской ГЭС, валил лес в тайге под Красноярском. А города, где побывал он в тюрьмах, по этапу проходя, рассыпаны по всей империи. А во

Владимирской тюрьме он вообще провел шесть лет в качестве особо опасного убийцы-рецидивиста.

И большинство его историй — о еде. Как он ее на зонах добывал, чтобы от голода не превратиться в доходягу и свалиться. Помнились ему удачи, разумеется, — о них он и писал.

На Колыме вокруг их зоны даже не было забора — только колышки, шаг за которые — побег, стреляли без предупреждения. И освещения там тоже не было, энергии даже для вольных не хватало. А поселок вольных и охраны находился прямо возле лагеря. И часто ветром доносило из пекарни невыносимо тревожащий запах свежевыпекаемого хлеба. Кайгородцев отыскал такого же, как он, доходягу — Ивана Мещерякова, и ночью после отбоя они ушли за колышки к пекарне. Заглянули в мутное окошко: за столом играли в домино два пекаря, это означало, что хлеб — в печи. Друг другу помогая, они влезли на крышу, разгребли опилки и шлак, добрались до кирпичей самой печи. Кладка вся была не на цементе, а на глине, с нею было справиться не трудно. Из печи пахнуло диким жаром, но еще и хлебом пахло. Кайгородцев решил, что полминуты он продержится и не спечется, одолел свой страх и влез в дыру. Ноги его ощутили вязко мнущиеся непропеченные буханки хлеба, две из них он ухватил и протянул подельнику, а когда протянул еще две, то Ивана уже не было на месте. Убежал. А Кайгородцев ведь и звал его с собой лишь потому, что понимал заранее: сам из печи он вылезти не сможет. Чувствуя, что через миг он рухнет, в ужасе смертельном ухитрился он ногой выбить дверцу печи. Двум пекарям предстала из печи фигура в черной и уже дымящейся одежде. Они кинулись на пол, а Кайгородцев, хоть и был он в состоянии угара и полубезумия от жара, со стола успел схватить початую буханку хлеба. Прибежав в барак, он обнаружил своего предателя-подельника катающимся по полу от дикой рези в животе: тот съел кусок горячего, еще полусырого хлеба. «Что же ты, дешевка, меня бросил, я бы ведь сгорел?» — спросил Кайгородцев. Но подельник только глухо выл от боли. И у Кайгородцева настолько злость прошла, что он еще и покормил предателя пропеченным хлебом, и тому полегчало. Утром начальник лагеря на разводе обещал простить того свихнувшегося, кто залез в раскаленную печь, ему охота на него только взглянуть, но Кайгородцев промолчал.

Все его мысли и раздумья в лагере сводились к поискам еды. А авантюрные замашки в нем играли. Да, чисто авантюрные. Мне очень странно это слово из романов, читаемых в тепле и сытости, употреблять по отношению к голодному, не по морозам и ветрам одетому в лохмотья зэку, но судите сами. Место авантюры — та же Колыма.

Какое-то недолгое время выпало Кайгородцеву работать без конвоя. Их с напарником послали в тайгу, чтоб заготавливать древесный уголь. Профессия углежога была ему в новинку, но он вызвался незамедлительно и быстро научился. Каждый день они с напарником уходили за несколько километров от лагеря, где жгли распиленное дерево, заготовляя уголь для лагерной кузницы. А неподалеку был якутский поселок. Что-нибудь украсть там было невозможно, ибо якуты своим соседям цену знали. Да тем более — средь бела дня. Однако же поселок этот был настолько удален от других (почти таких же) центров колымской цивилизации, что врачи туда приезжали крайне редко. И лечить у якутов их ревматизм, их зубы и глаза надумали два зэка, углежоги. Подготовились они заранее и очень тщательно. Масло из поломанного трансформатора они смешали с аммоналом (это взрывчатка для работ со скальным грунтом) — получилась мазь от всех заболеваний сразу. Для больных трахомой заготовлена была вода со сваренной травой. А от сухого аммонала (желтоватая мука) и в самом деле затихала острая зубная боль — не раз, бывало, зэки пользовались этим средством. По безвыходности, потому что зуб от этого порошка стремительно разрушался. Термометр они украли в санчасти. Там же был украден стетоскоп. (Поскольку они видели, что стетоскоп, прослушивая легкие и сердце, врач прикладывал к груди, Георгий Кайгородцев называет его «титескоп».) Два белые полухалата были сшиты из украденных в той же санчасти простынь. На них они нашили красные кресты. И красный крест наклеили на старой женской сумке, где хранились исцелительные снадобья. Три раза посещали они тот поселок. Растирали мазью ревматические ноги, засыпали аммоналом ноющие зубы, мыли травяной водой трахомные глаза. По-русски якуты не говорили, но врачам вполне хватало жестов жалующихся и болящих пациентов. Платой за лечение были мука, табак и чай. (Кстати, за поимку беглого зэка якутам давали то же самое, оттого и убежать из лагерей колымских было невозможно — это Кайгородцев знал по собственному опыту.) И еще оленье мясо не жалели для врачей — впервые эти двое ели досыта. А снадобья их — явно помогали, благодарность и приветливость сопровождала их визиты раз в неделю. На четвертый раз они увидели в поселке приехавшего из района врача. Якуты врачу что-то про них сказали, врач ответил очень коротко, но слово «лагерь» углежоги уловили. И конечно, кинулись бежать. Днем, по счастью, не было мужчин в поселке — все были на промыслах различных, только это и спасло двух зэков. Подгонял их страх немыслимый: совсем недавно два таких же зэка из их лагеря завалили оленя из поселкового стада, но были пойманы на месте. Якуты забили их насмерть и сожгли трупы на ритуальном костре как жертвоприношение богам — хранителям оленьего поголовья.

Врач сообщил начальству лагеря, и Кайгородцева перевели в другой. Не учинив суда и срока не добавив, очень уж диковинное вышло б дело.

А еще в одной тетради я наткнулся на незаурядность выдумки этого матерого жителя глухой неволи. В лагере под Ухтой он обитал уже в колонии особого режима. Днем возили их работать в каменный карьер, а на ночь запирали в камеры. В тюрьме их было несколько сотен человек, а в его камере — шестнадцать. Восемь из них спали на нижних нарах, восемь — на верхних (это будет важно для дальнейшего). Стол, две скамейки и параша были намертво вмурованы в цементный пол, от рабов особого режима ожидалось всякое. Один из надзирателей, дежуривших по коридору, был арестантами бессильно ненавидим. Он писал начальству рапорты о малейшем нарушении порядка, и наказание всегда было одно: чудовищно холодный каменный мешок карцера. С водой раз в день и крохотным куском урезанной нормы хлеба. Как этого дядю Гришу извести, придумал

Кайгородцев. А исполнил — сидевший в камере художник по кличке Москвич, на воле делавший ворам любые документы. Он еще и деньги виртуозно рисовал, сидел уже не первый раз. У него были заначенные краски (память о недолгой работе над плакатами об исправлении) — отсюда и явился замысел.

Москвич нарисовал на простыне большой пролом в кирпичной стенке. Это было сделано весьма искусно: по краям пролома остро проступала битая штукатурка вперемежку с битым кирпичом, а в самой дыре виднелась звездная ночь. Если смотреть сквозь надзирательскую скважину в двери при тусклом свете лампочки под потолком — ну чистая дыра в стене. На стену эту простыню и приспособили. А зэки с верхних нар ушли под нижние. Вся камера не спала от охотничьего дикого азарта. А как только за дверью дядя Гриша закричал отчаянно: «Побег!», и сапоги его загрохотали по коридору, и охранная сигнализация завыла, простыню со стенки сняли, на куски немедленно порвали и утопили в параше. И те восемь зэков, что под нарами лежали, на свои места вернулись. В камеру не только вся охрана ворвалась, но и начальника тюрьмы успели потревожить по такому случаю. Немая сцена получилась. Зэки сонно и испуганно моргали на охранников, те оглядывали камеру недоуменно, надзиратель только нервно и мучительно зевал. Начальник тюрьмы смотрел на него и молча крутил пальцем у виска. А сумасшествия у старых надзирателей случались. На следующий день дядю Гришу перевели на хозяйственный двор тюрьмы, он чем-то там подсобным занимался, а завидев арестантов из той камеры, кричал им что-то злобное и неразборчивое. Здоровье его явно подкосилось.

На волю Кайгородцев вышел в семьдесят седьмом году в Алма-Ате. До матери, живущей под Иркутском, предстояло добираться на самолете, это зэку полагалось. После тридцати семи лет отсидки многое он видел впервые. Так, его довольно сильно испугал троллейбус — он не понимал, зачем автобусу эти рога и провода. Впервые в жизни он увидел телевизор, ехал на трамвае и летел на самолете. Был уже этому Маугли пятьдесят один год. Ничего вкусней того, что ему дали в самолете, он не ел за всю свою жизнь и ту еду запомнил навсегда. Мать его, конечно, не узнала. Три других ее сына погибли на фронте, этого — давно уже она считала мертвым. Он был вынужден перечислять ей родственников, которых знал, и рассказывать, что помнилось ему из детства, лишь тогда она размякла и заплакала. И не могла со стула встать, и сын отпаивал ее водой. В милиции к нему прекрасно отнеслись, устроили работать сторожем на угольный склад и навещали не ради проверки, а чтобы послушать про его былое.

Но на воле прожил Кайгородцев года всего три-четыре. Рак желудка одолел его не сразу, и в больнице он лежал довольно долго. Там и начал он писать воспоминания. Тетради перед смертью он отдал врачу. Ему хотелось, чтоб какая-нибудь память сохранилась. И поэтому не написать о нем я попросту не мог. Но должен объясниться, почему я сел писать с такой взъерошенной душой и без симпатии к этой несчастной личности.

Свои воспоминания Георгий Кайгородцев часто и старательно перемежает жаркой похвалой в адрес советской власти вообще и ее охранных органов — в частности. Он, например, пишет: «В советских исправительных учреждениях можно жить и быть советским человеком». Или — повидавши три десятка тюрем — о своих надзирателях: «Но этих мужественных сотрудников посылает партия, значит — ни шагу назад, коммунисты!» Выписывать хулу в адрес Солженицына и Буковского, которые клевещут про кошмары лагерей, я не стал. Уже теперь смотрел он телевизор, все расхожие слова были оттуда. А то, что написалось лично, — вот оно: «Я — русский и советский человек, и понятие у меня таково, что родина меня накажет, родина меня и пожалеет, родина — это мать». Ну что ж, понятие такое свойственно действительно и ворам, и убийцам. А еще мне вспомнились прочитанные где-то слова белогвардейца-офицера, сказанные им кому-то в лагере. А этот кто-то был большевиком в недавнем прошлом, и таким же оставался в заключении, и что-то пылкое произносил о праведности и величии российского советского устройства. «Вы напоминаете мне карася, — брезгливо сказал ему офицер, — вас жарят на сковороде, а вы кричите, как прекрасен запах».

Эй, не расходись, одернет меня всякий проницательный читатель. Эти три тетради сочинял хитрющий искушенный зэк, ему хотелось или напечатать это, или чтоб о нем хотя б немного написали. И хвала с хулой — это гнилой подход, как говорят на зоне, это чтобы выглядеть своим и подольститься, стоит ли его за это обвинять?

А у меня на обвинение ни права нету, ни желания, отвечу я. И нет сомнения — он просто темный человек. Но только если он за всю свою чудовищную жизнь не понял ничего (или прикинулся, что он не понял), то мне его душа раба не слишком симпатична. Таких за много лет я видел в изобилии на воле. Да и сейчас — по телевизору — под красными знаменами и транспарантами. Хлебнули они, судя по их лицам, ту же чашу. Я только это и хотел сказать.

Мир и покой Вашей душе, Георгий Иванович. Ваше предсмертное желание исполнено.

ИМЯ, ЛИЦО, ЗАГАДКА

Забавнее всего, что я о слове «пошлость» принялся усердно размышлять в связи со своей собственной персоной. За мельтешней последних лет я как-то позабыл, что здесь в Израиле нельзя о чем-нибудь мечтать (мечтательно хотеть), не чувствуя готовности к тому, что сбудется твое желание. А мне, по малодушию и зависти, гордыне и тщеславной слабости — хотелось иногда, чтобы меня заметили (и написали обо мне) какие-нибудь профессиональные филологи. Знатоки, гурманы, смакователи. Во многих интервью, где задаются, как известно, одни те же вопросы, предваряли журналисты наш обоюдно низкопробный диалог какими-то комплиментарными словами. Но постыдная приятность этого пустопорожнего хваления никак не утоляла мое низменное тайное желание прочесть когда-нибудь такое нечто, чтобы выскочить в сортир и с уважением посмотреться в зеркало. И кто-то сверху ощутил мою

ИГОРЬ **ГУБЕРМАН**

печаль. Заветное желание сбылось, и получил я ощутительно болезненный щелчок по носу.

Случилось это в городе Донецке, месте явно злоумышленном и не случайном. (Ох, недаром там стоит изваянная в полный рост фигура достославного певца Кобзона — он, как понимаю я теперь, тайком мечтал об этом сраме.) Устроители концерта мне сказали вскользь и между прочим, что задумали они собрать филологов из местного университета, чтобы о стишках моих неторопливо побеседовать. А треп наш им понадобится для журнала, с неких пор затеянного в этом городе и помещающего болтовню заезжих фраеров, поскольку это горожанам интересно. Почему-то в голове моей не щелкнул тот предохранитель, что срабатывает безупречно, если изредка меня зовут попариться в вечерней баньке с интересными и нужными людьми. Я, по всей видимости, созрел для наказания, и вся моя защита отключилась. К тому же был я в состоянии расслабленном: кипела небольшая пьянка, к нам подсел какой-то уже крепко выпивший старик, меня узнавший, и, моего отчества не расслышав, называл меня Минорычем, что мне казалось очень лестным.

И на следующий день означенная встреча состоялась. Полтора часа, пока я одиноко сидел в специально выставленном кресле, протекли довольно вяло и занудливо. Занудливо и вяло выступили несколько женщин разной степени молодости, я закис и квело отшучивался, общего разговора не получалось. Чуть разрядил нависнувшую скуку средних лет мужчина (наверняка — преподаватель и доцент), который принялся меня ругать за отсутствие любви к России, но оговорился простодушно, что стихов моих он не читал, ну разве что совсем чуть-чуть, ему попавшихся случайно. Однако уличавшую меня цитату помнил точно — целую строку. Но вскоре все мы радостно и нескрываемо вздохнули, а бутыль из холодильника сияла белоснежным инеем.

Прошло месяца три, о том докучливом сидении успел я позабыть и присланный мне номер журнала «Дикое поле» раскрыл скорей по вежливости, чем из любопытства. Сбылось, я прочитал, что думают обо мне профессиональные филологи. А прочитал я, что в стишках моих (о Боже, как я их любил все время этого прочтения!) нисколько нет ни глубины, ни высоты, поэтому они настолько плоские. Ни о каких литературных достоинствах, прочитал я медленно и сладострастно, речь и вовсе не идет. А то, что по случайности в моих стишках удачно, — то заимствовано у различных классиков, поэтому что хорошо — то не мое, а что мое — то неудачно и убого. А популярность сочинительства такого объясняется не только пагубным падением вкуса у большой читательской аудитории, но тем еще, что мной написанное тесно соотносится с памятным пока ушедшим временем. А внутренняя пустота автора обманчиво укрыта тем, что он — застольный говорун, шутник-надомник, и поэтому с ним следовало разговаривать (если, конечно, следовало вообще), выставив ему сперва стакан водки, тут бы он, возможно, что-нибудь забавное сказал.

А так как я о себе думаю примерно то же самое, то очень я расстроился и огорчился. И неделю, как не более, я всем гостям это показывал или зачитывал, и все меня жалели и любили. И ругали всяко и по-разному донецкую филологическую школу.

Я получил, чего хотел, но главное — задумался о слове «пошлость», явно и нескрываемо витавшем по моему адресу в тоне всех этих заметок. С той поры мне не дает покоя это слово, а скорей — понятие, которое, как выяснилось, существует только в русском языке. Так, во всяком случае, утверждает Набоков. Ни в одном из трех известных мне европейских языков, пишет он, я этого слова не встречал. И скромный автор этой книги тоже не встречал нигде такое слово — по причине, правда, несколько иной: он иностранных языков не знает ни единого. А потому — привычно обратился к Далю.

Пошлый, пишет Даль в своем великом словаре, — это «избитый, общеизвестный и надокучивший, вышедший из обычая; неприличный, почитаемый грубым, простым, низким, подлым, площадным». Мне это показалось чуть расплывчатым и далеко не полным. Даже если мы сюда прибавим (из того же ряда) несколько подобных слов — банальность, тривиальный, плоский (тут я вздрогнул), — образ пошлости выскальзывает из ловящей руки. Витая уже где-то в стороне, поблизости от слов «шикарно» и «роскошно». Слово «фешенебельно» тут тоже где-то крутится, но вроде бы оно только по части всяческих курортов и гостиниц, мной не знаемых. Еще слова-оценки («это сделано помпезно, это сказано слащаво») явно пополняют перечень примет, витающих вокруг и около неуловимого, но всем известного понятия. А вот недавно я в роскошном глянцевом журнале видел грандиозное произведение: скульптор Церетели изваял фигуру президента Путина в шикарных (вроде бы борцовских, но и рыцарских слегка) доспехах, босиком. И сам стоит с ним рядом. Я померил, исходя из роста скульптора: сей монумент из бронзы метров пять потянет в высоту. Вот пошлость несомненная и яркая, но ни одно из слов у Даля выразить ее не в состоянии. Ну, разве только слово «неприличие».

А кстати, Бог не осуждает, а скорее одобряет пошлость, ибо все ее творители — весьма счастливые обычно люди. И лоснятся нескрываемым самодовольством — вот еще одна из граней пошлости, заметим. А над осудителями пошлости Бог учиняет издевательские шутки: так, тело Чехова, умершего в маленьком немецком городке, где он лечился, повезли на родину в вагоне из-под устриц.

В те уже полузабытые года, когда висевший на стене в почти любой квартире Хемингуэй в мохнатом свитере еще не заменился на Набокова за шахматной доской, мне дали на два дня самиздатскую копию романа «По ком звонит колокол». И я немедленно повесил у себя портрет Хемингуэя. И приятель мой столь же немедленно мне высказал упрек, что я плетусь за пошлой модой, охватившей бедную советскую интеллигенцию. Я так оторопел, что возразил ему не сразу, от растерянности очень искренне сказав, что тот Хемингуэй, который у меня висит над письменным столом, — совсем не тот Хемингуэй, что есть в других квартирах. Я так полагаю до сих пор, и это нас выводит к несколько иному взгляду на неуловимую пошлость. Но сперва понадобится тут одна история, рассказанная некогда Гоголем, а мной прочитанная у Набокова.

Речь шла о некой юной немке, жившей в доме на берегу пруда и проводившей вечера на балконе за вязанием чулок и любованием живой природой. Проявляя равнодушие к той жаркой страсти, что питал к ней юный немец на предмет счастливого супружества. И учинил влюбленный юноша красивость непомерную: он каждый вечер плавал перед ней в пруду, обняв за шеи двух прелестных величавых лебедей. Они участвовали в этом представлении с изяществом, не меньшим, чем пловец. И что вы думаете? После нескольких сеансов немка соблазнилась и прельстилась.

Вот вам пошлость в ее чистом виде, говорит Набоков, но позвольте с ним не согласиться. Самою водяной феерией прельстилась эта скромная девица или мускулистым обнаженным посягателем? Да и способность на диковинные выходки порой смущает женские сердца — надеждой, может быть, что и в замужестве с таким не будет скучно. Главное же скрыто в факте, что девице это пошлостью не показалось, а скорей наоборот — мужской отвагой, доблестью влюбленного воображения предстало ей такое молодечество. А значит — чувство пошлости сокрыто в нашем личном вкусе, разуме, душе, подходе, а порой — и просто в настроении. В юности («мятежной», как известно) я был полностью согласен с тем, что «маленький мирок домашнего уюта» — пошлость несомненная и затхлая, но вырос, а потом составился, и стало для меня это понятие одной из главных ценностей существования. До понимания того, что пошлость будничной, обыденной и повседневной жизни — жизнь и есть, мне надо было дорасти. А Путиным из бронзы будут, несомненно, восхищаться тысячи благоговейных россиян. Поскольку вкус наш тесно связан с отношением, с пристрастием, с расположением. И там, где кто-то наблюдает или слышит пошлость, там его сосед по жизни — впечатляется роскошной прелестью или смеется над удачной шуткой.

Или вот — заведомая и отъявленная пошлость: всюду, где красиво или историческое место, люди обожают оставлять на чем-нибудь (стена, скамейка) имена свои, инициалы, даже пишут изречения. «Здесь был Василий», например. Ну ведь, конечно, пошлость несомненная.

Но как еще можно отметить важный факт, что ты здесь был? Как именно запечатлеть восторг и торжествующее чувство прикасания? Ведь это все равно, что древнерусскому воинственному князю — прибить свой щит на вратах Царьграда. Но только по масштабу личности — и памятный размах. А «побывал» и «взял» — синонимы в гораздо большей мере, чем нам кажется.

И все же я высокомерно-снисходительно косился на такие надписи. Пока мы вскоре после переезда в Иерусалим не поехали с женой к нашим друзьям в Германию. И там — впервые в жизни я увидел Кёльнский собор. Он дивного величия был полон (сколько уж веков он там стоит) и был немереной и страшной высоты. Внутри я молча двинулся по лестнице наверх, одолевая дикое количество крутых ступеней. Задыхался, останавливался, билось сердце, я упрямо продолжал подъем. За мной вослед, упрямо столь же, шла моя жена. Есть у нее давнишняя иллюзия: в ее присутствии я глупостей могу наделать меньше, чем в отсутствие ее. И вот она за мной тащилась, задыхаясь (потому что и курильщица, и астма), и меня негромко проклинала, но не отставала ни на шаг. Мы шли и шли. Как Аввакум и протопопица. А лестница сужалась и сужалась, и через тысячи (а может — миллион) ступенек вышли мы на самый верх. Там уже были балки, от которых вниз тянулись дикой толщины канаты, а на них — могучие колокола висели. Большинство туристов останавливалось много раньше: всюду, где мы шли, на стенах густо вилось неимоверное количество имен. Какая пошлость! А вот там, куда забрались мы, было гораздо меньше надписей, не все такую высоту одолевали, и на стенках было место. Там я выцарапал свое имя на иврите. И притом — израильской монетой. А закончив, я обрадовался очень — как, наверно, Минин и Пожарский, когда им соорудили памятник. А после долго, очень долго мы спускались, даже и не очень понимая, как мы поднялись на эту высоту. А когда уже стояли на полу собора, то жена мне мстительно сказала, что я в имени своем — ошибку допустил, какой-то нужной буквы я не доцарапал. Только было уже поздно. И поэтому я ей нисколько не поверил. И не верю до сих пор. Хотя порою очень хочется проверить. Только здоровье не дает. И сигареты надо бросить.

Но вернусь, однако, к теме. Так была ли это пошлость? Несомненно, скажет каждый, кто расписывался только на скамейках и в подъездах. Я же лично — очень горд, что эту пошлость с риском для здоровья совершил.

И вообще, увековечиться — не грех. Я, например, так люблю своего давнишнего друга Сашу Окуня, что уже раз пять писал на стенках — «Тут был Окунь» — в тех местах, где он еще не побывал.

А фотографии, где фон — известный памятник или чего-нибудь иное с выдающейся известностью? «На фоне Пушкина снимается семейство...» Да, конечно, — пошлость. Но как ярко расцветают старческие лица, эти фотографии перебирая через двадцать-тридцать лет! Тем более если возможность таковая — стоит сущие копейки. Например, на Красной площади сегодня можно запросто сфотографироваться с живым Лениным (их целых трое бродит нынче здесь, похожесть абсолютная до ужаса). А в Иерусалиме можно напрокат взять крест и, нацепив венец терновый, медленно пройти по Виа Долороса (Крестному Пути Христа) — фотографии будут готовы уже к концу пути.

А в молодости много мы читали о «бездуховной пошлости благополучного западного обывателя», но взгляните, как сегодня россияне жаждут этого благополучия. И вспомним о вполне духовной пошлости, поскольку я пошлее зрелища, чем русские вожди со свечкой в церкви, не встречал. Тем более что большинство из них еще вчера душили и гноили эту церковь. И сейчас они духовны только в том смысле, что прекрасно дух эпохи чуют, а точней — откуда дует ветер.

Что-то я устал брюзжать и пальцем тыкать. Все равно я не поймаю эту тень от жизни. Все равно красиво жить не запретишь, а некрасиво — не заставишь. И портить это удовольствие я никому не собираюсь. Даже более того: порой завидую я тем, кто невозбранно наслаждается любой возможностью любого вида кайфа. Поскольку вкус и совесть, как заметил не упомню кто, весьма сужают круг различных удовольствий нашего существования на свете. Просто сам я мыльных опер не смотрю по телевизору. Но счастью тех, кто упоенно смотрит, я могу только бессильно позавидовать. Поэтому я лучше расскажу о личных встречах с красотой такого же разлива и пошиба.

Очень я польщен был, когда мне сказали, что со мной желает встретиться (за небольшой, но гонорар) клуб игроков и завсегдатаев большого казино «Голден Палас» (что означает «Золотой дворец», а это вам — не хер собачий). Дескать, большинство из них подали голос, чтобы именно меня позвать для освежения их утомленного рулеткой интеллекта. Казино это в Москве уютно расположено в бывшем Дворце культуры Второго часового завода — я там жил когда-то возле Белорусского вокзала. Что произошло с культурой работников этого завода, я не знаю, но дворец этой культуры подошел под казино, и это главное. И специальные с моим портретом выпустило это казино картонные билеты-карточки размером с небольшую книгу и с тисненной вязью — я даже украл один, чтоб теща уважала с пониманием. Мы благополучно миновали стайку охранников с автоматами, и перед началом посадили меня в маленький уютный закуток, где всюду были зеркала, а возле кресла в шкафчике (я заглянул, не удержавшись) — туалетная бумага, обувные щетки и бутылки с моющими средствами. Такой отстойник для артистов и уборщиков. И спросили, не хочу ли я чего-нибудь перед началом выпить. Я ответил своей старой пошлой шуткой, что я, как профессиональные любовники, — на работе не пью. Тогда мне предложили фруктов или кофе. Я на то и на другое согласился. Фрукты принесли в ассортименте: на огромном блюде были ломти дыни и арбуза, ежевика, виноград, малина, киви, груша и еще какие-то плоды, всего не помню. Век свободы не видать, если я что добавил лишнего. Я не только это съел, но еще вынул щетку и почистил себе туфли, тут как раз и кофе принесли. Мне предложили посмотреть на казино, пока есть время, нехотя я согласился и пошел. Какой я был дурак, что колебался!

Я бывал, признаться, в очень знаменитых казино: и в Монте-Карло был, и в Баден-Бадене (там с уважением, пристойным русскому интеллигенту, постоял возле стола, где проиграл такую уйму денег бедный Достоевский). В Австралии я был в огромном казино, где кроме роскоши имелось еще чудо техники: фонтаны там не били непрерывно, а выстреливали длинной (метра три) струей воды, и эта водяная пуля, изогнувшись в плавную дугу, точно попадала в небольшое отверстие на краю фонтана.

Интерьеры всех подобных заведений сделаны с посильной роскошью. В Лас-Вегасе и сами здания — то замок, то египетская пирамида. В роскоши, по замыслу и умыслу создателей, намного человеку легче утолять азарт, проигрывая бешеные деньги. В Баден-Бадене, к примеру, залы и гостиная — прямая копия какого-то дворца французских королей, а в Монте-Карло у меня не хватит просто слов, чтоб описать царящую там вычурную красоту. Я это без иронии пишу, великолепие там создано со вкусом. И поэтому сплошная и чудовищная позолота бывшего дворца культуры несколько обескуражила меня. Замечу сразу: ведь кого-то она вводит в нужный для игры кураж, чему должно способствовать еще ковровое покрытие с рисунком тысяч карт различной масти. В центре зала высилась стеклянная большая выгородка типа тех, что мы встречаем в зоопарках, а внутри нее сидели на краю бассейна и на фоне льдины — два несчастных неприкаянных пингвина. А чуть сбоку под стеклянным полом плавали в бассейне две огромные — с полметра — бледно-розовые нездешние рыбы. В честь этих животных, пояснила мне провожатая, вон тот ресторан над ними называется «Палуба». А за столами — и за многими — играла многочисленная публика. В их лица вглядываться я не стал, меня гораздо более влекли огромные и неподвижные фигуры в черных и безукоризненных костюмах — изобилие охранников порядка говорило о России внятней, чем аляповатая назойливая позолота и немыслимых размеров люстры. Мне предложили поиграть, но нас, по счастью, уже звали. А меня еще в машине устроитель этой встречи с чуточным смущением предупредил, что в их гостиную приходит пообщаться человек пять-шесть обычно. И не более, поскольку все, что говорится, подлежит немедленной трансляции по всем залам казино. Чтоб игроки, не приведи Господь, не отвлекались в это время от рулетки и других приборов облегчения их пухлых кошельков. Шесть человек у нас — аншлаг, сказал он со стеснительным смешком. Я покивал, изображая понимание. В уютном полутемном зальчике типа кафе при ресторане уже было человек пятнадцать. Так как тут же находился бар, и кто пил чай, а кто был с рюмкой, то, всего скорее, мы застали их врасплох, и выйти им теперь казалось неудобным. Вел беседу юный щуплый мальчик, роль и назначение которого в этом игорном доме я не раскусил. Вопросы он читал мне по бумажке, а по сути они мне напоминали журналистку, некогда пришедшую ко мне для интервью и со стыдом признавшуюся, что не знает, к кому ее послали, но спросить у посылавших было страшно, ибо на работе она — первую неделю.

Мальчику зычно подвякивал еще один дородный и вальяжный человек — ведущий какого-то телеканала, здесь он прирабатывал по вечерам. И несколько собравшихся мужчин меня спросили о каких-то пустяках. И я сообразил, что мне стишков читать не надо, что они бы только игроков могли отвлечь, и стало мне намного веселей. У мальчика вопросы кончились стремительно, и я неторопливо принялся надписывать десяток книг, которые предусмотрительно откуда-то доставили. А сразу вслед за мной явился столик на колесах, и две молодые женщины (а я-то думал, что они пришли меня послушать!) оказались фирмой по внедрению в России виски. И пошла повальная дегустация. Я принял в ней активное участие. На это дивное мероприятие слетелось несколько официанток, разносивших в зале выпивку с едой (их было тут не меньше, чем амбалов-охранителей), и выглядели эти девушки шикарно и роскошно. Фешенебельно и респектабельно с намеком. Со спины обнажены до места, где виднелась уже явно не спина, а спереди — помимо декольте, предельного по глубине, — огромный красовался вырез вокруг робкого пупка. Они носили нам подносы с рюмками и излучали ангельскую нежность. Вот так бы жить и жить, подумал я после четвертой пробы.

Где ж ты обнаружил пошлость, привереда и зануда? — спросит меня каждый, кто прочтет. А в моем собственном участии, отвечу я. Я был изящным завитком в этом изысканном великолепии. Поскольку члены клуба только ели, пили и играли, а теперь еще похавали культуры. Не случайно сочетание «пир духа» так по-русски издевательски звучит.

Спустя полгода мне отменно повело. К нам в Иерусалиме забрела некая знакомая женщина. Она с недавних
пор весьма успешно торговала гербалайфом и, вербуя
клиентуру, принялась восторженно описывать его вол-
шебные и несравнимые достоинства. В надежде как-нибудь этот фонтан закрыть я высказал неосмотрительно
и глупо свою полную готовность посетить при случае
любой ближайший семинар этих ревнителей всемирного здоровья. И попался. Очень скоро объявился этот
случай, и мы с женой покорно оплатили два или три дня
пребывания на свежем воздухе и посещения таинствен-
ного семинара. Я такого там наслышался, что помню до
сих пор. Все выступавшие были полны пожизненного
счастья от нечаянной у всех и судьбоносной встречи с
гербалайфом. И сначала мне казалось, что идет вульгарная рекламная кампания. Нас совращали на путь
истинный несколько женщин приблизительно одного
возраста. Для лаконичности я обозначил бы его — заря
заката. В них кипела и бурлила, пенилась и клокотала
профессиональная любовь к предмету их торговли. Но у
каждой были собственные аргументы этой страсти, хотя
главный был заветным — похудание. Все они, однажды
начав пить это волшебное снадобье, дивно и волшебно
похудели. Я с восторгом записал самую высокую цифру
потери веса — пятьдесят килограмм! Этим нельзя было
не впечатлиться. Но прекрасны были и другие, чисто
личные последствия интимных отношений с гербалайфом.
Так, одна из женщин строила свою карьеру и была благополучна, только чувствовала одиночество — пока не
стала пить этот напиток. А потом и продавать. Теперь она
меняет жизнь других людей, и одиночество уже не муча-

ет ее. Но более того: она чуть увеличила принимаемую порцию, и тут же повстречала своего сегодняшнего мужа.

А вдохновение другой проистекало от сияющей возможности кормиться вкусно и не вредно, потому что гербалайф выводит из живого организма все губительные шлаки. Вот ведь чудо, кайф и прелесть, радостно воскликнула она (я записал это дословно, видит Бог). И нечто страшное поведала об этих жутких шлаках. Я похолодел, узнав про мрак и ужас, у меня внутри творящийся от современного питания. Те консерванты, с помощью которых сохраняется еда, те вещества, которыми преступно ускоряют рост цыплят, и химикаты садоводов — это яды, потребляемые мною каждый день. А вот простой червяк природой умудрен — уже не лезет он в сегодняшнее яблоко, он чувствует и знает, как оно отравно для живого существа. А человек на это яблоко — любуется, но главное — что он и ест его! Не ведая о наносимом самому себе вреде, не зная, что один лишь гербалайф обезопасит его мизерное прозябание. Поскольку лучшие ученые умы планеты нашей (нобелевских несколько лауреатов) каждый день исследуют и улучшают гербалайф. А также травы, кои много тысяч лет используют в Китае в целях избавления от шлаков, — вот на чем настаивают это исцеляющее средство.

Тут я поленился и не записал огромный перечень болезней, исчезающих от легкого и вкусного коктейля с гербалайфом, — наступила очередь косметики. Тут оказалось — он целебен и наружно. Ораторша, внедрявшая косметику, была красноречива так, что я и сам решил при случае воспользоваться этим кремом. Ибо назначение и цель этого крема, с пылким вдохновением сказала она нам, — вернуть лицу былую чистоту и выражение искренности. А на такое — мог ли я не соблазниться? И лицо ваше, добавила она, будет по нежности, как попка у двухмесячного ребенка.

И еще один отменный довод я, по счастью, записал дословно. Ваша красота ночью спит, поведала энтузиастка крема женщинам, сидевшим в зале. И ночной наш крем ее надежно охраняет. Крем наш не храпит, не стаскивает одеяло, не выходит ночью покурить — это ваш лучший компаньон во время сна.

А весь последний день с утра и до закрытия нас наставлял житейской мудрости верховный жрец и вдохновитель всей этой торговли в нашей маленькой стране. И пошлость обрела апофеоз.

Не помню имени его. А помню только ярко-желтый канареечный пиджак и общую пухлявость очертаний. Маленького роста, весь он состоял из плавных и округлых линий нежного жирка, и пухлое брюшко поэтому смотрелось очень гармонично. Гоголевский Чичиков так выглядел, должно быть, потому и привлекал симпатию всеобщую. До полного шедевра не хватало самой малости: зеленой шляпы над лиловым галстуком, но на дворе стояло лето. Был он бывший музыкант, не знал, куда пристроить свою жизнь, когда приехал, грустно пиво пил и размышлял бесплодно о несовершенстве мироздания. И три раза подряд прослушал, проморгал неслышный зов судьбы, толкающей его к торговле гербалайфом. Это так мистически он описал те случаи, когда такие же, как он впоследствии, звали его обратиться к этому расхожему промыслу. Рассказывал он живо и многозначительно. Потом он перешел на общий смысл жизни, обнаружив ясную и полную осведомленность в том, над чем веками бились лучшие умы человечества. Смысл жизни состоял в наличии наличности, поскольку деньги помогали жить богато и тем самым — счастливо и мудро. Он описывал достоинства возможностей купить что пожелаешь и куда захочешь ездить. Не вставать с утра и не бежать работать (тут он передернулся от омерзения), а расслабленно и благородно торговать целительным и чудотворным гербалайфом. О преимуществе богатства над ничтожной бедностью он говорил довольно долго, ибо впал в перечисление еды, которая ему теперь доступна. Тут употреблять он стал глаголы «кушаем», «покушали» и «кушаю», которые давно уже остались только в словаре официантов и персон галантного обхождения, и я поеживался, но не уходил. Сорвался я и вышел покурить, когда он стал рассказывать, как ежегодно он и прочие такие же счастливцы собираются в Париже и устраивают бал, к которому берут внаем костюмы восемнадцатого века и съезжаются на этот бал в каретах. И роскошно веселятся в снятом с этой целью модном (и, естественно, — шикарном) ресторане. Все это текло с показываньем слайдов. А последний час он посвятил подробному показу чертежей и общего пленительного вида того дома, что ему сейчас кончают строить где-то на реке Днепре. И это был, насколько я сумел понять, тот самый белый конь победы, на котором он собрался въехать на оставленную родину. А безусловная прельстительность его житейского пути должна была наставить всех собравшихся на тот же путь, сияющий такой пленительной и сладкой перспективой.

Все слушали его мечтательно и упоенно — и меня это расстроило, признаться.

Мне порою кажется, что в мире существует муза пошлости. И что скорей всего, она двулика. Выглядит она прекрасно и заманчиво. В ней есть и блядский аромат доступности, и безусловная прелестность — как у очень полногрудой и весьма легко одетой чуть потрепанной блондинки из роскошного рекламного журнала (часто — с телефонами). И дыхание ее отнюдь не смрадно, а приятно отдает одеколоном. Из недорогих, однако же не всем доступных. А лицо ее второе — тоже чрезвычайно миловидно. Тут она скорей шатенка и в очках, но главное — что образованна и не глупа. Поскольку муза пошлости обслуживает и весьма высоколобых интеллектуалов — может быть, не реже, а гораздо чаще и активней, чем убогих темных обывателей. Она стремительно и безотказно появляется на наш неслышный зов, чтоб утолить нашу тоску по красоте, осмысленности жизни и высокой значимости личного существования. И жаждущих она отменно ублажает — красивой пышностью их места пребывания, самодовольством, дутым воспарением души, высокопарностью и мнимой глубиною мысли.

У музы пошлости, однако, есть и собственные игры и замашки. Эту музу очень тянет, манит и прельщает всякая возможность испохабить и унизить подлинные и высокие проявления человеческого духа. Тут она пускается на хитрости, уловки, обольщения и часто достигает своего. А наблюдая сальные и липкие следы своего прикосновения, она хихикает и мерзко торжествует. И нельзя не поразиться ее пакостным успехам: как опошлены сегодня (а на фене лагерной еще точней — опущены) понятия чистейшие — патриотизм, романтика, духовность. Это с полной точностью однажды сформулировала моя теща: лучше я пять раз услышу слово «жопа», сказала она грустно, чем один раз — слово «духовность».

А торжествует муза пошлости и расцветает, чувствуя, что не напрасно ее всюдное присутствие — от пафоса с патетикой, претензий и амбиций, гонора и чванства, хилых жалостных потуг на глубину, значительность и тонкость восприятия.

Иногда ей только задним числом удается ее пакостное прикасание, но она не гнушается и прошлым. Эту ее сладостную слабость я могу посильно описать на одном случайном эпизоде из моей собственной жизни.

Мне как-то позвонили из Москвы, и милый женский голос пригласил меня приехать в октябре на международную книжную ярмарку во Франкфурт. Там будет год российской книги, соберется более ста писателей, и на дискуссиях за круглыми столами они обсудят всю недавнюю историю и всякое другое относительно российской словесности. Мне сразу стало странно, почему для обсуждения такого следовало ехать всем во Франкфурт, а не собраться где-нибудь в Москве или же в Питере. Я ответил вежливо и благодарно, что пока еще не знаю, как у меня сложится со временем, и вкрадчиво спросил, кто едет на такой роскошный курултай. О, весь цвет литературы российской, заверила меня женщина уже не просто милым, но и восторженным голосом. И назвала мне десяток имен. Я некогда был замечательно обучен Зиновием Ефимовичем Гердтом, как надо реагировать, если зовут на свальные концерты. Прежде всего надо выяснить, кто еще там выступает, и уже становится все ясно. Однако следует, ничем себя не выдавая, вежливо спросить, каковы условия оплаты. И только после этого пора узнать, когда все это состоится. Тут и нужно с огорчением сказать, что все услышанное — просто замечательно, но именно в тот день ты уже занят (приезжает старенькая тетя из Херсона), и поделать ничего нельзя. Если приглашатель симпатичный, следует выразить сочувствие в свой адрес и заверить, что в следующий раз — непременно и с радостью. Все приезжают за свой счет, ответила мне собеседница, оплачивается только гостиница. Эх, жалко, нету у меня свободных денег, легкомысленно ответил я, надеясь, что отделался с концами. Но через неделю позвонил мужчина. Он торжественно мне сообщил, что неким специальным постановлением где-то очень наверху решено оплатить мне дорогу. Я благодарно заверил его, что выясню свои обстоятельства и вскоре позвоню. Вы примете участие в круглом столе, который посвящен Самиздату, пояснил мужчина, теперь уже не сомневавшийся, что я приеду. Мы пришлем вам темы обсуждений, сказал он.

Тут я музу пошлости оставлю ненадолго, ибо каждый автор полное имеет право на лирическое отступление. От упоминания Самиздата у меня сладко защемило сердце. Много лет жизни было связано с этими листочками папиросной или просто тонкой бумаги. Они потом бесследно исчезали, ибо заменил их поток изданных за рубежом книг — Тамиздат, пошедший в семидесятых. Думаю, что на складах Лубянки (если они только не сжигали свою добычу) накопились тонны этой литературы, произведенной уникальным для двадцатого века способом. Ведь за Самиздат давали лагерные и тюремные срока — об этом странно даже подумать сегодня. Срок давали по статье — «хранение и распространение литературы, порочащей советский общественный и государственный строй».

А сначала (в моем поле зрения) появились стихи. Цветаеву и Мандельштама, Хармса и Олейникова я прочел впервые в машинописном виде. В Самиздате автоматически производился жесточайший естественный отбор: уцелевало, размножаясь, только то, что люди перепечатывали, чтобы раздать друзьям и увезти в другие города. Это был настоящий критерий литературного качества. Помню, как стремительно во множестве копий разлетелась повесть Юза Алешковского «Николай Николаевич». Многажды перепечатывалась книга Евгении Гинзбург «Крутой маршрут». Широко ходили лагерные воспоминания, уж не упомню я сейчас имен тех каторжан и каторжанок — а точнее сказать, помню, но не привожу, боясь их переврать, ведь целая библиотека мемуаров ходила тогда в папках по рукам. После появились уже книги Джиласа и Авторханова. Все мои знакомые, друзья и приятели читали запоем. Папка давалась на неделю, на два дня, порою только на ночь. И большое было счастье — это потайное чтение. А если шире посмотреть, уже теперь издалека, то возникает впечатление (простите мне красивость образа), что некий многие года согбенный раб осваивал уроки прямохождения.

Записываю все сейчас подряд, что вспоминается, и нету никакой последовательности в этом отступлении от темы. Странное и очень озаренное стояло время. Доживали свои последние годы (два десятилетия, скорее) огромные машинописные бюро, которые существовали всюду, верша бесплодную ведомственную переписку. В каждом учреждении была, как правило, одна большая комната, где озверело и одновременно стучали на огромных допотопных машинках (новых я нигде и никогда не видел) десять-пятнадцать (а то и больше) женщин. Обычно весьма задастых от целодневного сидения и чуть надменных, ибо все сотрудники заискивали перед ними, стремясь влезть без очереди или напечатать поскорее. Многие из них брали работу на дом — вот они-то и печатали самиздат. Хороших, недорогих и доверенных машинисток передавали друг другу как немыслимую ценность.

Помню, как ко мне приехал еще мало тогда знакомый физик Саша Воронель: не знаю ли я женщину, которой можно довериться. Это задуман был журнал «Евреи в СССР». Конечно, знаю! Старая машинистка (много лет работала в газете) Сарра Борисовна Шапиро уже который год перепечатывала для моих знакомых все, что мы притаскивали ей. Один только «Архипелаг Гулаг» она воспроизвела три или четыре раза (шесть копий на папиросной бумаге). И кстати, одновременно она как ни в чем не бывало печатала статьи своего давнего знакомого по газете, ныне уже начисто забытого подлого международника Зорина. Тот ездил по всему миру, дико понося страны капитализма и превознося тем самым уникальное счастье советского человека. Сарре Борисовне он доверительно рассказывал, как хорошо повсюду, где он был, а что касается Японии, то хоть сейчас туда бы перебрался.

Сарра Борисовна была интеллигентна и болтлива. Разговаривать она умела, ни на миг не прекращая с жуткой скоростью печатать и не выпуская папиросу изо рта. Прерывалась она только для того, чтобы прикурить свежую от уже докуренной. Печатала она журнал «Евреи в СССР» всего лишь года два, по-моему. Однажды позвонила она с радостным известием: ей поставили наконец телефон. Ну вот и все, прозорливо заметила моя жена, теперь Сарра Борисовна вмиг проболтается по телефону о чем-нибудь интересном, что попало ей в перепечатку. Так оно и случилось. У нее при обыске отобрали машинку, но ее саму не прихватили. Полагая, очевидно, что она обзаведется новой техникой и, будучи под колпаком уже, поможет наблюдению и пресечению. Оставить ей ту же машинку то ли не догадались, то ли не имели разрешения. Сарра Борисовна была слишком бедна для покупки новой машинки, она вечно помогала своим нуждающимся родственникам, а без работы стала чахнуть, угасать и вскоре умерла.

Я знавал целые библиотеки Самиздата. У писателя Марка Поповского жила в Москве у Белорусского вокзала пожилая приятельница. В недалеком прошлом — биолог, ныне она была на инвалидной пенсии (что-то с ногами) и с кровати не вставала. Но полна была энергии, знаний, доброжелательства, общаться с ней было необыкновенным удовольствием, и мы довольно часто собирались у нее, чтоб обо всем на свете потрепаться. У нее была тетрадь для коротких записей-размышлений, и она порой читала из нее. Одну такую запись помню до сих пор: «Когда я вижу женщин, таскающих на железной дороге непомерной тяжести шпалы, я всегда вспоминаю свою бабушку, отдавшую всю жизнь борьбе за уравнение женщины с мужчиной в праве на труд».

В маленькой двухкомнатной квартире у этой старушки содержалась огромная самиздатская библиотека.

Читателей было множество — даже странно, что при всей неразборчивости нашей в знакомых эта библиотека существовала так долго. Но однажды Марк средь бела дня обнаружил в подъезде парочку, так стремительно прильнувшую друг к другу при его появлении, что он естественно заподозрил недоброе. Он в ужасе позвонил мне, и ближе к ночи мы с одним приятелем (у него была машина — большая по тому времени редкость в нашей среде) за две ездки переправили чемоданы с папками на дачу моих родителей. Что Марк не обманулся, подтвердилось через день, но обыск уже был безрезультатным. Отобрали только тетрадь с мыслями хозяйки о текущей жизни. Жалко было даже этой потери.

Вряд ли может быть сосчитано, сколько сотен (если не тысяч) человек сели в тюрьму за распространение и хранение Самиздата. А количество выгнанных с работы за перепечатку на служебных ксероксах (они чуть позже появились) вообще не сосчитаешь, вероятно.

И тут остановился я, споткнувшись. Ибо все это сентиментальное повествование из меня вылилось от острого и пакостного чувства, мной испытанного после получения официального приглашения во Франкфурт. Вот как назывался в приглашении тот круглый стол по обсуждению великого российского Самиздата:

«Андерграунд как эстетический мейнстрим».

А писатель, который должен был вести обсуждение, назывался не ведущим, а — «модератором».

Вслед за стыдом и омерзением почувствовал я радость, что счастливо избежал пахучего и липкого прикосновения.

Но воздадим и должное этой повсюдной и всеядной музе: смех и слезы исторгать она умеет несравненно лучше, чем любая из ее почтенных уважаемых сестер. Уже какое поколение людей смеется и ликует, когда жирный свежий торт заляпывает важное, но малосимпатичное лицо. Или возьмем сиротку, обреченную на нищету и гибель, если бы ее не подобрал и не пригрел какой-то юный, тоже нищий оборванец. И она ему стирает и готовит в их каморке, а он вовсе не простого рода и происхождения. Его украли маленьким для выкупа, а он сбежал и потерялся. А родители его искали, но нашли только теперь. Они аристократы и насчет сиротки сомневаются. А она не жалуется и не плачет, а ухаживает молча за больной старушкой по соседству. Но внезапно к дому, где каморка, подъезжает конный экипаж, и он выскакивает, чтобы взять ее с собой. Ну что, вы не заплакали еще? Заплачете, когда они пойдут из церкви.

Тут за руку легко меня схватить: когда вся морда в торте у паскудного лица, то это карнавал и торжество душевной справедливости, а в случае с сироткой — наша неизбывная сентиментальность и сочувствие неправедно униженным. Так это счастье, а не пошлость, уважаемый. Согласен. Только все зависит от того, как это сделано (в обоих случаях), и только вкус наш позволяет усмотреть, что хорошо, а что вульгарно. Что такое вкус, никто не знает, и про вкус не спорят (ибо бесполезно и обидно), и опять мы некое неуловимое понятие напрасно ловим продырявленным сачком туманных и расплывчатых претензий. Тут легко мне привести отчетливый пример отменной, неизбывной, чистой пошлости, настолько торжествующей, что вылилась она привольной песней:

Зайка моя, я твой зайчик,
Ручка моя, я твой пальчик,
Рыбка моя, я твой глазик,
Банька моя, я твой тазик.
Солнце мое, я твой лучик,
Дверца моя, я твой ключик.
Ты стебелек, я твой пестик,
Мы навсегда с тобой вместе.

На случай, если вы еще не насладились, есть и продолжение:

Ты бережок, а я речка,
Ты фитилек, а я свечка,
Ты генерал, я погоны,
Ты паровоз, я вагоны.
Крестик ты мой, я твой нолик,
Ты мой удав, я твой кролик.
Ты побежишь, а я рядом,
Ты украдешь, а я сяду.

И еще припев имеется, не чересчур разнообразный, ибо там пять раз упоминается, что «плохо сплю», и семь раз — веская причина этого недосыпания — «тебя люблю». Недаром эти все слова написаны когда-то были как пародия, но на глаза попались популярному певцу, который в них пародии ничуть не усмотрел. И вот вам результат: на этой песне восхищенно содрогается аудитория уже который год. А мы опять бессильно машем нашим продырявленным сачком. Выходит, пошлости как таковой — не существует, вся она — лишь в нашем восприятии. Казенного, к примеру, пустословия. Елейной умиленной фальши. Сальности скабрезного повествования. И пафоса на патоке патетики. И театральности в обыденном общении. И мемуаров с омерзительным интимом. Можно сколь угодно продолжать, поскольку пошлость — просто тень от жизни, только то и дело подменяет ее нагло и успешно. Как бы неосознанная, но неотвратимость нашего живого бытия.

Ну, про советское кино я даже говорить не буду, чтобы не увязнуть в пошлости непроходимой и сплошной. А тоже ведь, бывало, плакал — с удовольствием сочувствуя и торжествуя в тех местах, где пошлое добро (снаружи — мармелад, внутри — железо) побеждало глиняное зло.

С поры, когда в вечерней жизни миллионов утвердился голубой экран, у музы пошлости заметно обнаглели оба лика. Даже говорить об этом скучно. Только иногда обидно очень: я, к примеру, с удовольствием пью пиво, но с момента, когда я услышал о своем любимом сорте, что это «пиво романтиков и мечтателей» — мне пить его уже не хочется.

Все года, что завываю я стишки со сцены, мне приходится выслушивать упреки в пошлости. Поскольку неформальная лексика мной ощущается как неотъемлемая и естественная часть великого русского языка, а уши множества ревнителей она коробит. Они ее не в силах отличить от повседневной и повсюдной матерщины улицы, пивной и подворотни.

Только тут я отвлекусь для крохотного замечания по ходу темы: уличная матерщина кажется мне тоже вполне естественным явлением. Во всяком случае — мы осуждать ее не вправе. Нам давно пора понять чисто российский, уникальный этот способ облегчения души, многовековым российским неустройством жизни порожденный.

И, чтобы слов не тратить понапрасну, я прибегну к некой давней мысли Карла Маркса. А точней — цитате из него: «Религия — это вздох угнетенной твари». Так вот, он был неправ, поскольку этот вздох — российский мат.

А лексика в литературе — это дело авторского вкуса, и вульгарной пошлостью она становится, когда автор этим вкусом обделен. Такое мы сегодня тоже видим сплошь и рядом. И читая эти тексты, я испытываю то же омерзение, что бедные ревнители пристойности — от нечаянного слушанья меня. Я совсем недавно ощутил себя пожилой учительницей благонравия, и вечер этот помню до сих пор. Меня после концерта в Минске пригласили на загадочное мероприятие — на черный КВН. Вы когда-нибудь слыхали, что на свете существует черный Клуб Веселых и Находчивых? Лично я — впервые. И услышал и увидел. Очень, очень молодые люди обоего пола съехались из разных городов, чтоб состязаться в остроумии, замешанном на дикой матерщине. Какое-то казино им предоставило уютный зальчик возле бара, публика неторопливо выпивала, вяло хлопала и снисходительно внимала. Все здесь было по традиции: приветствия команд, разминка, быстрые ответы на вопросы зрителей и конкурс капитанов. Не было только остроумия. Поскольку целью было — непременное употребление неформальной лексики, звучащей грязно и некстати, ибо вкус у этих молодых — катастрофически отсутствовал. Я минут сорок выдержал, а более не смог. Вполне была причина деликатной для ухода: я опаздывал на поезд. А когда курил я в тамбуре вагона, то припомнил дивную историю про женщину, подобием которой я сегодня был. Ее во время жаркой ругани в проектной их конторе обозвал говном сотрудник, и она пошла к начальству с жалобой. Но слово это по культурности своей она произнести была не в силах, и поэтому пожаловалась горько, что ее — фекалью обозвали.

Завершить эту главу придется кое-как и наспех. Ибо едва придет на ум чего-нибудь высокое сказать, о вечности или о бренности помыслить — тут же слышится благоуханное дыхание возникшей за спиною чуткой музы. Кстати, интересно, что один из самых ярких видов пошлости — к ней даже не касательство, а просто обсуждение ее.

ГЛАВА СЛУЧАЙНАЯ

Уже давно оставил я бесплодные попытки что-нибудь определенное сказать о пошлости, уже писал я вовсе о другом, а тема эта настоятельно тревожила меня. Как будто я чего-то не договорил. Я понимал, что это область бесконечная, что это просто разновидность жизни, а ввиду отсутствия любых критериев — пуста надежда изловить и как-то обозначить пошлость. Ну, о вкусах принято не спорить, но бывает ведь и пакостное послевкусие от облака одеколонного дыхания. И это тоже область личных ощущений. А хотелось уловить ее не только чувством, но и внятно передать приметы к опознанию. Я сел припоминать и вдруг сообразил, что в разные эпохи совершенно был различен ее облик. Пошлое безоблачное прозябание клеймил когда-то буревестник революции: «Им, гагарам, недоступно наслажденье битвой жизни, гром ударов их пугает». А как торжествует пошлый Уж над победительным паденьем гордого Сокола! Мы в школе всю эту романтику учили наизусть, и не заметили, как постепенно стала она пошлостью расхожей. Нашествия именно пошлого грядущего Хама ожидал (и не без оснований) Мережковский. А во времена позднесоветские именовалось пошлостью существование, далекое от пафоса великих строек коммунизма. И отзывчивые быстрые поэты даже рифмовали, противопоставляя «торшер» и «Тайшет», но это как-то мерзко даже обсуждать. Еще я вспомнил, как газетные статьи клеймили словом «пошлость» песни Окуджавы. Словом, это темное понятие всегда было удобным поношением.

И тут с обидой, снова вспыхнувшей (спустя лет сорок), вспомнил я, как забежал в редакцию газеты, где поэзией тогда заведовал мой близкий и любимый друг, поэт Саша Аронов. Но сотрудники сказали мне, что он ушел в райком, поскольку принят в партию, и через полчаса вернется с партбилетом. Он об этом мне не говорил, и я решил не упускать такой прекрасный случай поглумиться. Я попросил найти большой бумажный лист, и возвратившийся мой друг увидел пламенный плакат, исполненный коряво, но весьма большими буквами:

> Моральных нам несут уронов
> такие члены, как Аронов!

Еще вчера бы Сашка (чувство юмора его и по стихам заметно сразу) — только громко засмеялся от нехитрой этой шутки, но теперь он холодно и неприязненно сказал:

— Ты, как всегда, без пошлости не можешь.

И я тогда обиженно ушел. Сейчас эту историю я вспомнил просто походя, раздумывая вовсе о другом: бывают ведь немыслимо смешны и пошлы — ситуации житейские, в которые порой мы попадаем. Нет, не только выспренние (плюс елей с повидлом) юбилеи и натужные занудливые торжества по некоему (часто — уважительному) поводу. Пошлость ситуаций, о которых я подумал, вся проистекает из того, что уже много раз они бывали с разными людьми, воспроизведены в бесчисленных комедиях и водевилях, и внезапно мы оказываемся внутри избитого и древнего сюжета. У меня такое было вследствие одной скоропалительной и краткой увлеченности. В далекой и прекрасной молодости это было. Когда выпивку закусывали мы весенним ветром. А сюжет, обшарпанный, истертый и засаленный, вы опознаете в конце истории. Я как-то познакомился в гостях с киноактрисой, произведшей на меня — ну, сокрушительное, прямо скажем, впечатление. Звали ее — Роза, а фамилию ввиду известности (ее) и деликатности (моей) я называть не буду. А была она без спутника, ввиду чего назавтра я послал ей через общего приятеля подметное письмо — чтобы разрыхлить почву, как теперь я понимаю. Много лет спустя ко мне вернулся (обнаружился, вернее) черновик того письма, и мне его сейчас приятно привести, хотя от темы я немного отвлекаюсь.

«Здравствуйте, много уважаемая мной Роза, не сочтите наглостью, что я не знаю, как по Батюшке. А это пишет с извинением, что помешал Вашей красивой быстрой жизни, бывший только что военнослужащий, сержант запаса Игорь Бесфамильный. Понимаю, Роза, что мое само образование не позволяет мне надеяться на Вашу склонность, только я на службе в армии один раз видел Ваш большой смеющийся автопортрет в журнале «Советский экран». И это фото Ваше потрясло меня до глубины души и до корней волос. Хотя из нашей роты многие смотрели так на это фото, будто они вечером в казарме и уже на койке, и никто не видит, чем они там занимаются. А вчера я Вас увидел на экране и опять немало пережил. Роза, неужели Вы такая же и в жизни, или это все парик из грима? Если Вы такая же, то я бы взял Вас на руки и нес, не покладая рук, куда глядят наши с тобой глаза. Я после службы в армии живу в столице нашей Родины, где я работаю вахтером на заводе оборонного значения. А вечером я очень хорошо играю на баяне, и поэтому, если Вы мне ответите, то может быть, и Вам со мной немного будет интересно. Я хотя живу тоже в Москве, но посылаю Вам письмо авиапочтой, чтоб дошло скорее. А еще могу прислать Вам фотографию свою размером шесть на девять. Остаюсь с надеждой, Игорь Бесфамильный».

Не прошло недели, как меня приятель отыскал в библиотеке, чтобы сообщить отменно радостную новость: клюнула рыбешка, так письмо это сыграло, что я зван на день рождения, который состоится завтра. И не просто зван, а Роза нынче в ссоре со своим давнишним хахалем, и легкая надежда есть, что приглашение мне послано не зря.

Как я летел на этот день рождения! Но почему-то опоздал почти на час, и вся компания уже довольно крепко выпила. Мне предложили тост произнести, а он был загодя и очень тонко мною подготовлен. Только здесь придется мне назвать фамилию того, с кем Роза находилась в ссоре, мы знакомы не были, однако же фамилию я знал. Мой тост был краток, но красноречив:

Как говорил Жан Жак Руссо —
к ебене матери Куксо!

Все довольно дружно засмеялись, только как-то странно: глядя на человека, сидевшего в углу дивана. Кажется, он тоже засмеялся. Это был как раз Куксо, с которым накануне ночью Роза помирилась.

Так попал я внутрь сюжета тривиального донельзя, водевильного, однако же еще минут пятнадцать высидел из чистого упрямства. На меня старались не смотреть, и налитую самому себе вторую рюмку я украдкой выпил.

Есть еще одно необозримое пространство пошлости. Вам не встречался бюст Шопена, отлитый из парафина, с фитилем на макушке? И есть Наполеон такой, и даже Иисус Христос.

Еще забыл упомянуть я пошлость нынешних бесчисленных тусовок, презентаций и фуршетов по любому поводу. Но тут у пошлости примета есть: висящая над этим скука (если не нашел себе случайно собеседника). Однако же, могу себя легко я опровергнуть. С помощью истории одной (судите сами).

В некоем большом российском городе все это было. К моему приятелю-врачу повадилась ходить лечиться дружная компания каких-то мелких бизнесменов (а возможно — и бандитов, это нынче трудно различить). Шестеро их было, если память мне не изменяет. И один однажды заявился с общей просьбою от всех.

Им необходим был срочно венеролог, только непременно — свой, надежный человек. Поскольку только что все шестеро одновременно подхватили триппер, а еще успели передать его и женам. И не только вылечить их всех был должен врач, но и шепнуть их женам, что не гнусный это триппер, а обычный вирус, часто попадающийся в банях — даже в самых фешенебельных и чистых. Мой приятель им немедленно врача сыскал, но любопытства удержать не мог и с осторожностью спросил, как ухитрились заразиться они вместе и одновременно. И посланец снисходительно ответил:

— Презентация, профессор!

А еще бывают пошлыми — причины, по которым совершаются прекрасные на первый взгляд поступки, только если присмотреться к их истокам, восхищение сникает. У меня такое тоже тесно связано с Сашей Ароновым, которого я преданно любил. Одна из его давних жен была немыслимо слаба на передок. При этом волновали ее — только творческие личности. Похоже, это качество она ценила много выше остальных мужских достоинств. Те, на кого падало ее недолгое внимание, о нем нисколько не болтали, проявляя деликатность и сочувствие. И вдруг узнал я, что один поэт повсюду хвалится своим успехом у любвеобильной этой дамы. Так за Сашку стало мне обидно! До поры, пока в молчании все это протекало, мне настолько не было обидно. И когда мне сообщили (мы сидели где-то, выпивая), что в кафе неподалеку обретается этот болтун с приятелем, немедленно и я туда помчался. И дождался я, покуда они вышли, и влепил пощечину хвастливому поэту. Но за те минуты, что он делал вид, как будто порывается ответить тем же (аккуратно позволяя своему приятелю удерживать его), настолько я себя конфузно чувствовал, что помню это до сих пор. Чью честь я защищал? О легковейности порывов Сашкиной жены все знали и без этого злосчастного поэта, и ужасно пошлой (а ничуть не рыцарской) теперь мне виделась сама пощечина моя. Заметить еще надо, что поэт был невысок, телосложения изящного, и риска, что побьют, у меня не было. Поэтому еще слегка паскудным было явленное действо. Только это пронеслось в башке моей, когда я свою глупость уже сделал. Я много лет спустя перед поэтом извинился, кстати — он пожал плечами и сказал, что ничего не помнит. И опять я молча мудаком себя назвал.

Я сейчас подряд любое вспоминаю, чтобы оттянуть то главное, ради чего я, собственно, главу эту затеял. В собранном мной перечне той пошлости, с которой мы все время сталкиваемся по жизни, оказалось нечто, чем я сам давно грешил с огромным удовольствием. Когда приходит в голову какое-нибудь значимое имя, то ужасно тянет изречение к нему пришпилить. Не цитату, нет, избави Господи, а что-нибудь пустяшное, банальное и бытовое. Такое нечто, напрочь приземленное. И это совмещение высокого и низкого (звучащего для слуха имени — с расхожим пустозвонством) становится забавным и читабельным. И более того — становится игрой. На этом я попался и немедленно втянулся. Сочинить хотел один-единственный пример, а провалился — в зыбкую и дивную пучину. Я подряд два дня как будто бы отсутствовал: я ел и пил, чинил машину, был в гостях и принимал участие в каких-то разговорах, но на самом деле — непрерывно сочинял четверостишия. И я бы даже вдохновением назвал эту блаженную отключку, но не поднимается рука на святотатство. Всю скоропалительно возникшую продукцию вставлять в текущие стихи — никак не получалось. И решил я поместить отдельно краткий опыт обращения с почтенной древностью. Случился, дескать, у порывистого автора недолгий приступ неоклассицизма. Изысканная будет у меня прокладка между главами, подумал я конфузливо и нагло.

А прокладка эта — и название имела: «Грецкие огрехи». Но по ходу вольных измышлений властно вклинились мыслители других народов. И название пришлось переменить.

Брызги античности

Предупреждал еще Гораций —
поэт, философ, эрудит,
что близость муз и дружба граций
житейской мудрости вредит.

Учил великий Аристотель,
а не какой-нибудь балбес,
что похотливость нашей плоти —
совсем не грех, а дар небес.

Как нам советовал Овидий,
я свой характер укрощаю,
и если я кого обидел,
то это я ему прощаю.

Не зря учил нас Гиппократ
(а медик был он — первый номер):
«Болеть — полезней во сто крат,
чем не болеть, поскольку помер».

Есть очень точная страница
в пустых прозрениях Платона:
что скоро будет честь цениться —
дешевле рваного гондона.
Отменной зоркости пример
сыскался в книге Теофраста:
пластичность жестов и манер —
заметный признак педераста.

Я оценил в Левкиппе вновь
его суждения стальные:
«Кто пережил одну любовь,
переживет и остальные».

Хотя Сафо была стервоза,
но мысли — стоят дорогого:
«Своя душевная заноза —
больней такой же у другого».

Сказал однажды Геродот,
известный древности историк,
что грешник подлинный лишь тот,
кому запретный плод был горек.

Заметил некогда Сенека,
явив провиденье могучее,
что лишь законченный калека
не трахнет женщину при случае.

А чуткий к запахам Хилон
весьма любил, как пахнут кони,
но называл одеколон —
«благоуханием для вони».

Великий скульптор Поликлет
ваял роскошно и сердито:
кто б ни заказывал портрет,
он вылеплял гермафродита.

Был Демосфен оратор пылкой
и непосредственной замашки,
а если бил кого бутылкой —
рука не ведала промашки.

Полезно в памяти иметь
совет интимный Авиценны:
«Не стоит яйцами звенеть,
они отнюдь не звоном ценны».

Прочел у некоего грека
(не то Эвклид, не то Страбон),
что вреден духу человека
излишних мыслей выебон.

Писал когда-то Еврипид,
большой мастак в любви и спорте:
«Блаженный муж во сне храпит,
а не блаженный — воздух портит».

Прекрасно умственной отвагой
у Архимеда изречение:
«Утяжеленность пьяной влагой
приносит жизни облегчение».

В саду своем за чашкой чая
сказал однажды Фукидид:
«Мудрец живет, не замечая
того, про что кретин — галдит».

Был молод циник Диодор,
но у него дыханье сперло:
соленый мелкий помидор
попал в дыхательное горло.

Признался как-то Эпикур,
деля бутылку на троих,
что любит он соседских кур —
гораздо больше, чем своих.

Жил Диоген в убогой бочке,
но был он весел и беспечен
и приносил туда цветочки,
когда гречанку ждал под вечер.

Как объяснил друзьям Эсхил,
заплакав как-то ближе к ночи:
«Когда мужик позорно хил,
ему супругу жалко очень».

Виноторговец Аристипп
ничуть умом не выделялся,
но был такой распутный тип,
что даже скот его боялся.

Когда ученая Аспазия
плоды наук в умы внедряла,
то с мужиками безобразия —
на манускриптах вытворяла.

ИГОРЬ **ГУБЕРМАН**

Любил себя хвалить Гомер,
шепча при творческих удачах:
«Я всем векам даю пример,
слепые видят зорче зрячих».

Легко слова Эзопа эти
ко всем эпохам приложить:
«Хотя и плохо жить на свете,
но это лучше, чем не жить».

Весьма ученый грек Фалес
давал советы деловые:
«Не заходи бездумно в лес,
который видишь ты впервые».

Был тонкий логик Эпидод,
писал он тексты — вроде басен:
«Дурак не полностью — лишь тот,
кто с этим полностью согласен».

С людьми общался Архилох
без деликатности и фальши:
«Пускай ты фраер или лох,
но если жлоб — отсядь подальше».

Был Горгий — истинный философ:
людей в невежестве винил
и тьму загадочных вопросов
еще сильнее затемнил.

Жил одичало Эпиктет —
запущен дом, лицо не брито,
но часто пил он тет-а-тет
с женой соседа Феокрита.

Пиндар высоким был поэтом,
парил с орлами наравне,
но успевал еще при этом
коллегу вывалять в говне.

Сказал философ Парменид,
не допускавший верхоглядства,
что каждый день его тошнит
от окружающего блядства.

Одна из мыслей Эмпедокла
мне исключительно любезна:
«Чья репутация подмокла,
сушить такую — бесполезно».

Блуждал по небу взор Лукреция,
раскрыт был мир его уму,
и вся мифическая Греция
была до лампочки ему.

С похмелья раз Анаксимандр
узрел природы произвол:
близ дома росший олеандр
большими розами зацвел.

Не зря писал Экклезиаст,
и я в его словах уверен:
«Опасен тот энтузиаст,
который всех пасти намерен».

Был очень мудрым Демокрит,
и вот ума его творение:
«Когда душа в тебе горит,
залей огнем ее горение».

Учил угрюмый Ксенофан,
что мир обрушится в итоге,
поскольку неуч и профан
повсюду вышли в педагоги.

Зенон, кидая крошки в рот,
заметил в неге и покое,
что бездуховен только тот,
кто знает, что это такое.

В театре сидя, Анахарсис
уже почти что задремал,
но испытал такой катарсис,
что стал заикой и хромал.

Приятно мне, что старший Плиний
со мною схож во вкусах был,
и плавность нежных женских линий
весьма и всячески любил.

А младший Плиний в тот момент
писал совсем иные книжки,
поскольку был он импотент
и знал о ебле понаслышке.

Молился Зевсу жрец Пирей
и от судьбы не ждал злодейства,
но слух пошел, что он еврей,
и с горя впал он в иудейство.

Солон писал законы все,
чтоб обуздать умы и души,
но сам один из них нарушил,
за что в тюрьму позорно сел.

Сказал однажды Заратустра,
что слышал он, как пела птица:
«Не надо, люди, слишком шустро
по этой жизни суетиться!»

Состарясь, ветхий Ганнибал
в тени от лавра за колодцем
детишкам байки загибал,
что был великим полководцем.

Как сам Лукулл, не мог никто
перед едой произнести:
«Всегда идет на пользу то,
что вред не может принести!»

И духом был неукротимый,
и реформатор был Пиррон,
нанес весьма он ощутимый
хозяйству Греции урон.

Мирил соседей Гесиод,
когда они бывали злы:
«Над нами общий небосвод,
а вы ругаетесь, козлы!»

Рассеян был Аристобул
и влип однажды в передрягу:
чужие тапочки обул,
и в рабство продали беднягу.

У геометра Филолая
была культура тех веков,
и, сластолюбием пылая,
он еб своих учеников.

Тоска томила Протагора,
когда шептались прохиндеи,
что он украл у Пифагора
свои несвежие идеи.

Все брали в долг у Феогнида,
не отказал он никому,
но иногда, такая гнида —
просил вернуть он долг ему.

Напрасно мучился Конфуций,
пытаясь к разуму воззвать:
«Не надо свой отросток куцый
куда ни попадя совать!»

Учил маневру Ксенофонт
(вояка был поднаторевший):
«Бери противника на понт,
пуглив и робок враг забздевший».

От чина к чину рос Люцилий,
но потерял, увлекшись, меру:
сошелся он с еврейкой Цилей,
чем погубил свою карьеру.

Весьма гордился Поликрат:
на рынке мудрость победила,
и сдался споривший Сократ,
ему сказав: «Ты прав, мудила!»

Учеников Анаксимен
тому учил больших и малых,
что крутость резких перемен
родит мерзавцев небывалых.

Анакреон не знал сомнений,
пробормотав на склоне лет:
«Какой ни будь мудрец и гений,
а тоже ходишь в туалет».

Весь век нам в это слабо верится,
но Гераклит сказал однажды,
что глупо смертному надеяться
одну бутылку выпить дважды.

ОГЛЯНИСЬ ВОКРУГ СЕБЯ

Персонажу Библии Хаму крепко не повезло: имя его стало нарицательным. Хотя вина его перед отцом была ничтожна, если вообще была. Судите сами, ибо я его не в силах осудить. Вполне домашний эпизод: отец семейства Ной из лично выращенного винограда изготовил вино и сильно перепил, пробуя полученный продукт. В силу чего лежал он голый (было ему жарко, что естественно) в своем шатре, куда и заглянул, ища отца, его младший сын Хам. Увидев наготу и опьянение отца (и пьяный храп услышав, разумеется), он тут же повернулся и пошел об этом рассказать старшим братьям. Братья отыскали кой-какое покрывало или просто сменную одежду и заботливо укрыли спящего отца. При этом подошли они к нему, вежливо пятясь, то есть спинами вперед, чтоб не увидеть папу нагишом. А когда Ной проснулся и очухался, то братья ему это рассказали, и старик рассвирепел настолько (не с похмелья ли?), что проклял собственного внука, одного из сыновей Хама, уж никак не виноватого ни в чем ребенка, и обрек его на рабство. Вот и вся история. Прошу еще учесть, что нисколько не глумливо и без тени насмешки над напившимся отцом — ни слова нет об этом, просто рассказал младший сын своим старшим братьям, что отец в шатре находится в довольно неприглядном виде.

Забавно тут заметить, что многие поколения еврейских мудрецов и толкователей такая неувязка наказания с виной — тревожила и напрягала. И поэтому на бедного Хама взваливались мифы и легенды, призванные очернить его, оправдывая гнев папаши. Оказывается, он вошел в шатер не просто, а затем, чтоб оскопить бессильно спящего отца, и Ханаан (сын Хама, вскорости наказанный рабством) помогал ему при этом. Были и другие тягостные версии. Ни в коем случае не собираясь спорить с мудрецами, только выражу свое недоумение: зачем же тогда Хам немедленно за преступлением поперся говорить об этом братьям? А еще на Хама навалили прегрешения во всей его последующей жизни (что с несомненностью отбрасывало тень и на его слабо доказанное темное прошлое): он, дескать, завещал своим потомкам жить в разврате и разбое и ни слова правды никогда не говорить. Очернили, словом, бедолагу этого по полной программе.

И постигла Хама кара историческая: имя его стало нарицательным для одного из самых неприглядных свойств последующих хомо сапиенс.

Забавно и загадочно, однако, что навеки утвердилось слово «хамство» (больше я не буду брать его в кавычки) — только в русском языке. Настолько разные оттенки обретя, что многие столетия спустя преподаватель Корнельского университета Владимир Набоков долго мучился, пытаясь объяснить американским студентам, что такое хамство в русском понимании. И еще три слова он никак не мог растолковать: интеллигенция, пошлость и мещанство. Впрочем, с этими тремя он постепенно справился, а с хамством — так и не сумел.

И затруднение его понять легко: ведь он наверняка кинулся за помощью к Далю, а у Даля в словаре написано уклончиво и кратко, что всего-то навсего хам — это «бранное прозвище холопов, лакеев или слуг». И еще: «подлый народ, люди низкого рода».

Но поскольку хамству как понятию и свойству предстояли в будущем России яркие и светлые перспективы, то словари дальнейшие уже гораздо ближе к делу. Хам по Ожегову — это грубый и наглый человек. А по Ушакову хамство — это беззастенчивая наглость. Тут пошли слова знакомые, исконные, и можно снова обратиться к Далю. Великий составитель словаря всего три дерева нашел в этом лесу, и наглый у него — это дерзкий, нахальный и бесстыжий. А нахальный — это наглый, дерзкий и бесстыжий. Круг замкнулся. А из этих трех деревьев надо как-то выбираться в буйную раскидистую рощу хамства, процветающего широко и невозбранно.

Попытался это сделать (из того, что мне известно) и Сергей Довлатов — человек, отменно чуткий к слову. Как-то мы на радио в Нью-Йорке говорили с ним о хамстве — правда, в связи с тем, что сам Сережа по широте натуры и от душевной беззащитности (точней, ранимости) был хамом выдающимся, об этом знают все, с кем он общался и дружил. Он сам тогда усмешливо об этом говорил — я от каких-то его слов слегка взорвался, и мы тут же нас обоих осудили, проявив к себе великодушие и снисходительность. А то, что он о хамстве написал (его, конечно, раззадорила набоковская неудача), прочел я много позже. И хоть он продвинулся совсем немного, зоркий взгляд его нашел еще одну черту: он написал, что хамство — это наглость, дерзость и нахальство, вместе взятые, но только их упрочивает — чувство безнаказанности. Ибо хам — имеет право, и никто его за это не накажет.

А потом — я сколько ни искал и ни расспрашивал — все обсуждения, статьи и даже круглые столы специалистов дальше повседневного, повсюдного, но бытового хамства так и не поднялись. Психологи научно объясняли, что хамство — это некая агрессия, а унижение, которое испытывает жертва, отзывается победным торжеством в душе у хама. Поскольку личность — в самоутверждении нуждается, и хама даже следует отчасти пожалеть. А их коллеги, кто потоньше, вспоминали, что совсем не грубым, а наоборот — негромко издевательским бывает вкрадчивое хамство, а тогда это — защитная реакция застенчивого слабого человека, и опять-таки он понимания достоин, а совсем не осуждения огульного. А хамство продавщиц — от отупляющей усталости, а у начальства — от глубинной неуверенности в себе и жажды верховодство подчеркнуть, а у чиновников (почти любых, но мелких — в особенности) — от рабства беспросветного, в котором яркий проблеск — всякая возможность выместить свое чувство ничтожности. И список этот можно продолжать.

И я с этим согласен безусловно. Более того: прекрасную я вспомнил иллюстрацию к спасительности вежливого хамства. В конце сороковых годов немало было сессий, съездов и собраний, на которых подвергались поношению и шельмованию отменно чистые и выдающиеся люди. На одной из таких сессий прорабатывали академика Леона Абгаровича Орбели. Этот знаменитый физиолог обвинялся в разных уклонениях от учения Павлова. А часовую почти речь о его научных ошибках — с пафосом произносил его же аспирант: такое хамское предательство учителя в те годы было массовым явлением. А после этой подлой речи вынудили выступить и самого Орбели — он покаяться был вызван на трибуну, этого и ожидали от него. Покаяться, чтобы спастись и уцелеть. На это шли и соглашались многие. Но только недооценили старика. Орбели медленно и внятно произнес:

— По сути сказанного мне добавить нечего, поскольку никакой научной сути это выступление не содержало. Что же касается продолжительности речи моего бывшего ученика, то свойство долго не кончать является достоинством любовника, но не научного докладчика — отнюдь.

И сошел с трибуны под восхищенное и робкое молчание коллег.

Но теперь вернусь я снова к этому загадочному и разнообразному слову — хамство. Бытовое, начальственное, чиновное хамство — мне всегда казалось только частью (просто очень яркой и заметной) этого масштабного и очень значимого в жизни человечества явления. Умственно собравшись (то есть покурив и выпив кофе), я принудил себя мыслить глубже и значительней. И хотя сразу с непривычки я устал, однако нечто важное успел увидеть и уразуметь. Это нечто я намерен изложить. Подробно, внятно и, увы, с печалью, неминуемой при достоверном освещении.

Про хамство в отношении к родителям известно каждому. Но мы его осознаем, когда нам извиниться уже поздно, и раскаяние наше — мимолетно и немедля тает в ворохе сегодняшних забот и суеты. А то подростковое хамство мною совершалось (помню до сих пор) с отчетливым и ясным пониманием того, что говорю и делаю, но надо было отстоять свою зеленую сопливую самостоятельность, и выхода иного не было, как мне тогда казалось. А частичное возмездие за то былое хамство — наши дети, я всегда об этом вспоминаю, как только напыжусь, чтоб метать родительские молнии.

Наша хамская неблагодарность — вообще особая поэма: мы в упор не помним никого, кто нам помог, нас поддержал, за нас на важном перекрестке поручился. Это я о ближних говорю, а что касается всех тех, кто делал то же самое издалека — их вообще не существует в нашей памяти. Что мы помним (а точнее — знаем вообще) о тех американцах, что годами безоглядно тратили — не только время и не только силы, но порой — и репутации свои, воюя за советское еврейство? За его возможность выехать, переменив судьбу. И это мы ведь только им, а не гуманности кремлевских долгожителей обязаны за то, что получили это право.

А когда недавно пышно отмечали шестидесятилетие со дня победы — ни единого не прозвучало слова благодарности по поводу той помощи, которая в немыслимых количествах проистекала от Америки: не только в виде техники различной (помните американские грузовики?), но и в виде продовольствия, которое от голода спасло огромное количество людей.

Про страну, которая нас приняла и приютила, говорить я вообще не буду. А желающим про это вспомнить — посоветую послушать на скамейках разговоры умудренных стариков: перечисление того, что нам Израиль недодал, — единственная и возлюбленная тема. И еще давайте не забудем, что евреи, из российских холодов попавшие в тяжелую жару, сделались народом еще более многострадальным. В этом климате их чувства распахнулись настежь, и с горячностью уже вполне южан они костят Израиль за неполноту гостеприимства, непочтение к их прошлому и полное отсутствие культуры, как они ее привыкли понимать в Бобруйске, под Херсоном и в Семипалатинске.

Как-то замечательно интимно мне поведала одна старушка, что вполне ей было бы тут хорошо, когда бы не молочные продукты.

— Здесь они невкусные? — спросил я, чтобы что-нибудь спросить.

Старушка очень оживилась:

— Ничего себе, но в Виннице у нас творог нежней гораздо и другие все молочные изделия вкусней намного... — И добавила с прелестным простодушием: — Только немного радиоактивные.

Теперь я буду обсуждать лишь исключительно себя, поскольку жуткий ощущаю страх, что в тон влекусь учительский и назидательный. А поучать лично меня — занятие бесплодное (отлично это знаю по отчаянию тех, кто хоть однажды вразумлял меня и наставлял). О хамском злоязычии своем — и сам прекрасно знаю, и жена неоднократно говорила. Кто-то замечательно заметил где-то: «Говорить о других плохо — это грех, но не ошибка». Грешен, и ничуть об этом не жалею. Потому что если я чужих поступков не замечу (а особенно — смешных), то кто же их заметит? И мудрец Гилель («Если не я, то кто? И если не сейчас, то когда?») со мной бы, несомненно, согласился. Ох, это хамство несомненное — вслух говорить о людях то, что думаешь, только пускай в меня немедля бросит камень тот, который этим не грешил.

А недавно я узнал о еще одном виде самолекарственного хамства, очень интересного и неизвестного широкой публике, поскольку оно замкнуто в узкой профессиональной среде. Меня везли в автомобиле два прокатчика — так называются в городах России те местные импресарио, которые организуют выступления заезжих артистов. Я сидел позади, они друг другу мягко и негромко жаловались на какие-то неувязки с гастролерами, и вдруг один из них сказал, что хорошо ему со мной работать, потому что вежливость моя и деликатность — удивительная редкость для эстрадника. Тут я оживился и включился в разговор:

— А что, лощеные и безупречные артисты — разве не такие же за сценой, как они выглядят на публике?

Тут оба снисходительно и горько засмеялись, переглядываться стали, словно сомневаясь в допустимости такого обсуждения, и принялись наперебой повествовать, как часто тяжела и унизительна их легкая непыльная работа. Оказалось (я немедля вытащил блокнот), что эфирные и неземного обаяния артисты сплошь и рядом возмещают тяготы своего суетного и ненадежного ремесла — капризным хамством в отношении прокатчиков. Ну, о капризах великого и пьяного Шаляпина я где-то ранее читал, какая-нибудь Алла Пугачева тоже может себе что-нибудь позволить, но маленький зачуханный певец, который должен благодарностью лучиться — неужели и он тоже склонен покобениться и нахамить? Чего он требует?

— На какой машине мы сейчас едем, Игорь Миронович? — вместо ответа спросил меня сидевший за рулем.

— Хер его знает, — ответил я честно. — Я не посмотрел.

Тут они оба снова рассмеялись. Оказалось, что машина, подвозящая в гостиницу с вокзала или от аэропорта, должна быть иномаркой не поздней двухтысячного года. Иначе — скандал с категорическим отказом ехать в этой жалкой старой развалюхе. Из-за номера в гостинице — брюзгливые попреки, что и тесно, и какой-то запах, а точнее — вонь и духота. Немедленно меняйте мне эту мышиную нору. А в ресторане — ты куда меня привел? Какое-то сидит тут быдло местное, накурено и пахнет псиной, с ними рядом я не сяду. Тут и стала мне понятна мельком слышанная накануне странная история о каком-то актере, для которого потребовалась ширма — иначе он в этом ресторане наотрез отказывался есть. Но главный выпендреж вскипал и начинался перед выходом на сцену. Почему ты не принес мне кофе? Кофе приносилось. Ты что — мудак, что эту растворимую бурду принес? Тебе разве заранее не было сказано, что я кофе пью сваренный? Мне по хую, что уже был третий звонок, ищи, где хочешь, кофе, я не выйду без него. А кто-то перед выступлением потребовал поесть (фамилий мне они не называли) и кричал, чтобы смотались в ресторан, он без куска куриной грудки никогда не начинает выступать. И в ресторан смотались, только привезли ему не грудку, а ножку. И под дикий с матерщиной крик ту ножку выбросили в урну и еще раз съездили. А публика ждала. Похлопывала изредка, любимого артиста торопя, но никакого не высказывала возмущения: он, очевидно, в образ входит и в себе воспламеняет вдохновение.

На этом я остановлюсь, поскольку надоело переписывать из старого блокнота жалкие и омерзительные выебоны моих коллег по артистической стезе. А тема хамства настоятельно зовет на уровень гораздо более высокий.

С коллективным хамством, а точнее — со злорадством хамским коллективным — встретилась Америка немедля после катастрофы в сентябре, когда обрушились два небоскреба-близнеца. Несмотря на дикую погибель множества людей, сыскались на планете сотни тысяч тех, кто нескрываемо торжествовал. И среди них не только были жители арабских стран, но в очень разных государствах (и в России в том числе) сыскались в изобилии жестоко ненавидевшие всех американцев люди. Так и надо всем им, очень уж заелись, позволяют себе слишком многое и много мнят о собственном могуществе — такие приблизительно велись беседы, не считая молчаливого злорадства. Это говорилось в странах, получавших от Америки разнообразнейшую помощь, именно такая щедрость более всего и побуждает к хамской неприязни, замещающей нелегкое, для многих — унизительное чувство благодарности.

Но хамство коллективное в истории — куда покруче будет и куда кошмарней по последствиям. Огромная великая страна свихнулась некогда почти мгновенно и единовременно и в дикое пустилась разрушительное хамство. Нет, яркую миражную мечту о справедливости и равенстве я к этому никак не отношу, но колыхался над мечтой этой всеобщей — хамский и свирепо пламенный призыв: «Грабь награбленное!» Что из этого проистекло, сегодня видно каждому. И много еще книг напишут вдумчивые люди именно на тему хамства: о холопе, получившем власть, и о рабе, дорвавшемся до своеволия. Я же — расскажу о факте мизерном, навряд кому известном, только ярко воплотившем хамский дух, который в мыслях Шарикова был Булгаковым блистательно ухвачен. Помните? «Все отобрать и поделить поровну». А на столе передо мной лежит сейчас архивная драгоценность: «Декрет Саратовского Губернского Совета Народных Комиссаров об отмене частного владения женщинами». Я с восхищением и ужасом оттуда сделал выписки.

«Законный брак, имевший место до последнего времени, несомненно являлся продуктом того социального неравенства, которое должно быть с корнем вырвано в Советской Республике. До сих пор законные браки служили серьезным оружием в руках буржуазии в борьбе ее с пролетариатом, благодаря им все лучшие экземпляры прекрасного пола были собственностью буржуев империалистов, и такою собственностью не могло не быть нарушено правильное продолжение человеческого рода. Поэтому Саратовский Губернский

Совет Народных Комиссаров с одобрения Исполнительного Комитета Губернского Совета Рабочих, Солдатских и Крестьянских Депутатов постановил:

«С 1 января 1918 года отменяется право постоянного владения женщинами, достигшими 17 лет и до 30 лет».

Далее объявляет этот дивный декрет, что все замужние женщины (если только нет уже у них пятерых и более детей) — «изымаются из частного постоянного владения и объявляются достоянием всего трудового народа».

Далее — подробности чисто технические:

«Граждане мужчины имеют право пользоваться женщиной не чаще четырех раз в неделю и не более трех часов...»

Но при условии:

«Каждый мужчина, желающий воспользоваться экземпляром народного достояния, должен представить от рабоче-заводского комитета или профессионального союза удостоверение о принадлежности своей к трудовому классу».

Впрочем, есть и утешительная льгота:

«За бывшими владельцами (мужьями) сохраняется право на внеочередное пользование своей женой».

Учтена и материальная сторона:

«Каждый член трудового народа обязан отчислять от своего заработка 2 % в фонд народного поколения».

Ибо:

«Рождаемые младенцы по истечении месяца отдаются в приют «Народные Ясли», где воспитываются и получают образование до 17-летнего возраста».

Помешала исполнению, должно быть, налетевшая Гражданская война. Мне кажется, что дух этого декрета витает надо всем, что делали впоследствии с Россией все ее вожди — от разрушения церквей, насильственного гибельного переселения целых народов и до плана поворота рек включительно. Все метания и взбрыки хамства в государственных масштабах — обсуждать еще и обсуждать историкам и прочим психиатрам, чье мышление будет куда точнее нашего, изрядно покалеченного этим многолетним хамством.

А как мы сами, кстати (не одно ведь поколение) на это хамство реагировали, — вот что интересно. Полным и безоговорочным покорством. Только из-за страха? Некогда Ахматова заметила, что люди, не заставшие, не пережившие террор — понять переживания такого времени не могут. Силовое поле страха, пронизавшее эпоху, калечило и личность, и судьбу любого человека на пространстве той империи. Но только и потом ведь, когда время сделалось сравнительно вегетарианским (образ той же поэтессы), все почти по-прежнему осталось. А послушно потакая нестихающему хамству, мы впадали в некий вековечный грех — его я назову чуть ниже, помянув сперва историю одну. Негромкую, за давностью забытую совсем, но в ней — модель того, что совершалось с нами всеми.

Было это в Ленинграде (кажется, в семидесятом). В небольшом научном институте (медицинском) много уже лет работал врач, изрядно всеми уважаемый. Хотя еврей, но фронтовик, провоевавший всю войну на флоте, и к тому же — замечательных научных дарований человек. Это многими его коллегами неоднократно подтверждалось. До поры. Но как-то он по просьбе друга принял Солженицына, которого по онкологии проконсультировал — по личному недугу и для книги. И директор института получил приказ (конечно, устный)

этого сотрудника — уволить. Что и сделал он весьма
изящно: ликвидировал его лабораторию. Для улучше-
ния структуры института. Несмотря на то что именно
у этой маленькой лаборатории возникли разработки,
обещавшие немалые успехи в онкологии, о чем директор сам писал недавно и о чем уже запрашивали
из московской Академии наук. У сотрудника, однако,
оставалось право продолжать работать в институте —
если он пройдет по конкурсу Ученого совета. Ситуация
возникла щекотливая: не каждому ученому (а предстоит голосование) так можно просто объяснить, зачем
и почему из института должен убираться один из его
талантливейших сотрудников. Два заместителя директора, которым поручили личные (и тайные) переговоры
с каждым членом этого Ученого совета, стали спорить.
Одному казалось нужным что-нибудь эффектное придумать, чтоб коллег разумно убедить. Второй же резко и
уверенно сказал, что эти люди — быдло столь пугли-
вое, что им достаточно шепнуть: мол, наверху считают увольнение необходимым, а причины сообщать не
обязательно. И заложились на бутылку коньяка. Я этих
молодых не стану обсуждать: по-моему, все ясно с ними.
Вовсе о других моя печальная история.

Спор этих двух с разгромным счетом выиграл хам
уверенный. Пятнадцать человек Ученого совета кинули
в ту урну черные шары. Ведь тайное голосование —
опомнитесь, коллеги! Но даже в безопасной ситуации
их рабский страх возобладал. Я ради этого и вспомнил ту историю. Она меня тогда так потрясла, что я,
преодолев брезгливость, высохшую родственную связь
возобновил — к редактору «Литературной газеты»

обратился, к своему двоюродному брату. И застенчиво-тактичный фельетон тогда был напечатан — «Черные шары». Не я его писал, конечно, а доверенный статейщик. Разговаривая с ним о том голосовании, ученые отменно убедительные факты лепетали: их коллега этот наглый раздражал давно уже и тем, что с тросточкой ходил, и пса выгуливал чрезмерно рано, и работы его, дескать, никакой покуда клиникой еще не подтвердились. А больше ничего они придумать не смогли.

Так вот — о том грехе, который я пока не называл. Те люди совершили чистое предательство — сотрудника, науки и себя. Судьба проделала эксперимент, научно безупречный: только внутреннее рабство побудить могло при безопасном полностью (поскольку тайном) изъявлении помочь свершиться государственному хамству. Мне такая видится в некрупном эпизоде этом яркая и точная модель десятилетий нашей прошлой жизни, что ни слова я добавить не могу. А от холопского предательства меняется душа, и лагерным становится ее неслышное влияние на разум.

Но вернусь я ненадолго к будничному хамству — ущемлению достоинства и унижению своего соседа по жизни. В библейской заповеди «не убей» (повторенной впоследствии раввином из Назарета) мне упрямо видятся, помимо главного — еще два важных сокровенных смысла, явно вытекающих из того, что дальше писано и в Библии, и в Евангелии. Два психологических завета: не убей человека в себе и не убей человека в другом. Так вот хам бездумно нарушает эти безусловно для души необходимые заветы. Сразу оба — вот что интересно. И сполна это относится к любому уровню и виду сотворяемого хамства.

ИГОРЬ **ГУБЕРМАН**

Тут я спохватился, что уже вот-вот затею длинную и пафосную тягомотину, занудливо и вдохновенно повторяя перечень того, что совершал дорвавшийся до власти раб, оставшийся рабом. Остановись и охолонь, шепнул я сам себе, не лезь в эти таежные завалы, в них еще специалисты не осмелились копаться глубоко, не суйся. Но я нашел ту точку зрения, с которой легче и сподручней разбирать эти завалы, робко и нахально возразил я сам себе. Но все-таки остановился покурить. А думал в это время я о том, что ядовитая пыльца, десятки лет витающая в воздухе империи, на наших душах с несомненностью осела. И поэтому в условиях свободы, неожиданно свалившейся на нас, вокруг себя мы видим проявления разнузданного хамства, затаившегося в душах и взыгравшего от безнаказанности в хаосе растерянности и разброда. И тем более что, как только разрушился-распался лагерь мира и труда, на первый план явились вертухаи, этот лагерь охранявшие. Они умело и сноровисто принялись растаскивать все то, что наработали вчерашние рабы. А хамства столько в надзирателях за эти годы накопилось, что смотреть — диковинно и страшно. Замечательным двустишием откликнулся на это дивное явление какой-то неизвестный мне поэт:

По зоне зла ползет разлом,
а из него разит козлом.

Интересно, что сейчас нахлынула волна вторая. Это те же комсомольцы, у которых Ленин жив в сердцах. Точней, не он, а тот его великий лозунг. Но они когда-то опоздали к первой той грабительской волне и сегодня этот лозунг чувствуют вполне буквально.

Да еще российская Фемида, с понтом совершая правосудие, — такой продажной блядью оказалась (раньше она ею была от страха), что грабеж теперь оформлен юридически. Уж очень у зеленых долларов оказалась высокая подкупательная способность.

Впрочем, про державное, про государственное хамство в отношении к российскому народу следует писать толстенные тома, а я про две лишь крохотные мелочи упомяну, поскольку у меня от них слегка похолодело сердце. Когда гимн оставили тот самый, под который миллионы поднимались в лагерях и тюрьмах, и когда у власти, захлебнувшейся от нефтяных доходов, безуспешно попросили крохотные деньги для достойного захоронения солдат, погибших в ту великую войну. Еще полмиллиона их не предано земле. Есть некий Центр такого розыска защитников Отечества, оттуда и просили денег для установления имен и погребения останков. А им ответили учтиво, что все это — «признано нецелесообразным». Потому что, дескать, есть в таком деянии святом — «неоправданное распыление средств». И тут уж не добавишь ничего.

Еще я вдруг подумал, что наверняка должны быть люди, это хамство воплотившие настолько ярко, что оно просвечивает в каждом слове и поступке.

Между тем уже слегка стемнело, из соседней комнаты журчали звуки телевизора. Пойду-ка посмотрю, подумал я: херня, текущая теперь с экрана, и любые мысли напрочь отгоняет, и пора уже принять к тому же первую вечернюю рюмку.

Однако нет, не суждено мне было отдохнуть. С экрана телевизора текла дискуссия, в которой, всех перебивая, сочный и нахальный клоун Жириновский с пафосом вещал, что следует изгнать из русского языка все иностранные слова, их заменив исконно русскими. А иностранных языков учить не надо вообще, пусть жители планеты сами и быстрей овладевают русским, потому что ему время наступило — стать международным языком. И соскочил на тему, им любимую — что и весь мир уже пора окучивать и начисто менять. А ему вежливо и вяло возражали несколько интеллигентов, явно ошалевших от категорического брызжущего хамства.

Я обычно радостно смеюсь, когда смотрю и слышу, как талантливо изображает идиота этот яркий шут, умелый и послушный потакатель каждой власти. Но в этот день я не успел еще остыть до некого привычного расслабленного градуса, и сделалось мне стыдно и досадно. А лекарство от такого состояния известно мне давно. Поэтому, должно быть, рано утром мне привиделся похмельный — и успокоительный донельзя сон.

Я стоял возле стола, за которым сидел Леонид Ефимович Пинский. В памятной до мелочей его квартире около метро «Аэропорт». Я даже во сне прекрасно помнил, что он умер уже много лет назад, но совершенно не был удивлен. Филолог и философ, необъятных знаний человек и бывший лагерник, он одарил меня когда-то своей дружбой. За его спиной все тот же высился заветный шкаф, где аккуратными рядами стояли папки Самиздата — я их регулярно брал читать, за этим я и ездил к Леониду Ефимовичу. Из коротких разговоров между нами (а скорее — монологов Пинского на всякую случившуюся тему) я с собою уносил запоминавшееся ненадолго ощущение печальной трезвости, необходимой, чтобы жить и понимать.

— Игорь, — наставительно сказал мне Пинский, не здороваясь, — вас, кажется, немного занесло. Скорее остудите свой громокипящий кубок. Почему, во-первых, вы все факты для главы о хамстве черпаете только из России?

— Потому что я здесь вырос, Леонид Ефимович, — ответил я покорно, — потому что я все знаю здесь и многое мне здесь понятно. А об Израиле судить я не могу, я даже толком языку не обучился.

— А у вас там нету хамства совершенно? — В голосе его была елейная издевка.

— Ого-го! — ответил я с готовностью. — Но ниже уровень гораздо. Разве что раввины высшего полета заявляют изредка во всеуслышанье, что все пришельцы из России — вовсе не евреи, а воры и проститутки.

— Знай наших! — с горделивой нежностью откликнулся старик. Но я не уловил, в чей адрес это было одобрение: раввинов-хамов или нас, воров и проституток. Я смолчал.

— А во-вторых, — заметил Пинский наставительно, — для взгляда с этой точки зрения нужны специалисты. Посмотрите.

И слегка на стуле повернулся, чтобы мне виднее стали полки его шкафа. Там подряд стояли незнакомые мне толстые папки с надписями вдоль по корешкам.

— Читайте вслух, — приказным тоном сказал хозяин кабинета.

— «Экономика хамства», — прочел я первое название и удивленно рассмеялся.

— Читайте дальше и подряд, — распорядился Пинский.

— «Психология хамства», «Педагогика хамства», «Экология хамства», «Юрисдикция хамства», «Хамство как система технологии», — читал я громко и восторженно. — Так дайте хоть одну! — взмолился я.

— А в папках нету ничего. — Пинский снисходительно улыбался. — Эти книги еще только будут написаны. Так что не бегите впереди колонны, вертухаи этого не любят. Я вас не обидел? Будьте, главное, здоровы.

И пожал мне руку, приподнявшись. Крепко, ощутимо пожал руку.

— И еще... — Он чуть помедлил, словно размышляя, стоит ли мне это говорить. — Вы ведь писали книги о науке всякой... Вы подумайте об этом, не зацикливайтесь на России бедной, все и так ее поносят, как умеют...

Я проснулся от печальной мысли, что никто мне не поверит — скажут, что придумал, сочинил, наврал от зависти, что все приятели рассказывают сны, а я свои — не помню никогда. И стало мне заранее обидно. С этой горестной обидой я и умывался, и пил кофе, и раздумывал, кому бы позвонить — похвастаться про дивный сон.

С первой сигаретой сидя, понимал я уже ясно и доподлинно, что ни в какие справочники лезть не стану. Потому что каждому и так понятно, что мы вытворяем с матерью-природой, сотворяя свой технический прогресс. И вовсе ни к чему мне точно приводить те тонны выхлопного газа, что выбрасывают в атмосферу миллионы наших обезумевших автомобилей и немереные стаи самолетов, сколько именно отравы то выкидывают в воздух, то сливают в воду все заводы, фабрики и прочие сооружения технического пыла хомо сапиенс. А радиоактивные отходы? А немыслимые тонны ядов, коими мы травим насекомых? А кошмарные разводы нефти на поверхности морей и океанов? В отчаянных статьях экологов, печальников уничтожаемой природы, эта тема обретает уже звук пророчества: планете скоро надоест наше повсюдное промышленное хамство. Со слепой надменностью цивилизация двуногих подготавливает гибель беззащитного (до времени) пространства, на котором прозябает и блаженствует. (Сегодня эта очевидность столь банальна — хоть переноси ее в главу о пошлости.) Однако же технический прогресс неумолим, и всюду торжествует окрыленный безнаказанностью хамо сапиенс. В науке — если вдуматься — не в меньшей мере. В неуемном любопытстве нашего научного познания есть изрядный привкус наглости, бесцеремонности и дерзости одновременно, это знают (и порою даже признают) те хамо сапиенс, которые влезают слишком глубоко.

Дойдя до хамства в общечеловеческом масштабе, я оцепенел от странной мысли. Почему же тогда слово это существует только в русском языке? Ему давно пора войти во все на свете словари. И гордость за великий и могучий, за правдивый и свободный — обуяла весь мой организм, изрядно истощенный умственным горением. О Господи, одновременно думал я — куда меня заносит? Неужели у меня в роду случались древние пророки с их гневливостью и тягой к обличению? Попей воды и оберни свой взор к себе — неужто тебе мало собственного хамства? Ну-ка вспомни ту историю в театре.

Года три назад меня по случаю очень удачно занесло в Санкт-Петербург: один донельзя симпатичный сумашай поставил пьесу по кускам из моей книги «Штрихи к портрету», и как раз я на премьеру угодил. Мне сразу не понравился спектакль. Особенно — актер, игравший некое подобие меня. Ходил он в пиджаке (я отродясь костюма не носил) и завывал мои стишки, выбрасывая руку — для внушительности текста, надо полагать. И многое мне оказалось там не по душе. И я дня два не забывал про это огорчение. А Тата — настоящая жена! — меня отменным доводом тогда утешила.

— При жизни все-таки поставили, — все время повторяла она мне без никакой уверенности в голосе.

Так вот — о хамстве непростительном. Когда все кончилось, актеры вызвали меня на сцену. Был я в легком обалдении и потому предельно лаконичен.

— Спасибо! — сказал я. — Теперь я понял, каким мудаком я выгляжу, когда читаю свои стихи со сцены.

И сошел обратно в зал. Конечно, это было хамством. Только я, наверно, и действительно так выгляжу, поэтому актеры на меня нисколько не обиделись.

И я на этом бы закончил излагать свои бесцеремонные и дерзостные мысли о двуногом хамо сапиенс, но мне к этой главе ужасно хочется добавить некое существенное приложение.

РАСКРЕПОЩЕННЫЙ ДУХ

С душевным трепетом пишу я это приложение. С душевным трепетом и умственным недоумением. Уже я года три-четыре с восторгом и неменьшим омерзением читаю все статьи и выступления загадочного господина Жириновского. И к телевизору бегу, все бросив, когда он с экрана говорит, присутствует или дерется. И еще почти уверен я, что я — единственный, кто одолел четыре его книжки (ну, скорей, — брошюры) из той сотни, что им якобы написаны. А прочесть их — очень, очень трудно, ибо это жвачка из неряшливо размолотых газетных текстов. Он их сам кому-то диктовал, скорей всего, ибо витает поверху над каждой строчкой его личностный раскрепощенный дух. У духа этого есть очень специфичный запах, но уже к нему я притерпелся. Для чего себя подверг я этому нелепому пустому истязанию на столь некраткий срок, я объясню чуть ниже. А начальный был порыв, когда мелькнула в Жириновском (разумеется, в моем — опасливом и обостренном восприятии) тень фюрера, который некогда был тоже разве что смешон. (Вот, например, свидетельство авторитетного современника: «Казалось бесспорным, что перед тобой немного помешанный плохой комедиант из третьеразрядного пригородного варьете» — неправда ли, похоже?). Только время было смутное в Германии, и бесноватый истерический крикун стал символом национального возрождения. А время у России — двух обычно видов: смутное и очень смутное.

Чуть позже перестал я опасаться. Этот упитанный и с очевидностью сметливый господин заметно не дотягивал до фюрера. К тому же быстро стало очевидно и известно, что к материальным радостям от шелестения финансов очень сильно расположен этот живчик и везунчик. А харизма с алчностью — несовместима. Опасения мои неслышно испарились. Хотя яркая подлянка лозунга «Мы за бедных, мы за русских» — всем униженным и оскорбленным обещала то же самое, что

некогда провозглашал предтеча господина Ж., успешно
соблазняя немцев.

Интерес мой не ослабевал, поскольку изобильная
продукция его речей почти всегда мне приносила фразу
или две, в которых было истинное содержание того,
что он хотел сказать, но утопил в неудержимом мно-
гословии. А эта фраза или две отменно подтверждали
новую идею, что явилась у меня про этого незаурядного
мыслителя. (Как говорила одна дама: «Умер муж, но у
меня в резервуаре был любовник».)

Зря ты это смотришь и читаешь, образумливал меня
художник Саша Окунь, — ты не видишь разве, что
он — великий артист, ему совершенно безразлично,
что именно он говорит и на какую тему, это клоун,
шут и пародист. Он истинный наследник футуристов
и обериутов, только их игру в абсурд он перенес в
российскую политику, и вся страна — его площадка.
Он неуязвим для понимания.

И другой художник написал о Жириновском то же
самое. Отрывки из статьи Семена Файбисовича не зря
цитируют, как только речь зайдет о Жириновском. Автор написал, что Жириновский интересен своим полным отказом «от любой системы координат, от права
и лева, от верха и низа, от добра и зла». И далее отменно: «Жириновский не врет, потому что для него
не существует ни лжи, ни правды, он просто творит
целесообразный текст... так как только цель имеет зна-
чение, все остальное шелуха».

А цели у него — всего лишь две, простые и очевид-
ные: краткая сиюсекундная — попасть любой ценою
в фокус общего внимания, и главная конечная — до-

браться до вершины власти. Притом этот Олимп он называет одновременно и «сраным» и «занюханным», что выявляет и понятливость, и тонкость обоняния героя, но его туда неудержимо тянет.

А ввиду слегка клинической окраски этого таланта — хорошо бы с доктором поговорить, подумал я, и тут судьба мне улыбнулась. Психиатр Кормушкин написал целую книгу, где в числе других не упустил и Жириновского. Он отнес его к разряду личностей «демонстративных», то есть одержимых острой и патологической жаждой непрерывно привлекать к себе внимание (но это и без доктора заметно каждому), а далее — сосредоточился на яркой лживости своего заочного пациента. Тут, конечно, замелькали и Ноздрев, и Хлестаков, поскольку оба могут отдыхать в сопоставлении с этим сегодняшним депутатом Государственной Российской Думы. Вообще возможность такого поведения без боязни быть упрятанным в больницу характерна именно для смутного времени, меланхолически заметил психиатр.

А лично мне — понравилась однажды быстрая находчивость этого верткого лжеца. Еще ему даже не грезились дальнейшие успехи, он только-только подсобрал себе приверженцев (кого ни попадя внося в партийный список), как его спросили нетактично, сколько человек насчитывает партия, которой он уже так похваляется. И, глазом не моргнув, ответил Жириновский, что в семнадцати тысячах первичных организаций, что простерлись от Молдавии и до Камчатки, ждут его дальнейших указаний. Какому Гоголю приснился бы подобный Хлестаков?

Какие-то неведомые люди (но — высокие служители науки) так расчувствовались, слушая его, что вместо диссертации зачли ему публичные выступления, и стал он — доктор философии. Врач-психиатр, возмущаясь, приводит примеры из его речей, печально констатируя, что надо было много заплатить, чтоб это суесловие без капли содержания признать за философские изыски. Только я не полностью согласен. Деньги плачены, конечно, только те ученые мужи, которые способны на такое, вряд ли ценят дорого свои услуги, опасаясь, что коллеги на углу возьмут дешевле.

А еще я кое-что узнал впервые. В самой первой своей книжке Жириновский написал проникновенно и зазывно, что России надо срочно двигаться на юг, чтобы усталый русский солдат омыл свои пыльные сапоги в теплых водах Индийского океана (это раскавыченная цитата), утвердив тем самым новые границы пробудившейся империи российской. Так вот идея эта им была украдена у Гитлера. В сороковом году, когда уже казалось фюреру, что Англия практически побеждена, он через Молотова передал своему тогдашнему другу Сталину, что все пространство к югу от Советского Союза, ныне от опеки Англии свободное, следует захватывать сейчас, чтоб утвердиться в тех местах, где на зиму порты не замерзают. Ради справедливости заметим, что, возможно, наш геополитик Ж. эту идею не украл, а изобрел самостоятельно — тогда нельзя не призадуматься о трогательной схожести мышления.

Врач поместил характер Жириновского на той границе между нормой и клиникой, где только страсть к неудержимому вранью — примета некой патологии, поскольку жажда привлекать к себе внимание — типическое свойство этих пограничных состояний психики. А то, что его разум сладострастно и бесстыдно извергает свои чисто нутряные выделения (имеющие очень явную окраску), психиатра волновало мало. Ибо, обнажая непристойные места мировоззрения, такие типы наиболее удачно привлекают к себе общий интерес, опять-таки оказываясь в фокусе брезгливого, но вожделенного любопытства.

Так было интересно мне читать, что за обедом в этот день я кратко, но с энтузиазмом рассказал о всех патологических чертах, замеченных врачом у этого народного избранника.

— Обычный ненормальный сукин сын, — сказала моя теща. С осуждением, которое не к Жириновскому, конечно, относилось, а ко мне, что я читаю про уродства психики, а не поэзию Серебряного века.

Только я уже не мог остановиться. Ибо все, что я о нем услышал или прочитал, не содержало главного: его картины мира и того, как именно он хочет обустроить этот мир, начав с России.

Тут весьма и пригодилась его книжка, мне неосмотрительно подаренная членами его безликой партии. Он ее назвал романом почему-то, хотя столь же достоверно мог назвать поэмой, сагой или оперой. Изложено все то же, что в других его трудах, но лаконичней, ибо книга «Иван, запахни душу!» адресована некоему юному мальчику Ване, которого он хочет остеречь, образовать в истории слегка, а главное — наставить на путь истинный. Поскольку Жириновскому доподлинно известен этот путь.

И эту книжку вместе с выписками из его речей я положил себе на стол, поклявшись, что преодолею тошноту и омерзение, чтоб рассказать о нем его же собственными словами.

Главное и первое, что Ване следовало осознать: «Евреи и гомосексуалисты захватили власть на планете». Со вторыми проще, потому что в мужеложстве отважный, но сметливый автор обвиняет только тех, кто шлепнуть по щеке уже не в состоянии: Маркса с Энгельсом, Герцена с Огаревым, Троцкого (партнер не назван) и (разгорячась) — Кирилла и Мефодия. В евреях по запарке оказались лица, в острую минуту вдохновения явившиеся внутреннему взору: князь Владимир Святославич (крестивший, как известно, Киевскую Русь), бедняга Робеспьер, Лаврентий Берия, а также Горбачев (потомком Моисея оказавшийся) и даже Гитлер.

Про евреев остальных мне просто страшно говорить. Поскольку прочитал я (вместе с Ваней), что и «католичество они подмяли под себя, а с протестантством проделали то же самое еще в XIX веке». И сидят они сегодня в центрах власти, управления, политики и бизнеса — в Германии, Америке, Испании, Франции, России и Японии (!), где составляют от 70 и до 99 процентов личного состава. Но не они вершат судьбу этих несчастных стран, поскольку сами безотказно подчиняются любым распоряжениям невидимой и дьявольски могучей «мировой закулисы». А из кого та закулиса состоит — ты догадайся, Ваня, сам.

А в том, что все несчастья, обвалившиеся на Россию в прошлом веке, злоумыслили и совершили исключительно евреи, даже глупо сомневаться — четверть книги этому как раз посвящена. Все это уже неоднократно я читал у самых разных авторов (поскольку любопытство у меня сильней брезгливости), но от депутата Государственной Российской Думы это слышится иначе, согласитесь.

Что касается истории новейшей, выяснил я жгучую подробность: Михаилу Горбачеву его дед (казак, обиженный большевиками) завещал всенепременно как-нибудь при случае Советский весь Союз — разрушить. И послушный внук исполнил дедушкин наказ. За это Горбачев и в книжку Жириновского «Враги России» помещен, и занимает место в том вагоне, о котором повествует дивное и уникальное творение — «Последний вагон на Север». Эта крохотная книжка вся написана в невероятном вдохновении (скорее — на одном дыхании кому-то надиктована), я с наслаждением ее читал и каждому рекомендую. Чем рождено такое вдохновение, понятно и без объяснений психиатра, ибо книжка — воплощенная в слова заветная мечта: в ней Жириновский отправляет на Чукотку поезд с ненавистными ему людьми. Он личной волей и усилием воображения обрек их на пожизненную ссылку в тундру и снега над вечной мерзлотой. А номер первый в их составе — Горбачев.

Довольно хамская неблагодарность, скажет каждый, кто хоть чуть осведомлен о жизненном пути нашего бедного здорового больного. Ведь только в сорок шесть он начал выступать и появляться: если бы не Горбачев со всем, что он нечаянно наделал, Жириновский так и прозябал бы в качестве ничтожного Акакия Акакиевича в мелком юридическом отделе. Ибо разума не вякать, когда это хоть чуть-чуть опасно, у него достаточно вполне. В этом смысле он безнадежно здоров.

А хамское предательство вчерашнего кумира Ельцина? Вчерашнего буквально, ибо чуть не накануне Жириновский с пылкостью соврал (уж очень слушали внимательно, нельзя было не распалиться), что он каждую субботу моется с президентом Ельциным в бане, а помывшись, за бутылкой водки и играя в шашки, обсуждают они все насущные российские дела. Однако же теперь — пожалуйте в вагон. Поскольку не при власти вы теперь, а союз нерушимый республик свободных — нечего на волю было распускать. Ведь жили-то как хорошо, и дружно, и понятно: «Всем — понемногу, но всем! Богатый — значит, наворовал, копишь — значит, жид, молчишь — значит, шпион. Душа нараспашку». И еще была одна в той жизни яркая, незабываемая прелесть: «Нас боялся весь мир».

Но вот чуть выше я и произнес то ключевое слово, что раскроет мой угрюмый интерес к этому яркому артисту и незаурядному мыслителю. Все разновидности и типы хамства (рабского, холопского, зловещего), что накопились за десятилетия советской жизни, воплотил собою этот удивительный продукт эпохи.

Со злорадным хамским торжеством усаживает он в этот вагон своих коллег-политиков (включая тех, кто были до него — «птенчики Ельцина»), и даже тех, кто на центральном телевидении показался ему мало симпатичен. «У них лица нерусские, фамилии нерусские, и духом нерусским пахнет от них, и злоба исходит от их мерзких глаз. Посмотрите на выражение их лиц. Морды обезьяньи, противные, мерзкие, чванливые, ненавистью исходят, слюной исходят». Согласитесь: истинная проза. И печаль только одна: «Переполняют мысли. Они бегут стремительнее логики...»

Ушел вагон, мечта исполнилась, все конкуренты и соперники — отныне жители Чукотки, и страной распоряжается Владимир Вольфович. А дальше — перечень того, что он намерен предпринять и сделать. Тут перечисление мое — случайно, хаотично и вразброд. (Переполняют мысли. Они бегут стремительнее логики...)

Сначала — напугать весь мир. Но прежде всех — американцев:

«Да, у нас утонула уже вторая подводная лодка, но где находятся остальные, вы не знаете. И вы боитесь, потому что в любой момент их корпуса пробьют любую точку Северного Ледовитого океана и напрямую уничтожат ваш североамериканский континент».

Теперь берем пошире, чтобы знали все:

«Эти лодки потонули, но у нас много других, которые могут потопить весь подводный и надводный флот всей планеты. Если понадобится, опустить под воду целые континенты».

Он вообще в геополитике решителен и крут:

«Земля чуть-чуть наклоняется в определенном месте, и весь Китай смывает в Тихий океан».

И спохватился, что не все поймут, как это будет сделано, и добродушно пояснил, что новые виды оружия — «они действительно очень страшные, это влияние на магнитное поле Земли, на ось Земли». И наплевать, что ось Земли — это условная, воображаемая линия, ведь этого не только он не знает, но и слушатели, цепенеющие от восторга.

Китаю и китайцам вообще не повезло в текущих планах нашего глобального мыслителя:

«Китай надо заблокировать, чтобы он больше не развивался».

И еще: «Нужно использовать китайцев, как при рабовладельческом строе, — пусть исполняют черную работу».

Но, разумеется, Америку он ненавидит больше всех заморских стран: за могучесть, за благополучие, за щедрость и за то, как она с ним обходится. То есть не только запросто обходится Америка без его советов, но и закрыла ему въезд — за многочисленные хамские слова в ее адрес.

И поэтому: «Будьте вы прокляты, англосаксы, со всей вашей великой империей!»

Но надо, чтобы вся Россия разделила его чувства, а для этого достаточно простейшего всеобщего оповещения: «Они засылают к нам сегодня отравленное продовольствие».

А порой он просто выговаривает краткие, но очень утешительные сообщения: «Американцы живут недолго, все растолстели, еле ходят».

А теперь — про страны прочие, чтоб легче было с ними и дружить и торговать. Утробные мечты рождают соответственные звуки — хоть и непотребные весьма, но трубные, отменно боевые:

«И ставим новое оружие, направленное на все столицы... Все будут под прицелом: Вашингтон, Лондон, Берлин, Париж, Токио, Рим — все».

Обращение к народам всей планеты пишут иногда больные в домах скорби, я читал в учебниках психиатрии эти грустные свидетельства их поврежденного (и потому — глобального) сознания. Но думаю, что вне приюта для умалишенных это сделал только Жириновский. Он не мог не обратиться к населению планеты, потому что всем землянам наступило время некую благую весть узнать из его личных уст:

«Только под звон кремлевских курантов человечество обретет свое спокойствие и маленькую толику счастья в XXI веке».

А кто именно под звон курантов всех одарит благодатью — ясно и ребенку. И причину, по которой только он способен разрешить все мировые неувязки, он доступно, хоть и мельком пояснил:

«А я в решении политических вопросов — как Эйнштейн. Помните его теорию относительности? Все гениальное — просто».

Но не надо только думать, что грозящая пролиться на планету благодать будет по-американски мелочной. И, с дивною отвагой оголяя нежные округлости своей души, артист советует: «Зачем оказывать гуманитарную помощь? Не надо никому оказывать гуманитарную помощь».

Ибо вот — венец и торжество геополитики: «Бомбить там, где нам надо, устанавливать свое влияние».

Но и пора уже, пора устроить процветание самой России. Это очень просто, если выберут талантливого президента. Ты еще не догадался, Ваня, кто единственный для этой роли человек?

«Талант должен быть российский. А для того, чтобы он появился, должно было произойти что-то страшное. Оно уже произошло — с 91 по 99 — и породило меня».

Порядок обустройства процветания кристально ясен: «В первую очередь нам нужны граждане России, население. Поэтому — полный запрет абортов».

Предвидя горестное замечание, что женщины в сегодняшних условиях российской жизни попросту боятся заводить детей, он гениально пояснит чуть ниже: «Если я скажу — будут рожать».

И есть еще одна идея: «Надо создавать новый институт брака... И не только мужчина может быть одновременно мужем 2—3 женщин...», но и «женщина может одновременно быть женой 2—3 мужчин...»

Так, население умножили. Теперь под корень изведем российский криминал. Тут вообще все очень просто:

«Милицию ликвидируем. Новая жандармерия будет убивать на месте преступления... И никакой проблемы. Ни судов, ни прокуратуры — расстреляли — и все».

Еще — чтоб не забыть о мелочах — необходима срочная реформа русского языка: «Убрать все запятые и двойные буквы. Одна буква Н всегда. Надо убрать мягкие и твердые знаки, букву Ы».

И поголовно всем — бесплатное образование: «Пусть люди спокойно учатся от 7 до 30 лет».

Ну и естественно: все отошедшие республики — немедленно вернуть (еще и прихватив зачем-то Северный Афганистан). А если вдруг какие-то не захотят, то прибалтийские, к примеру, — окружить могильниками с радиоактивными отходами. Но это — мера крайняя, поскольку можно обойтись коротким разговором с руководством каждой из республик: «Все, ребята, кончаем с суверенитетом... Если не согласитесь до 6 вечера, я вас всех арестую, и сегодня же будете расстреляны».

Всех олигархов надо вызвать и категорически сказать: отныне вкладывайте капиталы только в русскую промышленность. А те, кто эти капиталы за рубеж увез, — немедленно пускай везут обратно. Привезут как миленькие, ибо: «Уехавшие за границу ребята верят только мне».

О телевидении, радио, газетах (исходя из интересов неуклонно и стремительно растущего населения):

«Все болезни — от отрицательной информации. Нужна цензура. Никаких сообщений о преступлениях в стране и мире. Цветочки, фестивали, праздники, комедии — все красиво, все улыбаются... Все здоровые, все счастливые. Наводнение — не знаем. Землетрясение — не знаем. Наплевать на это».

Потому что (все-таки не зря он доктор философии): «Я — сторонник демократии, но путь к демократии не лежит через саму демократию».

Мне, наивному и пожилому человеку, думалось, признаться, что такой незаурядный реформатор, с гениальным хамством разрешающий любые затруднения России (только в устном творчестве, по счастью), полностью собой доволен и душевно гармоничен, как никто из подлинно здоровых. Как я ошибался! И в семейной жизни его счастье не сложилось. Многоженство не ввели еще покуда (хотя подан уже в Думу его партией проект о разрешении иметь четырех жен одновременно). «А если в одной квартире, в одной комнате, в одной постели — это же мука!» Но пока что он на это обречен.

И еще он одинок до ужаса, как всякий истинный талант, и ясная причина — почему: «Сегодня мне нет равных — ни в России, ни за рубежом, не только в политике, но и в искусстве».

И печальное признание отсюда:

«Радость у меня теперь только одна — миллионный митинг, я выступаю — и передние ряды плачут».

А когда я прочитал, что кто-то подарил ему на день рождения мечту подростка — самокат и поздно вечером по опустевшим коридорам Думы наш артист катается на этом самокате, на меня таким повеяло душевным одиночеством, что слезы удержать я не сумел.

И вот теперь (покуда слезы не просохли) назову я ту тревогу и печаль, которые меня заставили собрать (я только крохотную часть переписал) обрывки извержений Жириновского: за эту скоморошью версию крутого государственного мужа — голосуют миллионы жителей России. В нем настолько ярко воплотилось хамство нашего советского мышления, что на него, как на магнит — железные опилки, реагирует осевшая внутри у каждого холопская и хамская пыльца. А он еще и щедро утоляет самые первичные потребности любой растерянной души: кричит и вопиет об унижении, разоре, бедности и ущемлении вчерашнего российского величия. Как тут не вспомнить добродушные слова, однажды сказанные Лениным: «Обрусевшие инородцы всегда пересаливают по части истинно русского настроения».

А вот какой бальзам он льет на ноющие язвы патриотов: Францию спасли от вырождения те русские казаки, что ворвались некогда в Париж, преследуя бегущего Наполеона. А потом их благородную заботу об увеличении и улучшении французского народонаселения приняли как эстафету русские белогвардейцы-эмигранты.

Но главное, конечно, — явный факт, что он единственный сегодня и защитник, и радетель возрождения российского: «Я не вижу никого, кто бы мог сделать Россию доброй, хорошей и счастливой в этом веке... Кроме себя».

Однако же и Путина артист наш одобряет полностью, как одобрял из года в год он каждого, кто был при власти (как говаривал один бывалый психиатр: больной-больной, а мыла не ест). Но есть и главная причина, по которой Жириновский предрекает Путину большой успех: «Он прочитал мои труды, мои записки, все проштудировал... Теперь Путин нас спасет».

И, кажется, — спасает, если присмотреться и задуматься.

Но вот, пока я ревностно выписывал цитаты, поразившие мое воображение, во мне неслышно прорастали семена, посеянные Сашей Окунем. И одновременно рождалось несогласие. Да, Жириновский — шут, конечно, думал я, и клоун, но не пародист. Он не артист, играющий придуманную роль. Он сам, естественным нутром своим — пародия на современного российского политика. Ввиду отсутствия разумных тормозов (тут виновата патология характера) он чушь несет — настолько же серьезно, как его коллеги — громкую пустую болтовню или обдуманную ложь. Он — воплощенный шарж на государственного мужа. Он недосягаем и неуязвим, как клоун, брызгающий на людей в партере яркой водяной струей из клизмы. Что такому скажешь или возразишь? Ведь только засмеются в голос — он и публика. Однако же манеж и клоун — это цирковые радости, а Жириновский вроде избран, чтоб решать российскую судьбу. И если то, что совершает клоун, — замечательно смешно (за этим и хожу я в цирк), то в Государственную Думу избранный — меня пугает хамский клоун.

И хотя блажен, конечно, муж, которому до лампочки, что говорит он в данную минуту (а блаженные, как всем понятно — сраму не имут), но заметим только, что ведь этот клоун откровенно посягает на карьеру укротителя. И зрительское восхищение мое стихает от подобной перспективы. Мне за цирк российский делается страшно.

А его фантазии, похоже, и действительно читает президент. Нисколько не подозревая, что на самом деле Жириновский нанят мировой еврейской закулисой, чтобы испохабить и скомпрометировать высокий образ государственного мужа и заметного политика России.

Русь, куда же несешься ты, дай ответ. Не дает ответа. И, опасливо косясь и постораниваясь, наблюдают этот бег по кругу прочие народы и государства. А в вечерних коридорах опустевшей Думы с упоением катается на самокате неслучившийся российский фюрер.

ГЛАВА, АКАДЕМИЧЕСКИ НЕ БЕЗУПРЕЧНАЯ

В этой главе я смогу развернуть свою эрудицию во всей полноте, поскольку содержание ее ни на какие знания не может опираться. Иначе оно просто рухнет. Что ни скажешь по теме этой главы, незамедлительно является суждение прямо противоположное. И следует надеяться, не опасаясь, только на сугубо личные ощущения. Которые на языке науки названы интуитивным знанием. Речь пойдет, конечно, о евреях. Я давно поймал себя на том, что несколько последних лет стал остро интересоваться нашей историей, читая все подряд, что попадается мне под руку и связано с евреями любого времени и места. Однако же еврейский тип, меня душевно восхитивший, не при чтении попался мне, а в живом и очень подлинном рассказе. Я ради него от темы отвлекусь.

Дед моего старинного друга Севы Вильчека смолоду был учеником у немца-кожевенника. На заре прошлого века, в городе Полтаве. Благодаря усердию, сметливости и честности быстро стал доверенным лицом хозяина, и тот его послал однажды в Нижний Новгород на ярмарку, чтоб закупить большую партию различной кожи. И обозначил верхние пределы цен для каждого из видов этого товара. На ярмарке сей юный посланец ухитрился купить всю кожу по гораздо меньшей цене. И сэкономленные деньги он не утаил, а все привез хозяину обратно. Немец-кожевенник, уже давно работавший в России, был так изумлен, ошеломлен и растроган, что подарил будущему Севиному дедушке большую золотую цепь для ношения по праздникам. А было это перед Первой Мировой. Потом пошли, как всем известно, времена опасные и смутные, и дедушка, посовещавшись с бабушкой, надежно спрятал эту цепь. В начале тридцатых алчному советскому государству понадобилось золото, и дедушку, известного кожевенного мастера, призвали проявить участие в сооружении социализма. Короче говоря, арестовали, требуя сокрытого имущества. Он просидел в тюрьме две недели, а поскольку ему там решительно не нравилось, то он отправил бабушке секретную записку. «Циля, — написал он ей туманно, но доступно, — я тут на досуге почитал Карла Маркса, так он советует всем пролетариям избавиться от их цепей. И знаешь, я с ним полностью согласен. Целую, твой Ефим». И бабушка его прекрасно поняла, и вытащила цепь из захоронки, и безо всякой жалости отнесла ее, куда просили. Дедушку немедля отпустили. Он неторопливо шел пешком по улицам родного города, он наслаждался свежим воздухом и волей, когда его вдруг обогнал сокамерник, отпущенный позже него. Сокамерник держал в руках большой бумажный кулек. Это сахарный песок, объяснил он дедушке, его только что завезли в тюремный ларек. Дедушка молча развернулся и пошел обратно. В тюрьму он прошел без труда, ибо в такое заведение войти гораздо легче, нежели выйти. И обратно в камеру его легко впустили, потому что в ней забыл какое-то пустое барахло расстроенный потерей золота еврей. А в камере он у хорошего знакомого купил кусок холста, у давнего приятеля (упрямо продолжавшего сидеть) взял нитки и иголку, сшил себе за две минуты небольшой мешок, после чего купил в ларьке два килограмма сахара и медленно пошел домой с подарком Циле.

Вернусь теперь я снова к упоению, с которым я проглатываю все, что пишут о моем загадочном народе.

Беспорядочное чтение похоже на случайные постельные связи — тоже ничего не остается в памяти. Однако если что-то остается, то врезается и прочно и надолго. Мне случайно вдруг попалась книга какого-то американского газетчика о еврейских гангстерах двадцатых годов — периода сухого закона. У еврея, думал я по ходу чтения, очень легко обнаружить некую глубинную причастность к мировому еврейству (то как раз, о чем талдычат юдофобы всех мастей): я, читая о злодеях и убийцах этих, пережил такое родственное умиление, будто листал я жизнеописания пророков и праведников. И называлась книжка замечательно — словами некоей старушки, узнавшей, что убитый накануне друг ее сына был на самом деле гангстер и бандит: «Но зато он любил свою маму». Эти отпетые мерзавцы трогательно заботились о своих близких: никогда не посвящали их в подробности своей кровавой и опасной жизни (зачем напрасно волновать чувствительную тетю Песю?) и старательно снабжали свои семьи кошерным продовольствием. Любили отмечать еврейские праздники, а по субботам зажигали свечи. А один знаменитый наемный убийца по кличке Рыжий (тридцатые годы) был вообще верующим ортодоксом: не снимал кипы (даже идя на дело) и в субботу не принимал заказов. Если все же отказаться было невозможно, Рыжий надевал талес и молился, прося у Господа прощения за нарушение субботы. О своем происхождении они все время помнили. Когда хоронили одного убитого гангстера, его ближайший друг не входил в комнату, где прощались с покойником. Что вы тут стоите, спросил его сын убитого, вы ведь столько лет дружили. Не могу, ответил грустный бандит, я из рода коэнов, мне нельзя заходить в помещение, где лежит покойник. И детей своих они не приобщали к их чудовищному бизнесу: дети учились на врачей и адвокатов, криминальным было только поколение отцов (в отличие от итальянцев, где преступная «семья» и в самом деле была связана родственными узами отцов и сыновей). А сколько денег они жертвовали на еврейскую благотворительность! И раввины брали эти деньги. Были гангстеры, которые порой оплачивали покупаемое для Израиля оружие в годы Войны за независимость. Ох, уж эта мне еврейская солидарность! Но читать об этом, чего греха таить, мне было невыразимо приятно. Половина нелегальной торговли алкоголем (много сотен миллионов долларов) была в руках еврейских банд и группировок. И друг друга убивали они часто, и успешно противостояли итальянцам. Тут же был еще игорный бизнес, и бордели, и наркотики. Забавно, что, когда рынок наркотиков полностью захватили итальянцы, наркоманы жаловались, что резко ухудшилось качество опиума: евреи брезговали дополнительной наживой и не добавляли в опиум пустую молотую травку. Жутко жалко, что на это время не сыскался Бабель. Некий знаменитый гангстер в пожилые уже годы съехал отдохнуть от дел в Израиль. Здесь он завел себе юную любовницу (девчушка, кстати, училась в университете на прокурора) и обаял огромное количество людей своим доброжелательством и щедростью. Тут вышел на него один раввин (весьма благочестивый и в Израиле весьма известный) с предложением о подлинно высокой филантропии: он предложил построить некий дом, где жили бы бесплатно молодые религиозные пары, у которых по бедности не было жилья. И старый гангстер согласился с радостью, и дал сто тысяч долларов — огромную по тем временам сумму. И забыл об этом. Вспомнил, когда выяснилось, что богобоязненный раввин выстроил на эти деньги обычную доходную гостиницу. И возмутившись, старый гангстер подал в суд. И выиграл процесс. И хитроумный рав был присуждён к возврату обманно использованных денег. А старик, сходя по лестнице из зала заседаний, чуть не плача, говорил, какое это горе и позор: седого гангстера надул израильский раввин.

А кстати, именно они, эти убийцы и злодеи, защитили честь Америки во время Второй мировой войны. Я не о том, что многие просились в армию, чтоб бить нацистов, — их не брали из-за былых судимостей, я о другом. В Америке в те годы расплодились всякие фашистские союзы и сообщества, зараза эта расползалась бы стремительно и всюду, но возникла закавыка, весь энтузиазм американского нацизма срезавшая на корню. На их собрания исправно приходили некие евреи (и сочувствующих негров было много), ловко и умело дравшиеся дубинками. При этом в разных городах одна и та же явственно была закономерность: множество перебитых рук и ног, проломленные головы, разбитые носы, но не было ни одного убитого. Поскольку именно об этом просили гангстеров еврейские общины, обратившись к ним за помощью.

И жалко стало мне, что кончилась последняя страница. Смутная тень философа Канта на мгновение мелькнула в моей памяти. Философ утверждал (и удивлялся этому), что существует в нас некий нравственный закон (императив), позволяющий различать, что хорошо, что плохо. Я часа четыре читал эту забавную книжку, и ни разу во мне нравственный императив даже не пикнул.

Более того: раздвоенность моей любви (я до сих пор люблю Россию и сочувствую ее несчастьям всей душой) сказалась точно так же, когда я читал о жутком шествии по всей планете криминала русского разлива. Преступники невероятного таланта и размаха набежали из распавшегося лагеря (мира, социализма и труда) и, набежав, успешно и стремительно теснят заевшихся туземных мафиози. Надо бы стыдиться и негодовать, а я — такую гордость ощущаю, что и грех сказать. Из одного мы все же лагеря, подельники и земляки, и тает безупречная моя моральность от жаркого немого восхищения болельщика с трибуны.

О евреях я больше всего люблю читать отпетые антисемитские творения. Из них я узнаю, что все мы — поголовно умные, богатые, сплоченные и дьявольски находчивые люди. Что мы владеем всеми нитями на свете, тайно управляем миром и друг друга не даем в обиду. Чуть пожиже, но с такой же страстью пишут о евреях те антисемиты, в ком течет хоть капелька еврейской крови. Эти вымещают на евреях всю свою печаль и горе, что судьба послала им такую злополучную беду. И пишут в основном о нашем изобретательном коварстве и кошмарном хитроумии, ввиду чего мы всюду проникаем и большие делаем успехи то в культуре, то в науке, о финансах нечего и говорить. А если примешься читать какого-нибудь подлинно еврея, то немедленно прочтешь, что мы и люди недалекие, и разрознены донельзя, и несчастные во все века и всюду, а приехавшие из какой-нибудь России — те и вовсе не евреи никакие, а прикинулись, обрезались и подкупили документов. Скука и тоска — читать такие книги.

Но признаться честно — это все пишу я просто для разгона. Ибо тему я хочу затронуть сложную, и тени очень, очень образованных людей уже толпятся за моей спиной, качая головами с укоризной и немым упреком в наглости. Только я уже решился и от замысла теперь не отступлю. Да, да, я как и прежде — о евреях.

Уникальность и сохранность нашего народа уже много сотен лет тревожит население планеты. Не менее других волнуются ученые умы, которые мусолят и грызут вечнозеленое дерево познания. Их очень привлекает эта непостижная загадка и желание словить хотя бы тень от Вечного Жида, чтоб аккуратно приколоть булавкой в общую научную коллекцию. Но увы. С тем же успехом их коллеги заняты охотой на Летучего Голландца. Их попытки более всего напоминают юного котенка с его яростным азартом закогтить солнечный зайчик. Из написанных на эту тему трудов можно составить целую огромную библиотеку, только я по лени и невежеству прибегну здесь к последнему итогу многовековой научной мысли.

Но сначала — о причине общего научного волнения. Некий народ рассеялся по миру уже две тысячи лет тому назад (если не более, поскольку начал расселение намного раньше). И ровно столько же времени эти изгои и пришельцы с усердием, достойным лучшего применения, охраняют и сохраняют свою чуждость коренному населению всех стран, куда попали. И притом еще оказывают несоразмерное влияние на экономику, культуру и науку, самую судьбу этих несчастных стран. И что с ними ни делай (а уж делали все, что угодно, страшно вспомнить), продолжают сохранять свою особость и неуловимы для любого вразумления, как ртутный шарик — для руки.

Но кто ж они тогда? Мистическое вредоносное образование на теле обреченного человечества (такое мнение весьма имеет быть) или единый все-таки народ? Хотя отсутствуют все признаки народа: ни общей почвы, ни единого языка, и напрочь разная культура. Все, как есть, восприняли везде от местного населения, а сливаться, растворяться, размываться, рассосаться — не хотят или не могут. И нагло высовываются изо всех трамваев. Просто инопланетяне какие-то (одна из точек зрения конца двадцатого века).

Не могу не похвалиться, что ученый (академик!) Михаил Членов — мой давний друг и выпили мы с ним немало общей водки. Он этнограф, то есть знает о народах мира много больше, чем они о себе знают сами. И, будучи мыслителем незаурядным, сей профессор (и декан!) такую предложил идею, что еврейство — это некая особая цивилизация. С ним совпали в этой мысли несколько его коллег из разных стран.

А словом «цивилизация» эти ученые обозначают не уровень технического, и научного, и всякого развития (не электричество с водопроводом, проще говоря, не телевизор с телефоном), а некую модель, тип, образ житейского и духовного существования. Цивилизации такие они видят: христианская, исламская, китайская, индийская — и к ним теперь предложена еврейская для полного комплекта. А чтоб таким читателям, как я, эта разбивка стала и доступна, и понятна, прилагаются и признаки любой из таковых цивилизаций. На эти признаки я посмотрел своим еврейским глазом, и душа моя уязвлена стала.

Длительность существования — вполне весомый признак. А что не всем он кажется хорошим в отношении еврейства — это их печаль и даже повод для уныния, а я согласен, этим фактом я горжусь и радуюсь весьма.

Заметное влияние на общую историю и культуру человечества — признак второй. Тут я согласен тоже (о-го-го!), а что касается нарыва на сегодняшней исламской цивилизации, то я надеюсь, что до влияния на общую историю он не дозреет. Или лопнет сам или поможет хирургия.

Признак третий — стремление к распространению. Тут я возражать ученому полету вдохновения не стал, хотя мелькнули тени Чингисхана, Александра Македонского, Наполеона, Гитлера, слегка размыв особость этого признака до общечеловеческой беды.

А на четвертом признаке я громко рассмеялся легкомысленным и ненаучным смехом. Ибо признак этот — «включение разных народов». Вот те на! Ведь в том и состоит вся многовековая закавыка с нашим горестным существованием на свете, что всюду мы упрямо и опасно оставались евреями! Загадочным и жестоковыйным единым народом. Несмотря на жуткое давление и жуткую, подчас мучительную личную судьбу.

А ниже чуть наткнулся я на фразу, полностью раскрывшую сокровенные мотивы этого научного искания: такой подход — «позволяет... вывести еврейство из разряда уникальных исторических явлений».

Куда же его вывести, помилуй Бог? Ведь в этом устремлении нас и в расход неоднократно выводили. Нам какой ярлык ни клей (ярлык научный я в виду имею, ибо некогда в усопшем СССР нам и торговый ценник клеили), а уникальность остается. И неуловимой остается даже тень от Вечного Жида.

Но есть подход другой. Им дети часто пользуются. Если кто-то неприятен, то ребенок угрожающе ему говорит: «Сейчас глаза закрою, и ты исчезнешь». По такому безусловно перспективному пути пошел хороший мой знакомый, проживающий в Берлине. Дмитрий Хмельницкий — архитектор и довольно много интересного в своей области и начертил и написал. Ко времени, когда мы познакомились и сели выпивать, уже он сочинил несколько статей из области ему довольно чуждой, и уже его клевали, поносили, густо обливали (сами догадайтесь — чем), и суть его позиции он тут же мне поведал. Он, очевидно, так измучен был назойливыми воплями своих сегодняшних земляков о величии и богоизбранности еврейского народа, что просто пожалеть их (чем еще они могли потешить свои души?) был уже не в силах. И тогда он выдвинул концепцию, более всего похожую на плотные затычки для ушей, поскольку очень уж ему остоебенели гордые крики еврейских буревестников. Концепция была проста и грациозна: нет и не было давно уже евреев как особого отдельного народа, и еврейство — это миф, фантом, мираж и тема спекуляций в поисках различных льгот и привилегий. А также щекотание души для извлечения самодовольства и приятства. Есть на самом деле некие большие группы когдатошних евреев, ныне нераздельно слившиеся с коренным населением тех мест, куда когда-то забрели их предки. Потому что народ — это общая почва, общая культура и общий язык. Так говорят все словари и все энциклопедии, составленные, как известно, людьми учеными и знающими дело.

А когда я тихо возразил, что я и вправду ощутил себя евреем некогда, хоть говорю только по-русски и не знаю ничего о культуре предков, то выслушал еще один горячий монолог, из которого покорно понял, что хоть я не идиот и не спекулянт, но это просто у меня самовнушение, навроде бреда, и научного обоснования под этим нет и быть не может. Потому что я родился и возрос на русской почве — далее пошел повтор о языке и культуре, а попутно и мелькнуло обвинение, что миф об уникальности судьбы и характера евреев — это расизм, высокомерие и вообще пустая и навеянная идеология. Спустя пару лет я все эти доводы и аргументы прочитал в книге «Под звонкий голос крови», которую издал Митя Хмельницкий. К чести его следует сказать, что все имевшиеся к тому времени в печати поношения лично его и точки зрения его — он включил тоже. Выглядели они столь же слабо и неубедительно, как мое тихое напоминание об ощущении себя евреем.

Евреев нет, они нам только снятся, обязательно сказал бы Александр Блок, прочти он книгу Мити. К тому же — снятся наяву, добавлю я. Притом — весьма тревожа население планеты.

А еще меня ужасно рассмешила некая вторичность точки зрения Хмельницкого. Поскольку до него за много лет изящно выразил свою такую же уверенность в отсутствии еврейского народа некий незаурядный мыслитель (а впоследствии — и корифей всех мыслимых наук) Иосиф Сталин. За год до Первой мировой он сотворил в легально издававшемся журнале специальную статью о правильном марксистском отношении к национальному вопросу (нужные материалы с иностранных языков ему перевели осведомленные соратники). И в этом выдающемся труде (впоследствии он даже книгой стал) категорически наш будущий товарищ Сталин отказал в существовании как раз еврейскому народу, и как раз по тем же причинам: нету общей почвы, языка, культуры и еще чего-то важного. Это не нация, а — «нечто мистическое, неуловимое и загробное», написал чудесный грузин. То есть у Мити были очень авторитетные предшественники.

Мне только кажется, что если отойти от жесткой строгости научного ограничения (почва, язык, культура), то поблизости окажутся не менее понятные и внятные черты, рисующие облик каждого народа. И хотя легко их отнести к культуре, но они скорее к психологии относятся, а потому — распахнуты любому брошенному взгляду. Поскольку ведь народ — это большая совокупная копилка мифов и мечтаний, предрассудков и обычаев, традиций и привычек, отношений к миру и себе. А с этой точки зрения евреи множество веков и в каждом месте пребывания легко и сразу отличимы — даже если им того не очень хочется.

Но стоило мне только заикнуться знатокам, что я имею тоже некую гипотезу на тему, об которую оббились уже многие умы, как тут же получил я два разумнейших совета. Первый — не совать свой нос, куда непосвященным входа нет, ибо потом стыда не оберешься, а второй — хоть мельком заглянуть в отменную, недавно вышедшую книгу «Воплощенный миф», написанную очень грамотным ученым.

Советом первым я привычно пренебрег, но книгу я немедленно купил. А написал ее — доселе не известный мне Александр Милитарев, ученый-лингвист, а главное, что поразило меня сразу, — ректор Еврейского университета в Москве. То есть по должности он был главнее Мики Членова, такое я не мог себе даже представить.

И книга эта сразу мне понравилась. Уже в начале автор с некоей застенчивостью упреждал коллег по науке, что написанное им — это не более чем эссе. То есть жанр (пояснял он со стеснительным достоинством), которому естественно присущи (и простительны) такие слабости, как беглость изложения, неполнота аргументов, упрощенное рассмотрение сложнейших проблем, устаревшие представления из вульгарной популярной литературы и даже фактические ошибки. Боже мой, подумал я, какое счастье — это перечислены черты всего того, что я пишу уже давным-давно, не зная, что пишу эссе.

О, как питательна мне оказалась эта книга! И я читал ее, как детектив: я наблюдал, как изощренное научное мышление охотится за истиной, которая давно уже сама явилась моему бессовестно гулящему воображению (об этом позже).

Новые идеи, внесенные еврейской Библией в мировоззрение, автор книги перечислил замечательно подробно. И то, что человек впервые обозначен был венцом творения. И то, что человек был удостоен чести дать имена остальным живым тварям (в мифах других народов это делали лишь боги). И то, что человек — раб Божий, но и только — Божий. И единство человеческого рода. И необходимость милосердия. (Которое в то время означало то же, что сейчас: жалость, сострадание, широту взгляда, доброту и сочувствие.) И познание как обязательная жизненная необходимость, в нас заложенная Богом. И личная (а не коллективная) ответственность перед единым Богом, и свобода выбора, дарованная человеку, и идея исторического прогресса, то есть движение во времени — источником имеют ту же Книгу. Словом, та цивилизация, в которой мы живем, основана на той модели мира, которая была предложена библейским текстом. Потому что и раввин из Назарета, сотворивший христианство как единую (и всем доступную, что очень важно) нравственную проповедь, на Библию всецело опирался.

Мне доводилось это все читать и много ранее. Ну, например, у Ницше, поносившего евреев именно за то, что именно они преступно навязали миру те понятия морали, справедливости и добродетели, которые душе арийской — мерзки и противны. А они своими поисками человечности начисто забили дивную и дикую античность. И еще я вспомнил одного авторитетного мыслителя двадцатого века, он на то же самое угрюмо сетовал: «Совесть — это изобретение евреев» (Адольф Гитлер).

Но автор книги «Воплощенный миф» довольно быстро закруглил перечисление того, что все на свете знали так давно, что уже начисто забыли. И немедля обозначил общий замысел напоминания. Евреи, написал он, вольно или невольно оказались открывателями, разработчиками того пути, по которому пошло все человечество, ища стратегию выживания на этой планете. А есть ли лучший путь, нам не дано узнать. И греков, египтян и римлян автор не забыл, но аккуратно показал и перечислил те столбы и вехи, что забили первыми евреи.

Ну а как же выживали они сами, коль сумели сохраниться как народ в течение веков и среди пламени всеобщей неприязни?

Парадоксальность исторического поведения евреев некогда отметил точными словами историк Дубнов — на него ссылается Милитарев, идею эту развивая. Упрямая приверженность традициям и замкнутость в своей среде веками свойственна была религиозному еврейству, образующему как бы твердое ядро извечно жестоковыйного народа. Но вместе с тем из этого ядра все время происходят выбросы активнейших людей, кидающихся в общечеловеческий котел кипения страстей, культуры и познания. И в разные века такие выбросы то мелки, то огромны. Два последние столетия они особенно заметны.

И в одном лишь месте этой книги я насторожился и поежился. В истории евреев автор книги принялся усматривать некий сценарий, умысел, прозрачную причинность поведения рассеянного по всему миру народа. Я прочитал, что всюду и всегда евреи были пламенной энергетической поддержкой той стратегии выживания, которую себе избрало человечество. Увы, подумал я, поскольку вспомнил об участии евреев в сотворении того кошмара, что обрушился в двадцатом веке на Россию. И не только в самой революции, но и в создании империи, которая занимала одну шестую часть света, но источала пять шестых вселенской тьмы.

Я выпил кофе, покурил и осознал, что я неправ. Они ведь воспалились тем же, чем был напрочь ослеплен и весь народ российский: равенством, свободой, справедливостью, иллюзией, что царство Божие можно построить на земле своею собственной рукой любыми средствами. А что касается их дьявольской активности, то что ж: Россия заплатила очень дорого за то, что столько лет накапливала всю энергию народа за глухой чертой оседлости.

Зато при чтении другой главы я благодарно и сентиментально улыбался от нахлынувших воспоминаний давних лет. Автор книги обсуждал идеи генетика Эфроимсона — имя это еще встанет в один ряд с великими гуманистами нашего жестокого времени. Владимир Павлович Эфроимсон евреем был типичным для России, ибо был отъявленным русским интеллигентом. И ученым был великим. Всю войну провоевал, потом шесть лет просидел в лагере (где был на общих — гибельных работах), уцелел, по счастью, снова занялся наукой. А сидел он, кстати говоря, — за «клевету на Советскую армию» — припомнили ему, как в сорок пятом году он подал рапорт в Военный Совет армии о массовых изнасилованиях немецких женщин. А на самом деле — не за тот трехлетней давности проступок был он осужден, а за проявленные снова мужество и донкихотство. Написал на этот раз Эфроимсон в Отдел науки Центрального комитета партии записку (на трехстах страницах) — «О преступной деятельности Т. Д. Лысенко». Это в сорок-то восьмом году! Был редкого бесстрашия этот совсем по виду не могучий человек. А в семьдесят первом году в журнале «Новый мир» была опубликована его статья «Генетика альтруизма» — очень долго (и насмешливо порой, так недостоверно и наивно показалось это всем в те годы) обсуждала ту статью российская интеллигенция. Генетик Эфроимсон написал о том, что человечество выжило благодаря генам альтруизма, благодаря тому, что в нас заложены не только гены эгоизма, но и гены, нам диктующие и сочувствие, и взаимопомощь, и поддержку друг друга. Он убедительно показывал (доказывал), что в нас заложено стремление к добру и человечности столь же активное, как и стремление к агрессии и превосходству. Иначе не выжил бы человек на этой планете. Это не было противоречием Дарвину с его естественным отбором (то есть выживанием сильнейшего), а было важным добавлением к пониманию устройства человечества. На том пути, который в муках и крови нащупывает Хомо Сапиенс, чтоб сохраниться, все сильней звучит мотив поддержки и взаимопомощи. Древние начала этого мотива — в Книге книг.

И тут я отвлекусь, поскольку знал Эфроимсона лично и про одну беседу нашу непременно должен рассказать. Мы разговаривали у подъезда его дома на проспекте Вернадского. Очень было холодно и ветрено, стояла ранняя весна семьдесят девятого года. Владимир Павлович закончил свою книгу хоть недавно, только получить уже успел отказ в издательстве (каком — не помню). И притом — категорический отказ. В котором было уверение, что в советское издательство — любое! — с этой книгой лучше не соваться. В большом унынии мне это излагал невероятный оптимист Эфроимсон.

— Владимир Павлович, — сказал я осторожно, но, как мне казалось, убедительно, — тут нету никакой беды и все естественно. Давайте копию, и я смогу ее переправить в какое-нибудь тамиздатское издательство. Книга ваша выйдет незамедлительно, вы сами это знаете.

— Я не могу и не хочу, — сказал Эфроимсон тоскливо. — Я, поверьте мне, нисколько не боюсь, но я тут жил и тут умру, и книга моя выйти должна тут.

О, как я знал, что он и вправду не боится! Я помнил про его бесстрашное письмо против Лысенко, помнил, как лишился он работы из-за подписей в защиту осужденных, он всегда открыто говорил, что думал, а сейчас он зябко ежился и с непонятным мне упорством повторял:

— Я — русский ученый и имею право свою книгу здесь издать. Спасибо за сочувствие и за готовность мне помочь, как раз об этом книга и написана.

Я тогда пожал плечами и простился. Знаю, что такое предлагали и другие. Но Эфроимсон не согласился. Книга его вышла в свет через десять лет после его смерти. Но в России, как он этого хотел.

Вернусь теперь я снова ненадолго к этой книжке «Воплощенный миф», полезно и благодарно мной прочитанной. Рассказывали мне в Москве, что многие коллеги автора изрядно потоптали его труд. Наверно — за сочувственное описание истории евреев, что, конечно, и научно слабо достоверно, и звучит слегка обидно, и вообще не ко времени. А потоптав, опять затеяли свои бесплодные дебаты и дискуссии о странно сохранившемся и малопривлекательном народе.

Если признаться честно, мне давно уже наскучили все эти прения, поскольку для меня еврейская загадка очевидна и прозрачна, как кристалл. А дело просто в том, что древние греки довольно сильно ошибались, подсчитывая в окружающем их мире число стихий. Они их обнаружили всего четыре: воду, огонь, воздух и землю. Пятая осталась не заметна им, поскольку вид имеет, слабо отличимый от остального человечества, а свою тайную природу раскрывала очень постепенно. Тем более что материальны, ощутимы и познаваемы только результаты проявления этой пятой стихии, ибо носит она некий умственно-духовный характер, отчего и не была обнаружена греками. Подобно остальным четырем, она различна по размаху и воздействию, но только ведь и ураганный смерч весьма отличен от легкого ветерка на закате, а слабое мерцание тлеющего полена мало походит на родственное ему полыхание раскаленной солнечной плазмы. Но несомненно участие пятой стихии во всей обозримой истории человечества, ибо стихия эта — пособник и ускоритель развития человечества, хочет оно того или не хочет (что вполне естественно для слепой природной стихии). Если мы начнем со времени, когда мудрые греки проморгали это явное явление природы, то достаточно упомянуть рожденную этой стихией Библию. Однако далее последовало христианство, вышедшее из того же источника. А в седьмом веке новой эры, вдоволь наслушавшись в караван-сараях библейских и христианских историй, сорокалетний Магомет ощутил в себе призвание пророка. То единобожие, которое он начал проповедовать, было целиком основано на том, что он услышал от погонщиков верблюдов и запомнил. И недаром все святые — основатели иудаизма (и Христос, поскольку он для Магомета был с иудаизмом неразрывно связан) — свято почитаются в исламе. И забавно тут заметить, что когда Магомет на короткое время усомнился в своем высоком предназначении и малодушно убежал пошляться в одиночестве — передохнуть и оклематься, то ему явился, чтоб его душевно поддержать и одобрить, посланник неба архангел Гавриил — существо, придуманное также евреями. (Если же архангел Гавриил реально существует, я приношу ему свои извинения за слово «придуманный».) Итак, три мировых религии были безусловно порождены этой загадочной стихией. Развитие человечества двигалось довольно медленно, однако же заметим, как его подстегивала всяческая торговля и финансово-экономические сплетения различных народов. Разве при словах этих перед вашими глазами не возникла хрестоматийная фигура вездесущего еврея? Банковское дело (в том числе и изобретенные нами векселя и чековые книжки) так давно и прочно связано с еврейским участием, что глупо даже отвлекаться на детали и подробности. А если все-таки отвлечься на минуту, то легко заметить (там, где это можно заметить, ибо не видны нашему глазу истинные механизмы и пружины истории) крохотные, но невероятно значимые эпизоды на великих, судьбоносных точках времени.

Так, например, двадцатого марта 1492 года королева Испании Изабелла и ее супруг Фердинанд пригласили на обед некоего Христофора Колумба — тот уже два года надоедал им предложением о плавании в Индию кратчайшим путем. Колумб очень обрадовался приглашению, надеясь на высочайшее согласие. Однако же в конце обеда ему было объявлено, что в королевской кассе денег нет. И что вряд ли они вскорости отыщутся для этого сомнительного предприятия. Колумб был так расстроен, что решил покинуть Испанию, поискав счастья в какой-нибудь другой державе. Но один его знакомый попросил его чуть-чуть повременить. Это был некий Луис де Сантангель, влиятельный советник королевского двора, крестившийся еврей, тайно продолжающий вести еврейский образ жизни. Он пригласил к себе троих своих друзей, одним из которых был знаменитый философ и негласный глава еврейской общины Испании — дон Ицхак Абарбанель. И двое остальных евреев тоже обладали деньгами в достатке. Что он говорил им — неизвестно, а доподлинно известно, что на экспедицию Колумба вызвался Луис де Сантангель поставить миллион мараведи — сумму весьма немалую. И друзья поддержали его ставку с тем же размахом. Этим четверым была достаточна видна опасность, уже нависшая над евреями Испании, однако же они ничуть не колебались. Все происходило так стремительно, что уложилось в считанные дни: через неделю после упомянутого отказа королева Изабелла подписала высочайшее согласие на экспедицию. А спустя еще три дня последовал эдикт об изгнании евреев из Испании. Все, что случилось далее, известно всем.

Еще давайте не забудем о врачах — это была тогда «свободная профессия», которая, как и торговля, и финансовые операции, была разрешена евреям. Во врачевании (как и в научной чуть попозже медицине) столького достигла эта пятая стихия, что навряд ли здесь нужны подробности. И об аптекарях давайте не забудем, хоть и кочевал повсюду миф об их связи с дьяволом — ведь без его участия никак не замешаешь нужные для исцеления химические вещества и травы.

К добру или во вред эта стихия, рассуждать не мне, ибо на стремительный, невероятный ход развития науки и техники разные люди смотрят очень по-разному. Хотя все до единого со сладострастием пользуются плодами этого развития. Однако же пора припомнить Карла Маркса — а его чудовищное влияние на современную историю никто не опровергнет — и опять подумать о соразмерности вреда и пользы. Тут меня одернет образованный читатель: Маркс чурался своего еврейства и немало едких слов про свой народ сказал и написал. Ну и что? А разве вам не доводилось видеть (если не воочию, то на экранах телевизоров), как борются между собой могучие ветровые потоки и как лесной пожар гасится встречным огнем? Стихия — однородное понятие, но вовсе не дружны друг другу ее бесчисленные виды и проявления.

Нам в Израиле это особенно заметно. И является основой стольких горьких (и взаимных) нареканий, осуждений и попреков, что красиво и корректно именуется здесь разницей культур. Мы все чудовищно различны — сообразно географии тех мест, откуда съехались сюда. «И это — евреи?» — говорим мы друг о друге с разочарованием, равно справедливом с каждой стороны. Поэтому в застольях наших все так понимающе смеются, если кто-то предлагает выпить — «за дружбу народов между евреями».

Тема эта здесь настолько болезненна, что мне пора припомнить, что какой я никакой, но писатель, а поэтому — обязан мыслить образами. К образам, навеянным стихиями, я и перейду. Неправда ли, стоячая вода в чахлом городском пруду не может не осуждать наглый разлив весенних речек? А одомашненное пламя газовой плиты — не раздражает ли его зарево пожара за окном? А как должна негодовать на него свечка! А как сетует спертый комнатный воздух на ворвавшийся в квартиру дикий ветер! А как тоскует, вероятно, крохотный клочок земли, пригодный для посадки сада, но погребенный сдвинувшейся почвой! Родственность не означает даже близости, и мы это прекрасно знаем по семейным отношениям.

Со стороны это обычно не заметно. И отсюда — миф о невероятной, часто явной, только чаще — тайной сплоченности еврейского народа. Тут и спорить глупо, жаль бумаги, разве что — пожать плечами.

Впрочем, мы еще вернемся к этому, поскольку смутное ощущение (догадка), что пятая стихия существует, — породила множество мифов, мы до них еще дойдем. Забавно мне, что чувство это было свойственно Борису Пастернаку — так, во всяком случае, мне кажется. Недаром он устами одного героя из романа так увещевал евреев, будто заклинал какое-то природное явление: «Опомнитесь. Довольно. Больше не надо. Не называйтесь, как раньше. Не сбивайтесь в кучу, разойдитесь. Будьте со всеми…»

А теперь пора мне привести один незаурядный факт. В марте семнадцатого года на кухне крохотной квартиры Ленина в Цюрихе сидели двое. А может быть, они сидели по обеим сторонам чемодана, заменявшего семье Ульяновых стол, — тогда они почти соприкасались лбами. Я отвлекусь на риторический вопрос: достаточно ли ясно всем и каждому, что если бы в России не возник, как черт из табакерки, этот лысый и картавый сгусток разрушительной энергии, то не было бы никакого Октябрьского переворота? Ведь почти все его соратники на это не решались — даже когда он приехал. А что сам бы он из Цюриха не выбрался (по куче самых разных обстоятельств и соображений) — столь же очевидно. Так кто же сотворил, осуществил такое судьбоносное перемещение вождя и вдохновителя российского самоубийства?

Тесно к Ленину высоколобой головой подавшись, вкусно выговаривал слова соблазна человек, которого (единственного, как мне кажется) боялся Ленин, уважал и презирал одновременно. Поскольку Ленин знал только одну испепеляющую страсть, а Александр Парвус гениально утолял их несколько. Он был великим игроком, авантюристом и любителем красивой жизни. В юном возрасте (не поручусь, что это не легенда) оказался он в Одессе свидетелем еврейского погрома — с той поры он якобы поклялся, что царизм российский будет свергнут при его участии. А еще Исраэль Гельфонд (его подлинные имя и фамилия) ни от кого не укрывал свою мечту разбогатеть и жить красиво и привольно. И занимался он десятками торговых и финансовых различных дел, и стал миллионером, а еще и в казино непостижимым образом выигрывал чудовищные суммы, и покупал себе дворцы в Европе, и гулял с размахом непостижным. А о женщинах и о шампанском — лишне тут и говорить. Большевикам давал он постоянно то большие, то немыслимые деньги (и не столь брезгливый, сколько осторожный Ленин брал их через третьи руки), и одаривал своих революционных собеседников идеями, которые впоследствии присваивались этими людьми. Идею перманентной (то есть постепенной, но и непрерывной) мировой революции Троцкий только развивал, а не придумал. А идею превращения войны в российскую гражданскую — от Парвуса услышал Ленин еще в самом начале Первой мировой. А еще писал гуляка этот множество статей в развитие марксизма, и в революции пятого года участвовал столь активно и значительно (да просто был одним из ее руководителей в Петербурге), что на Западе в отцах российской революции ходил и числился. Именно это помогло ему в начале Первой мировой войти в немецкий Генеральный штаб с идеей сокрушительной и явно перспективной: запустить в Россию всех смутьянов-поджигателей, благополучно прозябавших в это время в солнечной Швейцарии. Тогда Россия поневоле выйдет из войны, поскольку революция и по рукам и по ногам державу эту свяжет, обессилит и займет гражданской смутой. И Генштаб на это много миллионов выделил. Часть большая осела на счетах Парвуса, но много перепало и потенциальным поджигателям. Только не ехали они пока. Ленин два года назад отказался категорически (нет, не от денег, а от выезда-заброса), но внезапно изменила все Февральская революция, и Парвус вновь приехал в Цюрих, чтобы настоять. Он давно уже положил на Ленина свой проницательный глаз: такой железной одержимости разрушением и такого полного отсутствия гуманных предрассудков он не видел и не знал ни в ком. И Ленину предоставлялся звездный шанс. И тут он соблазнился, как известно.

Комментарии я оставляю обществу «Память» и прочим авторам печальных завываний о тлетворности еврейского участия. Хотя, возможно, их сильнее привлечет кошмарная модель историка Дубнова (посмотрите выше, если позабыли): ни разумом, ни глазом не охватное гигантское консервативное ядро всемирного еврейства дьявольски загадочно пульсирует, выбрасывая в беззащитный мир активные свои частицы с длинными носами.

Из книг, написанных о Парвусе, одна мне очень нравится своим названием: «Плейбой русской революции». Да, он играл, и выиграл он все, чего хотел. В Россию же обратно Ленин строго-настрого распорядился Парвуса не допускать, и даже высказался он неосторожно в том запрете, что Россию новую необходимо строить — «чистыми руками». Лучше промолчал бы, уж кому-кому такое говорить. И умерли они в одном году: один — от ужаса перед тем, что получилось, а второй, скорей всего, — от скуки, неизменно наступающей после того, что все мечты сбылись.

Наличие этой стихии инстинктивно ощущают все, кому по разным причинам свойственна юдофобия — понятие гораздо более точное, чем антисемитизм, ибо в буквальном смысле слова фобия — это страх. И потому с таким недоумением наморщивает лоб культурный или просто думающий юдофоб: мои еврейские приятели — прекрасные и обаятельные люди, но еврейство в целом — это же кошмар и ужас. Мне его понять легко: ведь человеку, как и всякому животному, глубинно свойственна боязнь стихии, это страх на уровне инстинкта, подсознания, оцепенение перед явлением природы. А отсюда — феерический, иного слова не найти, успех фальшивки «Протоколы сионских мудрецов», тираж которой — много миллионов экземпляров. Уверен я, что прочитало книгу несравненно меньшее количество людей, уж очень это вялый, смутный и бездарный текст. Одно в нем ясно и понятно: в некоем месте собрались однажды мудрецы-евреи, чтобы обсудить, как лучше и удобней захватить им власть над миром. Эта квинтэссенция известна всем. И очень помогает жить. Ибо идея милосердного всеведущего Бога никак не объясняет горести и тягости существования: ведь Бог не может быть настолько безжалостен к своим любимым чадам. А «Протоколы» (их наличие, вернее) объясняют полностью и внятно: злобная таинственная сила тонко и обдуманно повсюду сеет рознь и заплетает дикие интриги, чтоб измучить население планеты до покорного тупого подчинения.

Такому чувству страха — не одно столетие. В древнем иранском эпосе о герое и богатыре Рустаме среди многих его подвигов имеется один весьма гуманный и значительный. Он осчастливил население какого-то большого города, где под мостом жил огнедышащий еврей (!). То ли копьем, то ли мечом, но справился Рустам с этой немыслимой бедой.

А гениальный миф о поголовной умности евреев? Но и под ним ведь есть весьма весомое обоснование. Взгляните на еврейских дураков (им несть числа). Они активны, энергичны и напористы. Они полны апломба и энтузиазма. Всякие сомнения и колебания им чужды, а любой, кто сомневается, — враждебен. Я боюсь, что они знают (или чувствуют), что и они — значительная, значимая часть таинственной влиятельной стихии.

Я, как могу, пытаюсь избежать различных цифровых унылостей, однако в разговоре о лауреатах Нобелевской премии мне никак не миновать того пугающего факта, что каждый приблизительно восьмой из них — еврей. (На самом деле — каждый пятый, но разнятся все подсчеты, я тактично выбрал самый скромный вариант.) Учитывая наше общее количество на белом свете, это было бы естественно и пропорционально, когда бы население планеты составляло всего сто миллионов. Только на планете, если я не ошибаюсь, проживает миллиардов шесть, так что евреи сильно и бессовестно превысили приличное (ну, пропорциональное) количество заметно выдающихся умов. Это, впрочем, просто отступление, поскольку речь идет совсем не о настолько крайних проявлениях стихии, а скорее — об известном и заметном каждому ее повсюдном явственном и ярком участии в жизни человечества. Притом участии двояком, ибо в сотворении добра и зла стихия эта (как и четверо ее сестер, заметим) одинаково и неразборчиво активна.

Тут нельзя не вспомнить некую научную историю. С ростом населения планеты обнаружилась кромешная беда: истощение плодоносящей почвы. Пахотные земли оказались не в состоянии ежегодно приносить урожай, достаточный для прокормления растущего человечества. Нужно было в почву, истощенную посевами, вносить удобрения, содержавшие необходимые для растений химические вещества. И прежде всего — азот. Казалось бы, он всюду, этот газ, когда-то названный азотом («безжизненным»): над каждым квадратным метром земной поверхности висит восемь тонн (!) этого ценнейшего продукта. Но выделить азот из воздуха (связать его, как точно изъяснились химики) — необычайно трудно: азот весьма неохотно вступает в химическое соединение. Он есть не только в воздухе, и в почве есть огромное количество азота в виде разных солей. Каждое растение буквально окружено азотом, но — увы — так некогда мифический мученик Тантал был окружен водой и пищей. Но только стоило ему к ним потянуться, и вода отступала, а ветви деревьев с висящими на них плодами поднимались выше. В середине девятнадцатого века разразилась подлинная азотная лихорадка. У берегов Южной Америки, на островах около Чили и Перу, были многометровые залежи птичьего помета — гуано: миллионы птиц веками оставляли здесь отходы своего недолгого пребывания — ценнейшее азотное удобрение, аммиачную селитру. Сюда пришли сотни кораблей, пласты взрывались динамитом: за птичий помет Европа платила золотом, высота островов за короткое время понизилась почти вдвое. Но поддержка эта, посланная птицами небесными, должна была однажды кончиться. Все газеты мира пестрели прогнозами неминуемого грядущего голода.

Но в начале двадцатого века некий дотоле безвестный немецкий химик Фриц Габер положил конец всеобщему унынию: сочинил доступный способ и связал азот из атмосферы. И немедля сотворил с коллегами завод, производящий жизнетворное для урожая удобрение. Тут пора заметить, что еврейские родители назвали его некогда Яаковом, но так ему хотелось сделать яркую научную карьеру, что свое исконное имя он предпочел сменить. Кому, как не советским евреям, это ухищрение знакомо? Спустя несколько лет имя человека, обеспечившего людям хлеб, стало известно всему миру: Фриц Габер был удостоен Нобелевской премии. И назван был во множестве статей — благодетелем рода человеческого. Но громогласная хвала перемежалась столь же яростной хулой: к этому времени Фриц Габер, одержимый патриот Германии, успел создать те отравляющие газы, что за годы Первой мировой изрядно покалечили здоровье сотням тысяч человек. Во времена фашизма он уехал, искренне и горько недоумевая, как он проживет без обожаемой и столь ему обязанной немецкой родины. Плоды его трудов немало пригодились этой родине и после его грустного отъезда. Поскольку лаборатория Фрица Габера еще работала и с теми отравляющими газами, которые уничтожали вредных насекомых на полях. Один из видов газа был особенно удачен. Так что явно различимые следы химического гения еврея Габера лежат и на кошмарном препарате, памятно преступном газе — на циклоне Б. Такая вот хрестоматийная судьба.

Еще в начале века Горький обронил слова, задолго до него произносимые различными людьми (Ренан, к примеру — на полвека ранее), просто в его устах они особенно весомо прозвучали. «Евреи — это дрожжи человечества», сказал он, весьма приблизившись к идее, излагаемой в этой главе болтливым автором. Дрожжи, фермент, катализатор — много есть названий для вещества, которое ускоряет те процессы, что совершаются с другими веществами. В кишении живых существ, самонадеянно себя назвавших «хомо сапиенс», происходит то же самое, это давно уже заметили и описали тысячи исследователей человечества. Наткнулся как-то я на очень интересную одну формулировку (говорят, она была любимой поговоркой у Хаима Вейцмана, первого президента Израиля): «Евреи — такие же люди, как все остальные, только в большей степени». Мне кажется, что в этой фразе нет гордыни, есть только печаль пожизненного ощущения особости. Поскольку в равной степени к добру и злу относится это признание загадочного факта.

Здесь я вынужден опять назойливо и нудно повторить: во благо или в пагубу работает стихия — зависит всюду и всегда от явных или скрытых побуждений местного народа. И винить ее столь же нелепо, как благословлять, ибо она слепа и разнолика до полярности.

Я маленькое должен сделать отступление. Евреем можно стать, пройдя гиюр, — такая существует освященная веками процедура обращения в еврейство. Гиюр — это недолгая учеба (о законах и традиции), потом с тремя раввинами беседа, обрезание, конечно, а затем — ритуальное погружение в микву, эдакий бассейн некрупный. Вот и все. Евреи, таким образом, бывают двух родов: гиюре и де факто. Я, конечно же, пишу свои нехитрые заметки о природных, о естественных евреях.

А еще стихии этой странное присуще свойство. Некогда его назвали по имени мифического бога Протея. Он, как известно, обладал способностью превращаться в разные живые существа — зверей обычно, только мог при случае прикинуться огнем и деревом. Так вот евреи в Испании и Германии стремительно становились типичными испанцами и немцами, в России — безусловными русскими, и дальше просто незачем перечислять. И то же самое происходило в странах восточных. Евреи глубоко и быстро впитывали вкусы, привычки, склонности, черты характера, достоинства и слабости того народа, среди которого им доводилось жить. Порой даже в утрированном виде (сочинения, к примеру, местного фольклора, музыки и песен этого народа). И это не было сознательным приспособленчеством, защитной и коварной мимикрией, это было свойством, искони присущим нашим предкам и отцам. И потому как раз в душевной эпидемии, в безумии, которое Россию поразило в начале двадцатого века, приняло участие кошмарное количество евреев.

Тут очень грустная мне вдруг явилась мысль, и я ею не могу не поделиться. В мифе о Протее есть одна забавная деталь. Если его успешно прихватить и вынудить долго сидеть на одном месте, то он превращается в того, кто он есть на самом деле: в тихого печального старичка. Ох, не дай Господи, чтобы это с нами случилось в Израиле!

Вернусь, однако же, в Россию. На столе передо мной лежит удивительная книга. Много лет и сил потратили

ИГОРЬ **ГУБЕРМАН**

на нее сотрудники общества «Мемориал». Каждый раз, когда приезжаю в Москву, я стараюсь пообщаться с этими святыми людьми. В эпитете «святые» нет ни капли преувеличения: в сегодняшней России, объятой дикой лихорадкой алчного стяжания, эти подвижники заняты работой, напрочь бездоходной: по клочкам и каплям восстанавливают они историю вчерашнего безумия. Книга эта — о самом действенном инструменте российского самоубийства — о ЧК, НКВД и КГБ. Она — о тех, кто этими конторами руководил. В конце ее — список убийц, распределенный по национальному составу. Там ошеломляющее множество евреев. И поразительная, если присмотреться, есть подробность: явное обилие евреев года за два до войны решительно и вмиг снижается от тридцати (и более) процентов — до шести, то есть почти естественной (пропорциональной русскому еврейству) цифры. Почему ж это убийцы настолько выборочно перебили друг друга? Потому, что к тому времени уже оформилась и встала на ноги советская империя. Стихия пособила яру стремлению всех россиян от низа и до верха выйти на орбиту озаренного безумия — самоубийство состоялось. И евреи в изобилии остались только в областях, которые империи были нужны, чтоб развиваться: наилучшее свидетельство того — списки лауреатов государственной премии в области науки и искусства. А тюремные списки сидящих за экономические вольности — еще одно свидетельство жизнеспособности невянущей стихии.

А когда судьба России развернула чистый лист и непривычным воздухом свободы принялся дышать огромный лагерь, снова очень явно (даже слишком) обнаружилось то дрожжевое соучастие стихии, от которого темнеют лица и болит душа у коренных радетелей великорусского единства.

Все, кому не лень и есть охота, с легкостью разыщут-обнаружат то же самое явление в истории всех стран, куда эта стихия дометнулась. Я же лично, с радостью внеся свою посильную лепту в научную картину мира, думаю, что в той херне, которую я тут наплел, есть несомненное рациональное зерно: умом евреев не понять. Хотя стремиться к этому — полезно и забавно.

ЗАМЕТКИ НА ОБРЫВКАХ И САЛФЕТКАХ

Меня всегда восхищали те истории о животных, которые напоминали о нашей смутной общности в происхождении. Например, о женском коварстве. В стае орангутангов право безусловного владения самками принадлежит единолично вожаку. Поэтому невдалеке от каждой самки вертится всегда какое-то количество вожделеющего молодняка. Вожак ревниво следит за своим гаремом, но уследить он успевает не всегда. И порой в кустах он застает какую-нибудь самку в сладостном и незаконном совокуплении. Он, разумеется, кидается на них, и тут же самка принимается изображать горестное негодование: кидается на землю, бьется и показывает жестами, что начисто невинна, оказалась жертвой гнусного насильного поругания. Вожак кидается вслед молодому самцу, а пока он гонится за ним и настигает, что непросто, самка мигом обретает спокойствие и успевает совокупиться с еще одним претендентом.

А в иерусалимском зоопарке завелись сравнительно недавно две прелестные молодые носорожицы. Они были настолько юные, что сохраняли еще белый цвет, не успев превратить его в обычный бурый. Для продления рода к ним привезли из Рамат-Гана (там на свежем воздухе огромный зоопарк — сафари) очень представительного и могучего самца, славного своими незаурядными успехами в области покрытия самок. Носорожки отнеслись к нему прекрасно, только этот тип не обращал на них своего прославленного благосклонного внимания. Ничуть не обращал. Кормился и гулял, а юных красоток — словно не было в вольере. И хотя они ничуть не обижались и к нему игриво льнули, только наглый носорог на них ничуть не реагировал. А как легко себе представить, эта творческая командировка стоила немалых денег, да притом еще всех огорчала непредвиденная неудача. Сунулись к ученым знатокам, но те только пожали плечами. И тогда один молодой энтузиаст решился на игру, изысканную и тончайшую по замыслу, точней, — по пониманию мужской натуры. Рано утром он поехал в Рамат-Ган, набрал лопатой экскременты другого носорога и подбросил на траву в вольер этот навоз, еще не полностью остывший. Привередливый самец увидел эту кучу, недоверчиво понюхал и учуял невидимого соперника. Тут он взревел и, засучив ногами, кинулся на самок, словно молодой солдат, явившийся в деревню на побывку. Он их покрыл со всем старанием известного заезжего производителя и оправдал свою гастроль сполна: в вольере нынче ходит носорожик дивной красоты и нежности. И никогда он не узнает, чему обязан появлением на свет. Мужчин соблазнить легко, нужна только смекалка в поисках отмычки к сердцу. А она, как видите, весьма разнообразна. Я бы обошелся без морали, только очень уж история благоуханна — в точном смысле этого неоднозначного слова.

Что же до отмычки к непостижному мужскому сердцу, то не так она доступна и проста, как кажется обычно опытному глазу обаятельниц. Приятель мой работал и дружил с одним немолодым евреем, всю войну провоевавшим (убежал на фронт совсем мальчишкой), а потом успешно выросшим до небольшого, но начальственного места. Словом, был завидным женихом. Но что-то не залаживалось у охотниц прямо с самого начала. Не успев закончить школу, этот привлекательный по всем статьям мужчина обладал немыслимой психологической слабинкой: в женщинах ценил он грамотность не менее наружной красоты.

— Ты понимаешь, — говорил он моему приятелю, — уже мы выпили вина, уже она готова лечь в постель, и тут я ей даю бумагу, карандаш и говорю: а напишите здесь, пожалуйста, слово «фейерверк». И если не напишет правильно, то у меня проходит напрочь все желание.

Нет, мы не так просты, как кажемся. В особенности если присмотреться. Как однажды мне сказал один приятель о знакомом нашем общем: стоило узнать его поближе — захотелось отойти подальше.

А еще я расскажу сейчас историю, которая на размышления куда повыше тянет, хотя есть в ней малосимпатичные подробности. В Иерусалиме, в самом центре, некогда была лаборатория, которая противоядиями занималась. Укусил вас, например, какой-нибудь свирепый насекомый зверь — ан есть уже спасительная сыворотка некая. В которой за основу, кстати, взят как раз убойный яд напавшего злодея. Именно поэтому там содержали много скорпионов и других подобных тварей, в изобилии там были также змеи ядовитые. Еще там почему-то двух рысят кормили, крокодильчик содержался и другая незапамятная живность. Но история — о змеях. Мой приятель там работал их кормильцем. Он еще и клетки убирал и змей уже ничуть не опасался. (Не могу не рассказать, что он уволен был впоследствии по изумительной причине: дважды укусила его эфа, чей укус заведомо смертелен, а приятелю — ну хоть бы хны. Его уволили, чтоб он науку не компрометировал своей бесчувственностью подлой.) И однажды я к нему зашел как раз, когда он подопечным тварям щедро скармливал мышей. Живых, естественно. Держал в руках коробку с мышками и змеям их кидал. Ему это привычно было, я старался не смотреть. Но вдруг увидел я, что он сперва с размаху мышку бьет о камни пола, а потом только кидает змеям. Тут я отошел подальше (все равно все время слышал: шмяк, шмяк), а как только он освободился и пошли мы покурить, его немедленно спросил, зачем он это делает. А это, объяснил он мне, такой в террариуме принятый акт милосердия: те змеи, для которых он сначала мышек бьет об камень, не глотают пищу, а жуют, и он мышей таким кошмарным образом от лишнего мучения освобождает.

Признаться, я ушел от него в легком потрясении. Мне как-то непреложно ясно стало, что Творец довольно часто поступает так и с нами, только мы это не очень понимаем. На меня эта жестокая идея так нахлынула, что хоть пиши душеспасительную книгу: неисповедимы, мол, пути и замыслы Господни, и не нам понять мышление Творца. Я, может быть, тот эпизод забыл бы за вседневной суетой, но только через день-другой нам довелось с женой из города Нетания под вечер возвращаться в маленьком автобусе. А с нами ехали пять-шесть евреев из Литвы. Точнее, их родители в Литве когда-то жили, но как только армия советская пришла (чтоб их освободить, как всем известно), то десятки тысяч были высланы в Сибирь. Соседи наши по автобусу туда еще детьми попали. А сейчас они неторопливо обсуждали, что, в Литве они останься, — никого давно бы не было в живых. И тоже неисповедимость Божьих замыслов упомянули. Оба эпизода так совпали, что зарифмовались в памяти моей.

Эта беспорядочная глава будет состоять из разных историй, ничем между собой не связанных. Кроме единства их происхождения: я их собрал и записал когда-то. Собрал — в буквально том же смысле, что грибы: в лесу застольных разговоров, на опушках краткого случайного общения и на коротких узких просеках, что пролегают вдоль дорог, а кочевые гастролеры ездят много. Вытащить блокнот, чтоб аккуратно записать, бывает не с руки или неловко, и боишься перебить рассказчика. То на клочке бумаги подвернувшейся, то на неведомой квитанции, затерянной в кармане, то на оторванных полях газеты, часто на салфетке со стола — я наскоро записывал услышанные байки. Почерк у меня корявый с детских лет, легко себе представить, на какие закорючки переходит он в подпитии, поэтому наутро сплошь и рядом невозможно разобрать, что именно я накорябал, находясь в восторге от услышанного. Память помогает не всегда. Однако же — довольно часто. А я уже наверняка писал и ранее, что вижу мир и понимаю что-то в хаосе существования лишь через байку, анекдот, забавный случай. Ибо нету у меня того логического и аналитического мышления, которое дает возможность умным людям говорить глубокие, продуманные глупости. А мелкие житейские истории — осколки, блестки, капли, за которыми отменно ясно проступает подлинная жизнь. Ну, словом, это мне гораздо интересней и полезней рассуждений, выкладок и аргументов. А случайно подвернувшиеся чьи-то фразы — счастье столь же редкостное, как находка жемчуга в огромной куче сами знаете чего. И, например, сейчас я вспомнил (по естественной ассоциации) Зиновия Ефимовича Гердта легкие слова: наше хождение в сортир, заметил он, — это единственное в жизни удовольствие, после которого нет угрызений совести. А как в Одессе выразилась одна древняя старушка о причинах смерти ее сверстницы: «упала ностальгия на весь организм тела».

А порой находятся клочки с заметками совсем далеких лет. И жуткое приятство — окунуться вдруг в то молодое время дивных замыслов и бурного кипения ума. Мой приятель, ошалев от непробудной бедности, услышал где-то, что прямо по соседству есть возможность раздобыть немного легких денег. Московский Институт мозга посулил некрупную, но плату — людям, после смерти завещающим свой череп с содержимым для научных изысканий. Он туда понесся, как ужаленный.

— Вы обладаете какими-нибудь уникальными способностями? — сухо спросила его женщина в халате.

— Нет, — ответил мой приятель честно, — я ничем таким не обладаю. У меня совершенно рядовой мозг, и вы его прекрасно сможете использовать для всякого сравнения с нерядовыми.

— Но такие препараты, — возразила неприступная приемщица, — нам поставляют городские морги.

От полного крушения финансовой мечты и от печали, что надежда возвратить долги растаивала прямо на глазах, приятель мой нашел весомый для науки довод.

— Я живу поблизости, — сказал он вкрадчиво, — мой посвежее будет.

А на обороте этого клочка — пометка, лаконичная донельзя: один из собутыльников на той вечерней пьянке носит кличку «Моцарт» — в честь того, что мать его работает уборщицей в консерватории. Но кто это, уже я вспомнить не могу.

А вот еще одна того же времени (шестидесятые года) московская история. Притом, что мне особенно приятно, — связана она с устройством нашей памяти, то есть причастна к мозгу, значит — я не хаотично вспоминаю и не беспорядочно, а по ассоциации, то есть вполне пристойно.

Мне это повестнула женщина, фамилия которой — Коллонтай (такая большевичка знаменитая была когда-то, но рассказчица возможное родство категорически отвергла). И купил ей муж машину. Поначалу она ездила довольно плохо, и однажды на какой-то улице московской повернула, где запрещено. И сразу же возник изрядно пожилой гаишник, козырнул и с вежливой суровостью сказал:

— Нарушили серьезно, дамочка, права давайте, будем штрафовать.

Она дала свои права, покорно приготовившись платить за нарушение. Однако милицейское лицо буквально потемнело от какой-то рвущейся наружу мысли. Он вертел ее права в руках и бормотал:

— Коллонтай, Коллонтай, Коллонтай...

И посветлело вдруг его лицо, он сунул ей права обратно, козырнул и радостно воскликнул:

— Ты же в Ленина стреляла! Проезжай!

Теперь должно быть транспортное что-то. Есть, конечно. Как-то мне прислала одна женщина записку. Ей рассказывал ее отец. Когда еще был молод он и не женат, повсюду порывался он сорвать цветы доступных удовольствий. И однажды в переполненном автобусе, где все они битком были набиты, попытался все же уболтать соседнюю смазливую девицу. Говорил ей что-то из привычного набора-арсенала, действующего обаятельно и часто безотказно, только девушка ему с нарочной громкостью сказала:

— Парень, ты не только глупости болтаешь, ты еще ими и толкаешься!

Теперь, похоже, надо что-то про любовь. Один мой друг — он родом из Одессы — в юности ходил по пятницам в общественную баню. Там в огромном общем зале были для хозяев местной жизни (то есть для партийной и коммерческой элиты) выставлены бочки для индивидуальной помывки. Сидя в этих бочках, где вода была как раз по горло, отмокали эти люди и вели между собой душевные беседы. Оказавшись как-то рядом, услыхал мой друг отменный диалог.

— С кем ты сегодня? — спросила одна из голов другую.

— С женой, — ответила без удовольствия вторая голова.

— Что так? — сочувственно спросила первая.

— Да день рождения, — откликнулась вторая с омерзением.

Среди клочков, разложенных сейчас на моем письменном столе, — большой бумажный лист, исписанный коряво, но читабельно. Это стишок из давней и распутной молодости автора. Когда-то я его любил читать, потом забыл, он очень быстро потерялся, а теперь возник из долгого небытия, и грех его не напечатать, потому что тоже — про любовь.

С таким подчеркнутым значеньем,
с таким мерцанием в глазах,
с таким высоким увлеченьем —
то на порыве, то в слезах —
о столь талантливых знакомцах
(порой известных не вполне),
о стольких звездах, стольких солнцах
она рассказывала мне,
как будто Пушкин был ей братом,
и лично Лермонтов знаком,
как будто выпила с Сократом
и год жила со Спартаком.
Как будто Дант дарил ей счастье,

Шекспир сонеты посвящал,
и умирающий от страсти,
всю ночь Петрарка совращал.
Мне рассказать она спешила,
что впредь без загса и венца,
но лишь великому решила
себя доверить до конца
блестящих дней своих. И грозно
она взглянула мне в глаза...
Плестись домой мне было поздно,
и я с надменностью сказал,
что не хвастун, а тоже антик,
что инженер я и поэт,
лентяй, нахал, болтун, романтик,
и чтоб она гасила свет.
Холодный ветер плакал скверно,
метель мелодию плела,
она поверила, наверно,
и в рюмки водку разлила...
Плясали тени, плыли блики,
луну снаружи просочив...
Так приобщился я к великим,
попутно триппер получив.

Теперь еще немного про высокую любовь в ее земном (буквально) проявлении. Одна моя знакомая услышала случайно разговор двух молодых российских женщин. Было это, кажется, в кафе. Одна из них похвасталась подруге, что ее так пылко полюбил мужчина некий, что сейчас он собирается в подарок ей купить клочок земли, чтобы на нем построить дом и проживать совместно. И доверительно добавила счастливица:

— Он под Афинами собрался землю покупать. А именно в какой стране, я не скажу, чтобы не сглазить.

Тут я, естественно, припомнил замечательно печальные слова из некоего женского письма (на сохранившемся клочке неведомой газеты были эти грустные эпистолярные обрывки): «Как, спрашивается, отличить порядочного мужчину от прохвоста, когда у них у всех на уме одно и то же?»

А предыдущая история (тьфу-тьфу, чтобы и мне ту ситуацию не сглазить) не с клочка бумаги списана, а с некосго примечательного диска. Незнакомая мне женщина, исполненная редкого доброжелательства и зная, что мы скоро встретимся на юбилее общего приятеля, заранее на диске записала несколько отменных баек. Хорошо хоть в книге я могу ей выразить свою душевную признательность. Потому что, получая диск, я что-то маловыразительное бормотнул, мне никогда еще не делали таких подарков. Вот самая первая история оттуда.

В полупустой трамвай, по Питеру катившийся, вошла женщина с мальчонкой лет пяти-шести, по росту судя. Непропорционально огромная голова мальчика была наглухо обмотана платком, даже лица не было видно. Очевидно, даун, бедолага, мельком подумала рассказчица. Они уселись где-то позади. И вдруг на весь трамвай раздался звонкий, бодрый и вполне здоровый голос мальчика.

— Мама, я царь? — спросил он.

— Сволочь ты, а не царь! — гневно ответила мать.

Тут из пассажиров кто-то возмутился: что вы, дескать, так безжалостно и грубо обращаетесь с ребенком? Женщина ответила печально:

— Он себе на голову надел хрустальную вазу, едем ее пилить.

А кстати, когда я эту историю на пьянке рассказал, то наш приятель общий, врач-хирург, с энтузиазмом вспомнил полностью аналогичный случай в Вологде. Оттуда он привез такой незаурядный медицинский и житейский опыт, что для всего на свете у него теперь имеется созвучная история. К ним однажды привезли на «Скорой помощи» больного, у которого на карточке была загадочная запись состояния: «Голова в постороннем предмете». А предметом этим оказался глубоко и крепко нахлобученный ночной горшок. К удаче слесарей, которых вызвали немедленно, он был без содержимого и чистый.

А вторую байку с диска я теперь немедля вспоминаю, как только услышу от кого-нибудь слова, какую мы великую культуру привезли с собой в Израиль (то же самое — в Америку, Германию, Австралию и всюду, куда въехали за эти годы). Этот разговор моя рассказчица услышала в кафе, которое красиво называлось — «Лотос». По соседству с ней сидели две отменно принаряженные дамочки с ухоженными лицами и маникюром, столь же ярким, как и макияж. Они со вкусом обсуждали, до какой кошмарной степени отсутствием культуры надо обладать, чтобы назвать кафе названием стирального порошка.

Мне подарили этот диск в начале всей гастроли по Америке, и я нашел там байку, ставшую предметом моей гордости на двух десятках выступлений. Я рассказывал о некоем грехе, который только в самые последние года пополнил список многочисленных еврейских виноватостей. Мне самому отменность этой байки доставляла удовольствие при каждом повторении ее.

А место действия — опять битком набитый питерский автобус со служащим и всячески трудящимся народом. На одной из остановок втиснулся туда заметно пьяный человек, который грязным, черным матом громогласно поносил евреев. Суть же монолога, если вытащить ее из просто ругани, вся состояла в том, что это некие предательские люди, чье коварство, вероломство, ненадежность никаким словам не поддаются. Кто-то наконец в автобусе не выдержал и пьяному сказал, что женщины и дети рядом едут и нехорошо при них ругаться неприличными словами. Про евреев, мол, — пожалуйста, а мат оставьте при себе. И пьяный не обиделся и не вскипел. Он повернулся к упрекнувшему его и с горестной печалью в голосе сказал:

— Я за него, иудиного сына, свою дочку замуж выдал, а он ехать не хочет!

Вот я и вышел на излюбленную тему. Но сначала поясню, каким давнишним чувством я хотел бы поделиться. Поражает меня в нашем удивительном народе резкая и очевидная полярность умственных способностей. Точнее — их полярное распределение. На полюсе одном — отменно ясный ум, сметливость необыкновенная, и быстрота реакции, и к пониманию всего происходящего высокая способность. На полюсе другом — такие сгустки глупости, что делается страшно, ибо глупости сопутствует апломб, уверенность в непогрешимости суждений и невероятная от этого категоричность. Об активности уж нечего и говорить. Я два примера этой удивительной полярности рассказываю всюду на концертах.

Первый — с полюса сметливости. Сегодня уже только пожилые меломаны (тоже далеко не все) припомнить могут имя некогда весьма известного молодого скрипача Буси Гольдштейна. Этот мальчик (из Одессы, разумеется, великого Столярского любимый ученик) был от роду двенадцати, примерно, лет, когда за яркую победу на каком-то конкурсе сам всесоюзный староста Калинин орденом его прилюдно награждал. В Москве, в Колонном зале это было. Году в тридцать четвертом приблизительно. А мама Буси незадолго до начала церемонии его в сторонку отвела и тихо, но внушительно сказала:

— Буся! Когда дедушка Калинин на тебя нацепит орден, ты ему скажи — но громко: дедушка Калинин, приезжайте к нам в гости!

— Неудобно, мама, — попытался Буся отказаться.

— Ты это скажешь! — завершила мама разговор.

И послушный мальчик Буся, когда дедушка Калинин с ласковой улыбкой мальчику вручил высокую награду, громко пригласил его приехать в гости.

И немедленно из зала прозвучал отменно на испуг поставленный крик мамы молодого скрипача:

— Буся! Что ты говоришь? Мы ведь живем в коммунальной квартире!

Нет, я не поручусь за достоверность этой байки, только несомненно мне ее правдоподобие. А ордер на квартиру, говорит история, на следующий день им привезли.

А кстати говоря, у этой мамы был и старший сын. Ничуть не меньшего таланта. Но еще играла в нем струна незаурядного авантюриста. Был он композитор, и хорошую писал он музыку, но до известности никак не получалось дотянуться. И вот в конце сороковых годов, в разгар уже забытой, к сожалению, кампании за русский приоритет (суть состояла в том, что все на свете было изобретено в России), в мире музыкантов вдруг ошеломительная новость разнеслась. В архиве неком отыскались ноты сочинений композитора Овсяннико-Куликовского, и музыка потерянная эта — ослепительно божественной была. Такая — в духе Моцарта, но так как автор из славян, то много лучше. Называлась «Двадцать первая симфония», а значит — и другие были. Несколько из них потом нашлись. Сам этот автор не был никогда известен сочинительством, но страстью к музыке достаточно известен. Сей помещик был заядлый меломан, огромный содержал оркестр из крепостных крестьян, а как-то по душевной прихоти весь тот оркестр подарил Одесской опере. Ну словом, подходящая была фигура для превознесения и восхваления ее. Сокровищем великой классики и образцом неведомого миру симфонизма обозначили его творения умелые и быстрые музыковеды. И музыку его включили в качестве программы обязательной в репертуар всех государственных оркестров. Тиснута была заметка горделивая в Большой Советской Энциклопедии. А диссертаций написали по его произведениям — без счета и числа. И длилось это девять или десять лет. Пока, не вынеся психологической нагрузки, не признался композитор Михаил Гольдштейн, что отнюдь не сочинения он отыскал в архиве некогда, а всего лишь — пожелтевшую со временем пустую нотную бумагу. А ту симфонию великую он сам и сочинил, и записал. Сначала вспыхнувший скандал замять пытались замечательно привычно: посадить решили наглого мерзавца. Даже с обыском приехали (после допроса многочасового). И хотели порнографию пришить, поскольку отыскалось некое изображение прелестной голой бабы. Мигом привезли искусствоведа. Только тот, козел нерусский, сразу же сказал, что это просто репродукция с известнейшей картины и в любом альбоме живописи есть. А больше им придраться было не к чему, но все же обещали посадить. По счастью, все закончилось газетным фельетоном, и шумиха мягко рассосалась. Кстати говоря, большую пользу принесла эта история авантюристу-композитору: коллеги принялись ему заказывать различные сюиты и сонаты, и весьма он процветал как музыкальный негр. А платили — много и исправно.

Только я увлекся и отвлекся, а за мной ведь — байка с противоположного полюса еврейского ума. Она проста. В Америку въезжал весьма немолодой еврей, который в жизни прошлой был полковник авиации. И принимающий его чиновник (через переводчика) спросил, что побудило этого почтенных лет еврея вдруг уехать из страны, где сделал он такую явную военную карьеру. И получил незамедлительный ответ: уехал я от антисемитизма.

— Но как это касалось лично вас? — настаивал чиновник. — Все-таки вы как-никак, но дослужились до полковника.

И терпеливо пояснил ему еврей:

— Смотрите сами: в семьдесят третьем году, когда израильтяне воевали, наша эскадрилья собрана была, чтобы лететь бомбить Тель-Авив. А меня — не взяли!

Все рассказы о евреях собирая с любопытством и усердием, никак я не миную жуликов, мошенников, подонков, проходимцев, прохиндеев — яркую мозаику великой одаренности народа моего и в этих областях. А байки эти резко делятся на те, что сочиняются о нас извне, и те, что мы рассказываем сами о себе.

Из тех, которые рождаются снаружи, как-то я одну прелестную услышал. Приятель мой, заядлый рыболов, был приглашен к костру соседними удильщиками рыбы. Это ведь занятие такое, что не мыслится без выпивки по случаю удачи, неудачи, просто пребывания на берегу, и с удочкой к тому же. Выпили они, пока уха варилась, после снова выпили, и тут уж начали знакомиться друг с другом. Имя называя и профессию. Один был инженер, один был токарь, двое, кажется, — электрики. А мой приятель, когда очередь дошла, сказал, что музыкант. Он и правда — профессиональный музыкант. Тут легкое молчание повисло, и один из рыбаков глубокомысленно заметил:

— А музыку, ее ведь всю евреи и придумали. Чтоб можно было не работать.

А теперь — о прохиндее, тип которого не редок в наше смутное и фальшью переполненное время. Из Германии он позвонил одной моей знакомой. Назвался Гришей и сослался на того, кто дал ее домашний телефон. А дальше тоном доверительным и свойским он ей сообщил, что знает из рассказов: много лет назад ее за самиздат и за сомнительных знакомых много раз таскали в ту чекистскую контору в их когда-то общем городе. Так пусть она сейчас ему расскажет поподробней, как допрашивали там, какие задавались ей вопросы, чем ей угрожали и как выглядели внешне эти дознаватели-чекисты. Понимаете, сказал он ей безоблачно и как соратнику по делу, я в Германии пытаюсь прокатать как пострадавший диссидент, и мне нужны поэтому детали и подробности — вдруг будут спрашивать, они ведь все дотошные, кретины местные.

От ужаса и омерзения моя знакомая молчала, слушая весь этот монолог. А когда он закончился, она ни слова не могла из себя выдавить. И, сообразно личности своей молчание истолковав, спросил ее бывалый этот Гриша:

— Что вам, жалко, что ли?

Я постеснялся спрашивать, чем кончился их разговор. Точнее — побоялся, ибо очень не хотелось мне услышать, что великодушие и доброта моей знакомой победили отвращение от прохиндейского звонка.

Теперь я обращусь к листку, отдельно на моем столе лежащему. Поскольку он — о прохиндеях дерзновенного ума. О тех мыслителях, чей проницательный духовный взор блуждает неотрывно по истории еврейской — в лютой жажде усмотреть и пригвоздить еще какую-нибудь пагубу, от этого народа происшедшую. Уже писал я, что мое щенячье любопытство неизменно побеждает всякую брезгливость и что я труды таких мыслителей просматриваю, если не читаю. Но одну высокую идею — прозевал по торопливости и недогляду. А уже ей много лет. Но как-то пропускал я, очевидно, и пролистывал кишение умов вокруг Хазарии. Держава эта сильно расцвела к восьмому веку новой эры (и удачно воевала, и сошлись узлом в ее столице караванные пути большой торговли) и огромное пространство занимала. А к единобожию склонясь, признали неразумные хазары государственной религией своей — иудаизм. Историки логично полагают, что большого выбора и не было: поскольку третьей по могуществу была тогда Хазария, то ни ислам (с могучим мусульманским Халифатом близость возникала бы чрезмерная), ни христианство (та же самая опасность, только с Византией) ей не подходили. Ну, конечно, и евреи крепко там подсуетились, было их какое-то количество в Хазарии (торговые пути!). А после четырех веков большого процветания — исчезла начисто могучая держава, волнами монгольского нашествия сметенная. И документов исторических почти что не осталось (достоверных), и раскопки мало принесли. Но тем и круче оказались горы измышлений споривших об этом времени историков. А поверху витает с неких пор пахучий дым российской дерзновенной мысли. Суть ее проста, как правда: не растаяла Хазария в котле плавильном исторических событий, отыскался след хазарский (как добавил бы, наверно, Гоголь). В незримые флюиды превратилось иудейское дыхание Хазарии, рассеялось в веках и злобно мстит России за свое позорное падение (забыл я сообщить источник дыма: ведь империю хазар, как померещилось сметливым патриотам, сокрушила именно Россия, а не жалкие монголы). Тут есть одна деталь немаловажная: именовался самодержец всей Хазарии — каган (отсюда и Хазарский каганат — название державы), он все бразды правления вручал доверенному и надежному лицу, а этот человек (он назывался — бек) исправно и послушно выполнял все указания сидевшего в тени владыки.

Неужели до сих пор не догадался, проницательный читатель? Всю трагедию, постигшую Россию в прошлом веке, учинил и дьявольски успешно раскрутил не кто иной, как Лазарь Каганович! А товарищ Сталин был при нем не более чем беком. И еще один был бек — Лаврентий Берия, но тот евреем тоже был (наполовину, правда, но история на месте не стоит), ему эта трагедия доставила большое удовольствие. А Каганович — вот злодей циничный! — даже фамилию не удосужился сменить, хотя не мог не понимать, что по фамилии его однажды опознают.

Если мне теперь читатель скажет, что подобный бред — удел какой-нибудь статейки свихнутого темного бедняги, я ему отвечу, что уже десяток книг (поболее, пожалуй) раздувает эту дымную гипотезу. А комментарии — обдумывайте сами.

Но забавно, что теперь мне стало легче напечатать одну запись (на салфетке), относительно которой я довольно долго сомневался. А потом я нескольким приятелям ее прочел. И так различна их реакция была, что я и это непременно опишу. Однако же пока — о записи. В Германии на коллективной выпивке (уже не помню город) обратился ко мне юный парень, предлагая почитать, как много общего нашел он у евреев — с тараканами. И не то стеснительность в его словах скользила, а не то — опаска, что отвечу я ему горячим поруганием самой идеи. Но во мне возобладало любопытство. Перечень им найденного общего был безусловно остроумен. Я его и привожу, как записал.

1. Древность.
2. Природная сметливость.
3. Общая нелюбовь к ним.
4. Сплоченность.
5. Суетливость.
6. Повсюдность.
7. Неистребимость.
8. Общая тревожность.

Ну, вы как, читатели-евреи, — вспыхнули уже, чтоб измерзить такой антисемитский текст? Написанный к тому же молодым евреем, а не злобным низколобым юдофобом. Лично я — смеялся в голос. Разумеется, не преминув заметить, что такое остроумие весьма покойный Геббельс оценил бы. А когда потом в Израиле знакомым прочитал, то мнения заметно разделились. Этот перечень — отменным тестом оказался. Тестом на какую-то интимную особенность еврейских отношений с миром.

— Лютым антисемитизмом это пахнет, — с омерзением сказал один из слушавших.

— С какой же мы, евреи, беспощадностью к себе относимся, — сказал другой. — И сами же плодим к нам неприязнь своими шутками.

— А мне до лампочки, кто как ко мне относится, — заметил третий. — Я в Израиле живу, а это они там, в галуте, так чувствительны к насмешке.

Лично я — настолько беспринципное создание, что, кроме любопытства, никаких я не испытываю мерзких ощущений. Мне смешно бывает от любой случайной встречи с образом еврея в будничном сознании всемирном. В одном из городов российских мне прислал записку слушатель. Он, будучи в Японии, спросил у собеседника из местных, есть ли тут евреи. И подумав, медленно ответствовал японец, что, насколько он осведомлен, евреев нет в их стране, но есть зато японцы — много хуже, чем евреи.

Мне разводить полемику не хочется, да тут она и ни к чему. К тому же, как и что ни обсуждай, а отношение к евреям (и к Израилю) — единственное, что наверняка и навсегда останется кристально прежним в нашем изменяющемся мире. В этом смысле я — неколебимый оптимист.

Однако, начавши повествовать о мне родном народе, я обычно не могу остановиться. Но сейчас, гуляя глазом по клочкам (а я, словно пасьянс, раскинул все эти бумажки по столу), я не видел там одну историю. О чем она, никак не вспоминалось, только было ощущение, что тесно соотносится она — с тем перечнем о тараканах. И даже помнил, что с последним пунктом: общая тревожность. Потому что я тогда же автору сказал, что слово настороженность тут будет поточней, поскольку речь идет о чутком уловлении опасности, а это чувство у евреев безусловно развивалось за кошмарные века гонений. И подумал, что у тараканов — тоже, и опять беспечно засмеялся.

Но о чем же все-таки история? И мне еще казалось почему-то, что она скорее связана с пугливостью. И нечто прямо противоположное, конечно, в голову полезло: то бандиты Бабеля, то гангстеры Америки, невероятное количество (на первом месте по империи) Героев Советского Союза во Вторую мировую, и бесчисленные криминалы с Брайтон-Бич. Вот это уже было где-то рядом. Да, тепло, тепло, еще теплее. Я вдруг вспомнил, как стоял я на огромной деревянной мостовой, что тянется на Брайтоне вдоль моря, и заглядывал в большую (метра два в диаметре) прожженную дыру. На берегу, наверно, кто-то разводил костер, и искры взвились высоко наверх — а метра на четыре выше пролегал этот прогулочный помост над берегом. Уже вокруг дыры стояли колышки с нацепленной на них широкой красной лентой, чтоб никто не сверзился случайно. Тут возле меня остановились двое, тоже заглянув в эту дыру. Чему-то оба разом засмеялись, и один из них задумчиво сказал:

— Конечно, ебнешься прилично, но зато какую денежку получишь по суду!

И я внезапно вспомнил: у меня эта история уже давно была в блокноте, я ее наутро в поезде переписал, боясь, что потеряю драгоценную вчерашнюю салфетку. И речь шла о пугливости, которая за годы сделалась хронической у некоего симпатичного еврея. Жил он в очень большом городе, а там куда острее проникает в душу страх. Он пережил тридцатые, ушел на фронт и воевал отважно (там-то ничего он не боялся). А потом вернулся на родной завод, пошел конец сороковых, пятидесятые, пустое дело — лишний раз напоминать, какое это было время для еврея даже заводского. Он чего угодно ожидал от той кошмарной кодлы, что именовалась властью, избранной народом. А сыновьям ничуть не передался его страх, поэтому за них боялся он сильней всего. А сыновья любили вспоминать его же собственный рассказ о том, как в ранней юности ему однажды предсказала старая цыганка: ты, милок, три раза в своей жизни пролетишь мимо богатства и не остановишься. И сам еврей-отец, об этом вспоминая, улыбался. А году в шестидесятом (или чуть попозже) у него отгул был за ночной аврал в конце месяца, и дома он сидел с газетой, когда в дверь звонок раздался. Кто там? Это адвокат из Инюрколлегии, ответил симпатичный мужской голос. Я по делу о наследстве — и назвал фамилию и имя его тетки. А она еще в двадцатых вышла замуж и уехала в Америку, и сколько б он анкет за жизнь свою ни заполнял, а тетку-иностранку не назвал ни разу. И нестихающей пугливости своей послушно повинуясь, тонким детским голоском сказал он, что никого нет дома. И забился в дальней комнате, пережидая, пока кончатся недоуменные звонки. А много лет спустя, уже в Америке, доподлинно установили сыновья, что было в самом деле очень крупное наследство, только при неявке или же отказе адресата все оно уходит на общественные нужды. В Америку уехал наш герой за сыновьями, был уже он пожилой пенсионер, и преданность семье преодолела страх отъезда. Он однажды заикнулся, что ни разу не был в казино, и, за покупками собравшись, двое сыновей с их женами его закинули в игорный дом. Купили ему несколько жетонов, посадили к автомату и велели через два часа ждать их на улице. И возвращаясь, подобрали старика. Он там стоял, их ожидая, — два часа без десяти минут. Едва лишь кинул он жетон, весь автомат взыграл огнями, стала музыка играть, и, словно горная река, посыпались в немыслимом количестве жетоны. Но к той секунде, когда их журчание затихло, старый перепуганный удачник был уже давно на улице. Уверенный, что как-то ненароком он сломал эту казенную машину, ждал он тут погони и возмездия. И сыновьям об этом сразу виновато рассказал. Они немедля кинулись за выигрышем (там порой с полмиллиона набегает), но уже все было тихо, пусто и никто не видел ничего. И даже не ругали старика, а просто вспомнили еще раз предсказание цыганки. А спустя полгода или год пошел сей не утративший пугливости еврей в огромный по соседству расположенный торговый центр. А там решил в уборную пойти. Известный ему путь лежал через довольно узкий коридор, где обогнул он лестницу-стремянку: двое работяг подвешивали к потолку большой плафон стеклянный. А когда старик-удачник шел назад, то лестницу уже убрали, а поставленный плафон обрушился на лысину его. Описывая эту ситуацию, я вспомнил, как недавно некая лихая старушенция содрала по суду немыслимые деньги за горячий кофе, расплескав который будто бы ожог она приобрела. А за плафон (и кровь была) — легко себе представить, сколько можно было получить. Когда бы тот еврей стремглав не убежал. И только поздно вечером об этом сыновья узнали, было уже поздно учинять разборку. И где свидетелей найдешь? А непрошедшая пугливость старого еврея — она ведь восходила к тем далеким временам, когда вполне естественно укоренилась навсегда. Еще заметьте, как точны цыганские прогнозы!

Испуг пожизненный рождает замечательные мифы. Мне один такой когда-то рассказала теща. К ней в конце сороковых захаживал изрядно старый ювелир, свою продукцию он разносил клиентам на дом. К теще он расположился и однажды доверительно сказал ей:

— Лидия Борисовна, я вижу, вы интересуетесь камнями, так я вас хочу предупредить: опалы никогда не покупайте. Опал коварен и влиятелен. Мне мама говорила, когда я на ювелира еще только-только обучался: Наум, бойся опала, от него приходят неприятности. Но я был молодой, азартный, и весной семнадцатого года, помню точно — я купил задешево большую партию опалов. И вы помните, конечно, что случилось в том году?

Мне стоит соскочить к историям, которые рассказывает теща, и от темы я немедля отвлекаюсь, опасаясь позабыть. Сейчас я вспомнил, как однажды к ней в квартиру позвонила рано утром женщина с большим букетом цветов.

— Дорогая Лидия Борисовна, — сказала эта незнакомка, — я вас слушаю по радио и очень вами восхищаюсь. Я давно хотела вам преподнести цветы, я знала дом, в котором вы живете, но квартиру я не знала и стеснялась у кого-нибудь спросить. А тут иду мимо, и какое счастье: на дверях подъезда вывесили список злостных неплательщиков оплаты за квартиру, и я сразу увидала ваше имя!

А еще про тещу рассказал мне как-то поэт Межиров, ее когдатошний сосед по даче в Переделкине. Он позвонил с известием довольно неприятным:

— Лидия Борисовна, у вас тут ночью дачу обокрали. Дверь взломали. Я вот утром это обнаружил.

— Ой, спасибо, Александр Петрович, — поблагодарила его теща, — это же такое счастье, я как раз недавно потеряла ключ!

Еще хочу я непременно обсудить одно свидетельство, мелькнувшее немного выше — вряд ли на него читатель обратил тогда внимание. Припомните, пожалуйста, историю о недалеком пожилом еврее, затаившем жгучую обиду, что его не взяли в эскадрилью, собиравшуюся на бомбежку Тель-Авива. Врал он или нет о том, что намечалась эта акция? Похоже, что не врал, об этом и хочу я рассказать.

Здесь у меня товарищ есть, великий врач, сосудистый хирург. Еще в Союзе был Эдик Шифрин самым молодым доктором медицины. И уже тогда он был известен тем, что очень хорошо лечил трофические язвы — ту беду, что образуется на теле вследствие плохого кровообращения. Однажды у парадного подъезда института, где тогда работал Эдик, тормознула черная начальская машина, и два молодых человека вежливо пригласили профессора Шифрина поехать с ними. Да, с руководством института согласовано, кивнул один из них. Куда его везут, он не спросил, а оказался — на большой правительственной даче. Это нынче кто ни попадя выстраивает загородный замок, а тогда все сразу становилось ясно, на такую дачу попадая. В пустоватой и просторной комнате стояла ширма, а из-за нее, высовываясь до колена, чья-то голая нога располагалась на подставленном ей стуле. И закатанная виделась штанина. На ноге чудовищные были язвы ясного для Эдика происхождения.

— Вот надо подлечить товарища, — сказал один из заезжавших с явно слышимым почтением. Что относилось не к нему это почтение, Шифрин прекрасно понял.

— Я лечу не болезнь, а больного, — ответил он. — И пациента должен видеть.

Лица двух сопроводителей посуровели и окаменели. Непонятно, что произошло бы дальше, только из-за ширмы вдруг спокойный голос произнес:

— Конечно, доктор прав. Сейчас я выйду.

Вышел пожилой, сухой, невзрачный человек, на пиджаке — звезда Героя, больше никаких различий с будничными пациентами профессор не заметил. Он и не узнал больного, только позже — по подсказке — выяснилось, что трофические язвы предстоит ему лечить у Суслова, секретаря ЦК, серого кардинала Кремля. И он за месяц или два успешно подлечил его. Настолько, что однажды на обед был позван, и часа примерно два они проговорили ни о чем. А позже чуть Шифрин сказал больному, что дальнейшее лечение спокойно может он доверить своему коллеге, сам же он — уехать собирается и подал заявление о выезде в Израиль. Суслов даже бровью не пошевельнул и только попросил, чтобы профессор еще раз к нему заехал. Мне тут надо навести кое-какие справки, пояснил он неулыбчиво. И Эдика спустя неделю снова привезли.

— Вы мне очень симпатичны, я вам очень благодарен, — сказал Суслов, — я желаю вам удачи в новой жизни, только у меня к вам просьба. Нет, совет скорее... — Он немного помолчал. — Часть ваших соплеменников, израильскую визу получив, сворачивают по дороге в Соединенные Штаты. Поезжайте-ка и вы туда... — Он снова помолчал и объяснил:

— Поскольку сам Израиль в скором времени весь будет уничтожен, просто стерт с лица земли.

И дружелюбно руку Шифрину пожал. А на дворе был семьдесят второй (а может быть, — семьдесят первый, лень звонить и уточнять). Похоже, что не врал тот пожилой еврей про эскадрилью.

На столе моем еще один имеется клочок, и я главу хочу закончить на истории высокой и прекрасной.

Было это в страшную эпоху. Летом пятьдесят второго года шли повальные аресты выдающихся российских медиков — так начиналась подготовка к дикому судебному процессу врачей-вредителей. И оказался в их числе немолодой уже профессор, отоларинголог (ухо-горло-нос, как называли эту специальность) Фельдман. Довольно скоро ощутил он в камере, что следствие переживет навряд ли. И не ночные многочасовые допросы были причиной его острых сердечных болей, и не в еде нехватка, и не понимание, что не сегодня-завтра — неминуемая смерть, совсем иное. Старого интеллигента убивала хамская грубость следователей, добивавшихся признания его несуществующей вины. А он уже привык, что несколько десятков лет с ним разговаривали вежливо и уважительно, и то, как обращались с ним теперь, в нем вызывало спазмы сердца и предчувствие инфаркта. Старый врач отменно разбирался в том, что с ним происходило. И подумав, понял, что единственно целебным было бы ему — ответить на хамство следователей собственной изрядной дерзостью. Поверив в это устное лекарство, но еще не зная, что сказать, он был приведен вертухаем на очередной ночной допрос. И следователь произнес уже привычное: «Колись, жидовская морда!» И старый отоларинголог (ухо-горло-нос), порывшись в памяти, ответил гордо и надменно:

— Хуй вам в носоглотку!

И почувствовал себя отлично — зэком и мужчиной, опытным врачом и человеком — личностью. И боли в сердце больше не тревожили его, он дожил до освобождения — их выпустили через месяц после смерти усатого гения.

А кстати, эти дивные слова отважного врача — сполна относятся и к планам по уничтожению Израиля.

СВЕТЛОЙ ПАМЯТИ ВЗАИМНОЙ ПЕРЕПИСКИ

Никто не учинил поминки по усопшему эпистолярному жанру. Тихо отошел он в прошлое, поскольку телефон и электронная почта почти начисто его заменили. Разве только изредка отдельные мыслители, уверенные (вот счастливцы!), что любое слово их понадобится вечности, друг другу пишут письма об устройстве мироздания. Да краткие родственные весточки текут в усохшем, но достаточно почтенном изобилии — что тетя Песя снова простудилась, а у внука Васи появился первый зуб. А раньше-то какие были письма! Я не говорю уже о тех столетиях, что утекли давно, достаточно припомнить век, вчера лишь ставший прошлым: целые тома отменно интересных писем напечатаны уже или лежат в архивах, ожидая публикации. Письма того времени были насыщены мыслями и мнениями о любых проблемах, ибо множеству людей, разделенных пространством, заменяли они те распахнутые кухонные разговоры, что вели между собой жившие невдалеке друг от друга. Даже опасение, что письма вскроют по дороге (а такое было часто), не могло унять желание поговорить и поделиться. Ведь того, что доверяли письмам, напрочь не было в газетах и журналах. А в конце двадцатого столетия шквал писем обрушился извне на всю советскую империю. Из Америки, Германии, Австралии, Израиля сотни тысяч эмигрантов торопились сообщить о новой необычной жизни. И если из трех первых стран шли письма удивленные, восторженные и мажорные, то про Израиль сыпались сплошные жалобы. И вообще на жизнь, которая отнюдь не оказалась райской, и на дикое отсутствие культуры, напрочь непереносимое для тонких душ интеллигентов из Бобруйска, Конотопа и Семипалатинска. Сюда еще добавить можно несколько десятков городов, где пенилась, бурлила, пузырилась и обласкивала дух эта утраченная, но незабываемая пышная культура.

Тут я от почтовой темы маленькое должен сделать отступление. Моя приятельница много лет работает на радио. И довольно часто — то в эфире, то по телефону — отвечает слушателям на вопросы и недоумения. И как-то позвонил ей некий лютый активист, настырно и занудливо брюзжавший о кошмарной бездуховности Израиля и зряшном пропадании культуры, что сюда привезена советскими евреями. И, в частности, он лично был готов нести эту культуру в темные неразвитые массы. Чтобы отделаться скорее, Лена предложила ему все, что он ей лопотал, изложить в письменном виде и прислать на радио.

— Запишите адрес, — попросила она вежливо. — Тель-Авив, улица Леонардо да Винчи, два.

— Еще раз улицу, пожалуйста, — переспросил немолодой ревнитель.

— Леонардо да Винчи, — повторила Лена терпеливо.

— Нет, еще раз, — попросил звонивший.

— Ну неужели вы не знаете Леонардо да Винчи? — спросила Лена.

— Извините, я в стране всего полгода, — уклонился сеятель духовности.

Вернусь, однако, к письмам. Их ведь было столько, и настолько огорошенный у них был общий тон, что ясно стало всем евреям необъятной той империи, что ехать можно к черту на рога, но только не в страну, которая для них как раз когда-то создана была. Никто не сосчитает, скольким тысячам семей такие письма изменили их маршрут.

И прекраснейшие люди тоже посылали эти упредительные вести. Помню, как я получил письмо от беспредельно почитаемого мной литературоведа и поэта Толи Якобсона. Он писал: «Ты собираешься сюда? Напрасно. Русскому еврею тут ни ожидать, ни делать нечего». И я тогда очень расстроился — скорее за него, чем за себя. Как будто чувствовал, что вскорости меня посадят и проблема отпадет сама собой.

А какой был дивно верткий и уклончивый язык у этих писем! О цензуре свято помнили и родственники, и друзья. Ведь надо было сообщить, что следует везти с собой, чтоб наскоро, но подстелить соломку под начисто рухнувшее благополучие. И писали о матрешках, о медалях с орденами, о почтовых марках и белье постельном, о шкатулках палехских и об убогой хохломе. Рынки Вены, Рима и других попутных городов полнились рядами молодых и пожилых людей над кучами немыслимого барахла, поскольку ценного чего-нибудь не удавалось вывезти почти что никому.

Я помню, как почти перед отъездом мой один приятель где-то приобрел довольно старую персидскую миниатюру. Платил он за четырнадцатый век, она была на пять столетий помоложе, но уже ее он полюбил. А взять этот листок с собой и в книгу заложить — он опасался не без основания, поскольку все книги перетряхивали. «Оставь свою немыслимую ценность, я тебе ее пришлю, — предложил я. — Без полной, разумеется гарантии, но есть идея». Он согласился с радостью и благодарностью. Как только он уехал, я купил большую монографию «Персидская миниатюра»: каждая картинка в ней была за верхний краешек наклеена на лист. Я оторвал одну из репродукций, а на это место точно так же вклеил подлинник. И просто-напросто послал по почте. Рим, главпочта, до востребования. И через месяц или два я получил письмо, которое наполнило меня законной гордостью: «А Магомет прислал мне фотографию. Спасибо!»

На эзоповой фене сообщалось даже множество деталей быта, все были пугливы и находчивы. Ужасно жаль, что письма того времени почти наверняка ни у кого не сохранились, в них немало было сложной психологии той уникальной, в сущности, эпохи, когда медленно светлело наше мутное сознание.

Сестра моей жены недавно обнаружила на антресолях их квартиры крохотную часть того архива, что забрали у меня при обысках после ареста. Она тогда увезла с собой небольшой пакет писем и записных книжек, и спустя четверть века он ко мне вернулся. Как мне было интересно все это просматривать! И обнаружил я там письма от художника, уехавшего в середине семидесятых. Отдельные места из этих писем замечательно описывают главное, что потрясло уехавших в тот мир. Нет, речь идет отнюдь не о кошмарном изобилии (что тоже порождало нервные срывы, а у нежных женщин — даже обмороки от бесчисленных рядов белья и колготок). Художник написал о том, что многие не осознали до сих пор. А впрочем, лучше я прибегну к длительной цитате:

«Самым верным делом для абитуриентов будет держать перед глазами (утром и вечером) пожилую, с выпуклыми ягодицами, обнаженную даму с известной гравюры Дюрера, изображает она Фортуну. Ибо, несмотря на все технические (и прочие) ухищрения научного мировоззрения, без этой дамы дело совершенно не может обойтись, абсолютно никак.

Она особенно старательно сечет людей, верящих в таблицу умножения и не верящих в бабушкины сказки — судьбу, удачу и т. д. Существование этой дамы реально и так же отчетливо видно, как место, которым она сидит.

Примеров — до утра не кончить.

Человек, всю жизнь (и успешно!) занимавшийся моим сегодняшним специфическим дизайном, блестяще выставлявший свои работы на многих международных выставках, — без работы.

Я, никогда раньше не знавший этого, — работаю.

Не спешите с комментарием-комплиментарием, последовательность моих примеров — обдуманна.

Девушка (некрасивая, чтобы снять диванные домыслы) почти с полным отсутствием способностей вообще — получила неделю назад место, как мое, но втрое выше оплачиваемое. Без протекции!

Как видите, для вышеупомянутых ягодиц пожилой дамы нет и не существует никаких посторонних соображений.

Почти полный нуль в инженерии — на блестящей должности, уже машина, уже страшно тесно втроем в четырехкомнатной квартире и т. д. и т. п.

Замечательный инженер очень широкого профиля, строитель, руководитель многих серьезных работ в прошлом, — два года без никакой работы, даже таскать ящики.

Как видите, дважды два — никак не четыре, а полная мистика или что Вам будет угодно...

Уехавшим в Зурбаган легче: штанов, скажем, нет, а паруса есть — ну и ладно, душа на месте. Те же, кто собирался непринужденно пересесть из Жигулей (добытых всеми правдами и неправдами) в Роллс-Ройс, те получают страшно мордой об стол. Для полноты картины перемешайте наудачу вышеупомянутых, поменяв плюс на минус, — получите опять очень достоверную картину, реальнее некуда. Но и она может быть неверна...

Отсюда и шоки. Еще и еще раз — сменилась шкала...»

Право, не читал я ничего более точного о жизненной рулетке эмигранта — даже в умных специальных книжках, вышедших намного позже. Больно думать, что письмо это могло пропасть. А ведь пропали миллионы образцов эпистолярной прозы очень непростого времени.

Тут я снова отвлекусь слегка от темы, потому что в маленьком пакетике архива отыскался очень ценный для меня листок. Как будто получил я некое письмо из прошлого. Когда мы ожидали первого ребенка (было это сорок лет назад), я упрямо был уверен, что родится мальчик. Твердо это зная, я заранее написал ему колыбельную песню. Родилась замечательная девочка, и песня эта ей никак не подходила, отчего семь лет и провалялась в письменном столе. Потом удался мальчик, выросшая дочка Таня отыскала этот текст и на пару с подружкой напевала его брату-младенцу. Потом листок этот пропал, как водится, и вот теперь нашелся. Я сам о нем забыл давным-давно, а дети помнили, они-то мне и рассказали эту краткую историю. А песня — как бы образец мировоззрения довольно молодого человека той поры.

Крутится-вертится шар голубой,
ему наплевать на общественный строй;
ему не известно, что мальчик не спит,
шар очень честно осью скрипит.

Боится, наверно, уснуть и упасть.
Зайцы не свергнут советскую власть.
Кролики тоже не свергнут ее;
спи, мой зародыш, и пачкай белье.
Крутится шарик. Под лучшей из крыш
худ, как чинарик, мой славный малыш.
Писай и лопай, ты вырастешь быстро,
только не топай до кресла министра:
жалкие кнопки, их давит рука,
больно по попке лупит ЦК.
Это такое скопление дядей —
очень плохое — трусов и блядей.
Ты вырастай, мы обсудим с тобой,
чем зарастает наш шар голубой.
Спит попугай, и трамвайчик сопит,
мама пускай хоть немного поспит.
Мамы двойную нагрузку несут:
одни их целуют, другие — сосут.
В мире нас мало, усни, дуралей,
глазки закроешь — на сутки взрослей.
Шарик мелькает, летят времена,
отец засыпает, а сын — ни хрена.

А еще я часто у друзей и у приятелей прошу дать почитать те письма, что когда-то им прислал. Свой непристойный интерес к своим же собственным каракулям я в силах объяснить, почти что не стыдясь. Какая-то на склоне лет явилась у меня иллюзия, что некогда я был гораздо интересней и умнее, чем сейчас. Пластичней, что ли. А отсюда — и желание мое проверить это странное и тягостное чувство. Но увы: следов ума я напрочь не нашел в этих дурацких легкомысленных эпистолах. А что нашел?

Беспечность ту же самую и распирающее душу удовольствие от жизни. И патологическую склонность к шуткам по любому поводу. Совсем недавно дал мне пачку писем мой старый товарищ. Живет он в Киеве, и мы время от времени поддерживали будничную переписку. Очень было странно и приятно окунуться в те шестидесятые. Тогда любому встречному спешил я повестнуть последние слова Матросова, которые он якобы сказал, валясь на амбразуру вражеского пулемета: «Эх, бля, гололедица!» А как погиб Мичурин, сочинялось в те же дни: упал с клубники. Мы все тогда без устали играли с мифами империи, стряхивая с душ ее гнилое обаяние.

Да разве только с мифами? В те годы прозревания насмешке подвергались и прекрасные литературные произведения: вина их состояла только в том, что нам их вдалбливали в школе. Я уже давным-давно забыл (но вот листок ко мне вернулся, пролежавши сорок лет) глумливое переложение «Песни о Соколе»: к интеллигентскому фольклору тех годов и низвержению кумиров относилось это мелкое смешное хулиганство.

«Однажды жили два друга рядом, учились вместе, любили выпить и вместе пили любую гадость. И двух стипендий им не хватало, чтоб утолилась лихая жажда. И как-то утром они лежали на травке в парке, томясь похмельем и без копейки в пустом кармане. И тихо молвил один другому: а вон ты видишь, стоит цистерна, полна вся спиртом? Ты подползи к ней, отпей немного, и снова будешь веселым, бодрым, и вновь с улыбкой пойдешь по жизни. А как окрепнешь, меня подтащишь. И встал товарищ, и, гордо крикнув, пошел к цистерне, скользя ногами о пыль дороги. И подошел он, отпил из крана, на небо глянул и пал на землю с коротким хрипом. И долго молча стояли люди, самоубийце в лицо не глядя. От трупа пахло машинным маслом».

В той молодости, испарившейся бесследно, я ценил во встреченных девицах худобу, отсюда в письмах и возник заветный образ идеальной женской красоты — Фанера Милосская. А вот кого же я тогда цитировал, упоминая сумасшедшего, которому хотелось «заработать много-много денег, уехать далеко-далеко и там броситься под трамвай»? Уже не помню. Я тогда мотался очень много — и по инженерной части, и уже как журналист. Писал я об ученых, отчего и подпись под письмом: «Научный пульверизатор». Географию поездок я сегодня уже помню слабо, так что очень оживлялся, натыкаясь на упоминаемое место:

«Я был на острове Диксон, а это Арктика. И на Земле Франца-Иосифа я тоже был. Он — действительно еврей и прекрасно меня принял».

А вот еще:

«Мурманск — прекрасный город, с портовыми шлюхами (крупные и рыжие), с запахом рыбы, с большим количеством морских историй. А в центре этого великолепия сидит на одной из улиц в крошечной конуре дряхлый еврей-сапожник под вывеской «Мелкий, но всевозможный ремонт»».

Я уже не помнил напрочь нескольких стишков тех лет, они текли тогда ручьем, и многие остались только в письмах. Я довольно часто, присмотревши строчку у заведомого классика, нахально делал из нее четверостишие совсем иного содержания. Вот я обнаружил, что и с Маяковским так играл:

Выступленья, взносы, активисты,
обещаний бред. А я бы лично,
я бы партию закрыл, слегка почистил,
а потом опять закрыл — вторично.

Еще стишок (я, помнится, его писал на фотографиях своих):

Если ноша не легка,
вот тебе моя рука;
но в подобном случае
взять такси — не лучше ли?

(Расул Гамзатов «Надписи на рукавах»)

Стишок вполне провидческий, смотря из нынешнего дня:

Если каждый иудей
станет брать с собой блядей,
то в еврейском цимесе
будет много примеси.

А вот пословица, которую, конечно же, придумали египетские фараоны: «Не в свою пирамиду не ложись».

И разумеется, я сообщал товарищу про все свои семейные дела:

«Тата лежит в роддоме на сохранении (помнишь, ты мне как-то сказал, что она беременна? Ты был прав)».

И годом позже:

«Уже две недели я откладываю со дня на день горестное описание моих печальных утр, суетливых дней, тоскливых вечеров, тревожных ночей и мрачных рассветов. Это — не считая мелочей: грустных закатов, тяжких полудней и томительных сумерек. Даже загар слетел с меня, как чижик — с усохшей ветки. Нас переселяют (это раз), малявка болеет (это два), Тата отравилась ливерной колбасой (на семипалатинскую в тот день не было денег), мама больна, папа смотрит исподлобья, теща бешено прожигает жизнь...»

Каким же я в те годы был счастливым, думал я, завистливо читая это легкое чириканье придурка. Вот еще один, вполне философический стишок:

> Суп судьбы — кипит и брызгается он;
> совесть, воля и удача — это специи,
> засыпаемые в смешанный бульон
> эрудиции, энергии, эрекции.

А еще я непрерывно зазываю друга в гости:

«Повидаться — это же прекрасно (как сказал рецидивист на очной ставке)... Приезжай! Корней Чуковский очень часто спрашивает о тебе (у Маршака)... Приезжай, а то начнется война — всеобщее, равное и бесплатное облучение, и ты мне не успеешь рассказать, что надо жить серьезно... Приезжай! Диван, еда, билет обратный — мои, а возражения на все, что я скажу, — твои... Я буду счастлив проводить тебя на поезд...»

И внезапно — яростный фонтан такого словотворчества, что стыдно стало мне, осознавая, из какого низкого источника он бил: из ревности вульгарной. Было некогда в Москве такое замечательное учреждение — Дом детской книги (сокращенно — ДДК). А там сидели разные редакторши и критикессы, молодые и приветливые женщины. И на одной из них женился мой заветный друг, тот самый Юлий Китаевич (а пожизненная кличка — Кит), о близости с которым я писал уже неоднократно. Вот ведь как болезненно ревниво я тогда на это реагировал (письмо — все в тот же Киев):

«Я никогда не понимал и не разделял твоей любви к ДДК. Хватит того, что эти Дамы Дикой Конфигурации, Дуры Датского Короля, Дочери Девственных Кенгуру, Дребезги Души Китаевича, Дрожжи Дефективной Казуистики Демисезона Духовной Культуры из Дуршлага Делового Конформизма (Дифтерит Дизентерия Коклюш) — отняли у меня Юлика...»

Теперь уже я просто не способен на такой порыв души — отсюда, вероятно, и питается угрюмым соком наше заблуждение, что раньше мы какими-то совсем другими были. А всего лишь — более упруго и свободно в нас тогда играли наши чувства.

Выписывая все эти отрывки, я сейчас подумал: ну конечно, это глупо — становиться публикатором собственных писем, но еще глупей — надеяться на потомков.

В одном из писем я нашел достоверную причину, по которой стал литературным негром: бедные родители нашли меня в цветной капусте. Это уже писано в семидесятых. Тут же — откровение какого-то бывалого еврея, почему он не нуждается в машине: когда ему плохо, то за ним приезжает неотложка, а когда хорошо, то — милицейский воронок.

Явственное подражание кумиру моему, Омару Хайяму:

> Пиджак приличий скинув с плеч,
> спешишь быстрее с бабой лечь;
> зачем, не дав подняться тесту,
> пирог торопишься испечь?

А этот — явно из семидесятых:

> Сменился жизни дух и стиль,
> когда усох ГУЛАГ:
> уже вся сталь ушла в утиль,
> и воцарился шлак.

Еще того же времени стишок, в котором психология вполне советская, но если присмотреться — до сих пор сохранная вполне:

> Смотреть на Запад не хочу
> и от успехов их не охаю:
> что иностранцам по плечу,
> то людям русским — чисто по хую.

Так наглухо обрушилась моя заветная надежда, что когда-то я был более умен. Каким ты был, таким ты и остался, без малейшей горечи подумал я (я часто думаю цитатами). Зато какую радость я испытывал, копаясь в этой запыленной связке старых писем! (Как наверняка заметила бы Клавдия Шульженко, певшая когда-то песню с этими словами.)

Мы, конечно, выпивали, когда мой товарищ отдавал мне эти письма, что-то вспоминали вперемежку, и внезапно я услышал дивные слова, которые немедля записал. В них была та жизненная мудрость, сформулировать которую я сам не догадался (хотя много лет ей следовал интуитивно).

— Женщину перебивать не следует, — сказал мой собеседник, — это, во-первых, — невежливо, а во-вторых, — бесполезно.

Раз уж я отвлекся, то продолжу это делать. Получить послание из прошлого порою можно не письмом, а собственной давнишней надписью на книге. У меня на полке уже много лет стоит сорокалетней давности сборник фантастики, где был и мой рассказ. Я когда-то этот томик подарил приятелю, потом он его мне отдал, а я его засунул в книги и забыл. Недавно по случайности наткнулся на него, раскрыл — и обнаружил стих на обороте первой же страницы. Стих назывался — «Самому себе», я почему-то написал его на книге. А красивость объясняется сполна зеленой молодостью автора:

Из нервов, крови, жажды славы,
уменья, воли и труда
родятся рифмы, строки, главы —
взрыватель, порох и вода.
Но вместо взрывов, от которых
трухой поляжет монолит,
вода подмачивает порох,
а детонатор барахлит.
Летит щебенка, мелкий камень,
выходит возраста лимит,
бикфордов шнур, взыскуя пламень,
впустую яростно дымит.
Но ты не должен быть в обиде:
ведь ты не гений, дорогой,
и все, что у тебя не выйдет,
прекрасно сделает другой.

Но мне пора вернуться к теме. Ну так вот — почти исчезли нынче длинные и содержательные письма. Кончились как жанр общения. Порою мне случается совпасть во времени с районным почтальоном, заходящим в наш подъезд. Он раскладывает в ящики конверты, я торчу, надеясь, что сегодня что-нибудь достанется и мне. И краем глаза наблюдаю: это все счета, рекламы, извещения, и редко-редко попадается письмо. И то же самое сказали мне различные знакомые, живущие по самым разным адресам.

Нет, конечно, я перегибаю палку: письма все-таки остались жанром нашего общения. Недавно Вилли Токарев, певец и автор, мельком похвалился в интервью, что накопилось у него семь чемоданов писем от поклонниц, а прочел он — лишь один из чемоданов. Ясно, что ни о каких ответах он не помышлял. А я на письма часто отвечаю. Не на все, конечно. Как-то получил письмо я (тоже, кстати, от поклонницы), где кроме несусветных восхвалений содержалось предложение вступить с ней в переписку: дескать, будет это очень интересно. А потом опять пошли хвалебные причины, по которым переписываться ей со мной — большое будет удовольствие. И мне, возможно, — тоже, глухо намекалось в тексте. Письмо это я как бы невзначай жене подсунул — чтобы уважала и ценила. Тата никогда к моей корреспонденции не проявляла интереса, но вот тут — прочла. И голосом, не предвещающим хорошего, сказала:

— Нет, она не переписываться хочет!

И лишь поэтому я не ответил на письмо.

Когда я говорю об усыхании эпистолярного потока, сразу вспоминается еще одно опровержение моей печали: письма, адресованные Богу. В Израиль, в Иерусалим их поступает много тысяч. На конвертах коротко написано на множестве различных языков: «Иерусалим.

Господу Богу». Или же что-нибудь подобное — например, для Иисуса Христа. На иерусалимской почте есть работники, которые лишь этой корреспонденцией заняты все рабочее время. Когда скопление подобных писем до какого-то количества доходит, их отвозят к Стене Плача. Об ответах ничего не знаю, врать не хочется.

Порой я получаю неожиданные и непредсказуемые письма. Как-то в Киеве однажды приглашен я был в редакцию одной общеукраинской газеты. По какой-то незапамятной причине отказаться было неудобно (о гастролях напечатали, должно быть, информацию — не помню) — словом, я приплелся. Зная по опыту наверняка, что будет скучно, тягомотно, и собравшимся сотрудникам газеты буду я до полной лампочки. Но по капризу главного редактора (он же и владелец органа) все притекли в его роскошный кабинет и часа два меня разглядывали с почти нескрываемым отвращением, лишенным даже профессионального любопытства. А редактор вынужденно кипятился, задавая мне пустые и обрыдлые вопросы. Я ему привычно и пустопорожне отвечал. По телефону тоже вяло спрашивали что-то. А газетчикам я бодро предложил с любого бока пощипать заезжего интеллигента — я, мол, никаких подъебок не боюсь, но их это никак не колыхнуло. Не знаю, что потом редактор написал в этом якобы коллективном интервью, но хамство с точки зрения профессии он совершил отменное: в газете сообщил мой адрес для тоскующих по личной переписке. И началось! Я получил штук тридцать писем, и не только с Украины. Видимо, редактор не врал, когда хвалился популярностью газеты. Даже из какого-то неведомого мне районного центра в Средней Азии пришло письмо от женщины, просившей забрать ее с тремя детьми куда угодно (предпочтительно — в Израиль), ибо муж смертельно надоел и денег никаких у нее нет, но за ценой она не постоит. Два закадычных друга из какого-то села, по случаю прикупив землицы в соседнем разорившемся совхозе, просили помочь им с техникой. Годилась бы любая, соглашались эти юркие ребята, но желательно — германского изготовления. У некой женщины выросла очень способная к хореографии дочь, ее приняли в балетную школу одного большого города в Испании. Но сейчас внезапно там повысили плату за обучение, поэтому пускай последний год учебы оплатил бы я (и сумма аккуратно приводилась). А преподаватель географии в одном селе потратил много лет на объяснение гербов всех стран, входящих в Организацию Объединенных Наций, — не издал бы я большой цветной атлас с этими изысканиями?

Некий замечательно талантливый человек изобрел игру, которая могла бы осчастливить миллионы телезрителей. Но выдать суть этой игры украинскому телевидению он никак не может, ибо ясно, что они немедленно украдут у него идею, а его пошлют подальше, ничего не заплативши на дорогу. Поэтому не могу ли я поговорить с евреями (наивная доверчивость которых всем известна), чтоб они купили этого кота в мешке?

Отменное пришло письмо от некоей девицы — аспирантки из педагогического института в украинском некрупном городе, который называть не стану. Будучи филологом, она вполне уместную, заветную на Украине тему выбрала для диссертации своей: творчество Ильи

Эренбурга. И за ради сбора нового материала написала мне письмо: в какие годы и как часто я встречался с Эренбургом, и какие у нас были разговоры. То ли полагала аспирантка, что мне сильно за сто лет, а то ли еще плохо знала годы жизни своего научного объекта, но мне кажется — совсем в ином была причина этого смешного обращения. Я думаю, что бедная девица, и сама того не сознавая, простодушно полагала, что евреи все общаются друг с другом независимо от возраста, от места проживания, от социальной, психологической и прочих разностей. Я и сам с такой глубинной мифологией встречался, и еще одну мне дивную историю рассказывал приятель. Были они с другом где-то далеко от дома (на студенческой, насколько помню, практике) и забрели на городскую почту, чтобы спросить в отделе «до востребования», нет ли писем из родной Одессы.

— Нету, — сообщила им приветливо почтовая девушка, — ни Левинзону нет, ни Шерману. А вот есть Лифшицу — передадите, может быть?

Приятель мой (артист Ян Левинзон) эту историю даже со сцены много раз рассказывал с большим успехом. Но однажды (ежели не врет, конечно), когда зал уже смеяться кончил, с места поднялся мужчина и спросил:

— Конечно, извиняюсь, только я не понял: передали вы письмо этому Лифшицу?

Такая, видимо, картина мира и витала в светлой голове у аспирантки, собиравшей все подряд о бедном Эренбурге.

А недавно (года два уже спустя, как было это интервью) пришло еще одно письмо. Из неизвестного поселка (области вполне известной). Автор этого послания (язык —

украинский, но смысл понятен) сообщал, что адрес мой он записал еще тогда и что хотел бы он ко мне наняться разнорабочим. И, не зная явно, чем я занимаюсь, написал, что даже и на стройку он согласен, и работать будет честно, пусть я только выпишу его в Израиль.

А еще было несколько писем от людей, предки и родители которых столько раз меняли фамилии и теряли документы, что теперь у этих бедных потомков нет ничего, что малой малостью хотя бы говорило об их еврействе. Но они уверены, что они евреи, пусть я помогу им переехать к нам в Израиль.

Мне было не смешно, а дико горестно от этих писем. Хотя о подлинной нужде не вопияло ни одно из них, однако же слепой надеждой на пришельца из иных миров — дышало каждое. А дома обратиться было не к кому. Или уже неоднократно безответно обращались.

Словом, крепко удружил мне этот процветающий газетчик. Такое что-то написал он обо мне, что стал я выглядеть Иосифом Кобзоном. О количестве стихов в потоке писем я умалчиваю, ибо графомания — высокая и благородная болезнь. Я это знаю по себе и независимо от качества продукции уважаю в других.

Упомянув о графомании, я приведу еще один свой стих, которому уже почти полсотни лет. Когда, просматривая изданные книжки, натыкался я на некое четверостишие (оно чуть дальше будет), непременно вспоминал, что ведь оно — только строфа какого-то стиха, давно потерянного мной. Году в шестидесятом, как не раньше, был я в Ленинграде, а тогда его и написал. И вот оно нашлось (все в той же пачке из архива), грех его теперь не напечатать.

От декабристов, может статься,
в России жизнь пошла двойной:
одни стояли на Сенатской,
другие пили на Сенной.
Сенатской вольностью разбужен
неосторожно Герцен был,
Сенной запойностью сконфужен,
он громко в колокол забил.
И понеслось, и закипело —
со сна друг друга поднимать,
и каждый тут же рвался в дело,
упомянув спросонья мать.
Раздор, губительный, но штатский,
приостановлен был войной,
она ярилась над Сенатской
и подметала на Сенной.
Штык под косу точил народ,
иные партии устали,
и Ленин вымахнул вперед,
как паровоз «Иосиф Сталин».
И вот уже в могиле братской
колымской тундры ледяной
лежат соратники с Сенатской
и собутыльники с Сенной.
От желчи век изнемогает,
Россия печенью больна,
гавно гавном гавно ругает,
не вылезая из гавна.
Кто виноват — не разобраться,
что делать — скажется не мной,
но пусто нынче на Сенатской,
и все гуляют на Сенной.

Вернусь опять к поминкам по эпистолярному, неслышно умирающему жанру. Рано я затеял эту панихиду. Ибо вдруг пришло письмо, доставившее мне неизъяснимую душевную приятность. Из Португалии, представьте, из тюрьмы. Некий молодой россиянин там сидел уже почти два года. Ни за что, естественно, сидел. Еще ни разу не встречал я зэка, чтоб сидел по делу и за что-то. Я только молча усмехнулся, это прочитав. И вот ему приятели прислали ту газету. Что-то в интервью понравилось ему, и теперь он излагал мне свою просьбу. Два всего лишь слова этой просьбы, нарочито крупными написанные буквами, — глубоко и сразу пронизали мою сильно заскорузнувшую душу. ЧИТАТЬ ХОЧУ! Так это было и написано. И я, конечно же, растаял и растрогался. Тем более что дальше было вот что: «Иначе можно вообще сойти с ума от их безмозглого телевидения с бразильскими сериалами». А вот еще одна цитата (пользоваться письмами его Андрей мне разрешил немного позже): «Лишь очень прошу, если решите мне послать книги, не шлите уличную лабуду, не тратьте деньги, я достаточно образован, чтобы любить Мандельштама и Булгакова, Шекспира и Лермонтова». Понтуется пацан, подумал я, душевное расположение нисколько не утратив. А письмо кончалось так: «Храни Вас Бог! Вы к нему ближе (в смысле места жительства)».

Еще приложен был листок (похоже, из печатного тюремного устава вырванный) с туманной фотографией тюрьмы, откуда-то заснятой сверху. Большой квадратный городок — вполне типичный лагерь, судя по разбивке территории. На обороте сообщалось, что стена — двенадцать метров, а над ней — колючая сетка, и вокруг за стенкой — ров. Да плюс собаки, разумеется. За сорок лет ни одного побега. И помечен корпус, где сидел мой адресат. Так, на курорт уехав, помечают многие сентиментальные туристы окно своей гостиницы, послав домашним фотографию ее.

И я ему отправил книги и письмо, исполненное фраерского любопытства. А в ответ получил послание с историей, похожей на сюжет боевика — из тех, что крутят по российскому экрану все каналы.

У Андрея (я фамилию его не стану называть: еще, даст Бог, немало жизни впереди) имелось два диплома об образовании. Военно-летное и биохимик-агроном (поскольку летчик — далеко не вечная профессия). «Потом таджико-афганская граница, где я понял очень много и где меня выгнали из комсомола, выгнали бы наверняка и из армии, но судьба распорядилась по-другому. Меня сбили. Я поймал две ракеты, причем русские, но из вражеских рук. Как не сдох, не знаю, упал огненным шаром с тридцати семи метров на гору и не подох опять». Потом два уцелевших спецназовца «тащили меня шестнадцать часов на своем горбу, попутно отстреливаясь». Перебросили его на самолете в Питер, потому что при таком количестве различных переломов можно было уповать лишь на хирургов из Военно-медицинской академии. Тут-то он впервые и очнулся. Около него стояли два весьма подвыпивших майора (два хирурга), споря, можно ли спасти раздробленную ногу. А ставка в этом споре, написал Андрей, — была «не трудно догадаться, какая». А когда, поспорив на бутылку, повезли его на стол, то у него хватило сил, уже довольно мало что соображая, им сказать, что у него в руке — граната. «А рука сломана, ее заклинило, разжать не могу». Они, конечно, засмеялись, но когда бинты разрезали, то общий крик раздался: в пальцах, спазматически зажавшихся, — действительно была граната. Вызвали саперов и потом лишь приступили к операции. И все по молодости лет срослось. И выиграл бутылку тот хирург, который был уверен, что не стоит искалеченную ногу сразу отрезать. А за Андреем с той поры бессменно закрепилась кличка (а на современной фене — «погоняло») — Сапер.

Мне история с гранатой — ну, слегка литературной показалась, и в письме я деликатно о подробностях спросил. Андрей ответил очень лаконично: «Гранату я держал 36 часов, попробуй ради интереса взять зажигалку, сожми и продержи хотя бы час. Я попробовал — не смог, вот и верь после этого, что коровы не летают». А так как я и на приятелей ссылался — дескать, лица их сомнение явили, то Андрей, сполна проехавшись по этим гнусным фраерам, добавил сгоряча еще одну подробность о себе: пусть вспомнят, что такое орден Красной Звезды и за что его дают, так у меня их два.

А снова обретя здоровье, стал Андрей, что грустно, но естественно, — стандартным питерским бандитом. Даже некую карьеру в этом смысле вскоре сделал: кем-то уже там командовал, а по-партийному сказать — руководил. Машина — «Мерседес», конечно, деньги завелись и потекли, квартира появилась («хата»), и братва его дарила уважением. Которое, однако, омрачалось непонятными поступками его: «Ты,

Сапер, странный какой-то: как на стрелку, так без базара, и за братву ты ляжешь, если надо, а Кувшину вот зубы выбил за то, что он какую-то телку твою, которая Жизель, — блядью назвал». Я переспрашивать не стал, но так как имя «телки» — Жизель — было подчеркнуто в письме, то думается, что Андрей рассказывал братве о посещении балета. А вот еще одна претензия — по телефону: «Сапер, на хуй ты нас сюда приволок, тут все в ментах, и Левитана твоего я не вижу. Ты его хоть опиши или на чем он ездит, а то я тут хожу, как долбоеб, и пацаны волнуются». А это так Андрей шутил: собрал подручных по мобильнику к открытию в музее выставки.

Со временем такие трещины росли, и он на Украину перебрался. Отношения с братвой хорошими остались, судя по тому, что было массовое провожание.

На Украине что-то не заладилось: «Я еще не знал, какое там дерьмо и насколько оно отличается от русского». Но тут и засветилась перспектива замечательных гастролей в Португалии. «Стояли мы в Лиссабоне нормально, лохов на труд определяли, контракты им лепили, визы рабочие открывали, от беспредела прикрывали, в общем, все обычно, как и везде...»

Беда на них свалилась с той же стороны, что и на всю Европу валится который год. Как-то сразу и заметно в город Лиссабон нахлынули арабы: из Египта, из Алжира, палестинцы. «Ну и хуй бы с ними, мы бы и их обработали, так нет же, еще и братва их приехала, и такая беспредельная, что пиздец. Места под солнцем заняты, а они греться лезут, да еще и клиентов глушат — наших». Россияне к ним присматривались, но не долго, потому что быстро поняли: «Базарить с ними бесполезно — отморозки полные». Слова, что прочитал я дальше, поразили меня тем, что прямо относились к упованиям смешного разума еврейского на мирные переговоры и затишье в наших палестинах. С лаконичной точностью писал Андрей, что такое — «мусульман с автоматом»: «Их принцип — если ты сел с ним базарить, то ты или трус, или у тебя патроны кончились».

А дальше покатился чистый боевик: «Собрались, перетерли, ну и устроили мы им Варфоломеевскую ночь. Работало несколько колод, я со своими как раз в центре зачищал. Сработали четко, комар носа не подточит. Огрызки от них сбежали...»

Но один из россиян уже подкуплен был умелыми пришельцами и «рюхнулся к ментам. Мол, вы вот тут сидите, а у вас под носом...» Забирала их бригада по борьбе с террором, то есть забирала энергично и красиво — несколько десятков человек арестовали и с большой шумихой осудили «мафию русса». Андрею дали десять лет, потом скостили до семи, а после как-то получилось только пять. «История гораздо шире и интереснее, если даст Бог свидеться — расскажу».

Однако, скажет всякий искушенный зритель и читатель: что за боевик, в котором нет любовной линии? А не спеши, дружок, совсем не зря я излагаю эти письма от неординарного корреспондента своего.

Уезжал Андрей на Украину, будучи женат, и с ним жена туда поехала. Но там он встретил женщину, от обаяния которой вся душа его перевернулась, ожила и засветилась новым счастьем. Тут и я начну писать кудряво и цветисто, потому что мужику, сидящему в тюрьме (я просто по себе это отлично помню), представляется его любовь такой немыслимо огромной и прекрасной, что слова любой расцветки к ней годятся, а все то, что веет и клубится в чувствах, — передать словами невозможно. Я не привожу тут слов Андрея о его любви к Наташе, потому что я на публикацию интимных его слов не спрашивал и спрашивать не буду разрешения. Еще и потому, что письма из тюрьмы, когда ты посторонним глазом их читаешь, чересчур чувствительными выглядят. А писем он таких Наташе написал — сто семьдесят восемь (это им приведенная цифра). И она ему на все с любовью отвечала. Вся братва в тюрьме завидовала этой переписке.

А кстати, первая жена великодушно и без всякого скандала отступилась. Только слез, конечно, было много: десять лет они прожили вместе. Об одном она, смущаясь, попросила: как-нибудь поужинать втроем, чтобы увидеть ей счастливую соперницу. И ужин состоялся. И какой-то даже разговор происходил — спокойный и пристойно-вялый, словно ужинали трое сослуживцев. Андрей даже отвез потом Катю в их некогда семейный, общий дом. Прощаясь (а она уехать собралась), она ему сказала, что сегодня поняла, что он дурак, но что она — еще побольше дура. Он тогда пожал плечами и простился с легким сердцем.

А с Наташей переписка их горячая — внезапно кончилась. Должно быть, молодость взяла свое, она кого-то встретила, и получил Андрей последнее письмо, что ждать она не хочет, выдохлась ее любовь и пусть он больше не надеется.

Уж лучше бы взорвалась та граната, написал Андрей в письме, которое тогда ко мне пришло. И я его переживания прекрасно понимал: однажды в лагере я видел человека, получившего такое же послание. Скорее — извещение о том, что вся былая жизнь, в которую надеялся вернуться и которая стократ прекрасней кажется из лагеря, чем есть на самом деле, — более не существует. Как будто бы отрезали ее.

На лагерном жаргоне очень емкое есть слово для обозначения тоски, апатии, отчаянья — ну, словом, состояния, в которое впадают, — гонки. И Андрей, покуда неминуемые гонки тягостно переживал, то планы мщения задумывал, то зеркало однажды кулаком разбил, себя увидев, то кошмары его мучили во сне, то вовсе он заснуть не мог и до утра его тоска не отпускала. А потом случилось чудо. «Сейчас ты верить мне перестанешь, так как я и сам в это еще не верю, но, как говорят менты, — факты налицо». Выйдя из месячного карцера (за зеркало, скорей всего), он получил телеграмму, запоздавшую ко дню его рождения: «Поздравляю, люблю, хочу, жду. Твоя Катерина». Помните, как звали его первую жену? А далее в письме — прекрасные слова Андрея: «Мое ебало надо было видеть».

Тут одна забавная подробность местного тюремного сидения: оттуда зэку можно позвонить на волю. Ну, не часто, но какие-то звонки позволены. И мне, советскому сидельцу, это кажется диковинным настолько, что я даже справки специально наводил: да, позволяется — родным и близким или тем, чей номер ты заранее назвал. Всего троим, но это же какое облегчение!

И Андрей позвонил Кате, поблагодарил за поздравление и сразу же спросил, откуда в телеграмме все дальнейшие слова. Она ответила: «А я почувствовала, что ты один, что тебе больно и что пришло время тебе это сказать...»

Такие вот высокие истории случаются, как видите, и в наше прозаическое время. И к Андрею возвратилось чувство жизни. Ждет его теперь и Катя, и их сын. Однако же тюрьма — а кто сидел, прекрасно это знает, — и внутри себя готовит неожиданные пакости. Об этом очень коротко узнал я из письма: «Замочили тут козла одного, перед моими дверями сдох, собака». И, хотя закрыты были зэки в камерах своих, но впредь до разбирательства всю русскую братву перевели в штрафной изолятор. Это может длиться очень долго.

А в только что недавно наступивший Новый год жена моя, мне трубку телефона принеся в ту комнату, где я сидел, сказала шепотом: «Тут из тюрьмы тебя, из Португалии...» Такое было у нее счастливое лицо, что я вдруг остро вспомнил: и она — подруга уголовника. И на свидание в мой лагерь ездила, и ссылку отбыла со мною вместе. А Андрей кого-то упросил, чтоб разрешили позвонить по лишнему номеру. И мы поздравили друг друга с Новым годом, разговаривая сдержанно и кратко, ведь, по сути, мы еще и не знакомы. Но готовность свидеться и выпить — оба изъявили с удовольствием. Ну, дай-то Бог.

Главу эту заканчивая, грустно повторю: ушла эпоха писем, и поток прекрасных изъявлений человеческого духа оскудел до чахлого ручья.

И именно поэтому, должно быть, я давно уже не получаю письменных инструкций от сионских мудрецов.

ИГОРЬ **ГУБЕРМАН**

ИЗ ЗАЛА И СО СТЕН

В начале где-то я пообещал (предупредил), что непременно буду хвастаться и петушиться. Но никак не получалось, даже мельком невзначай не успевал я кукарекнуть, как меня куда-то уводила подвернувшаяся байка. Но теперь, когда я разложил собрание записок, я почти что вслух зарекся, что хвалебные выбрасывать не стану. Да тем более что просто комплименты я давно уже оставил в мусорных корзинах городов, где доводилось выступать. Я после каждого концерта с увлечением охотника за мелкой дичью заново перебираю все записки. В тех из них, которые уцелевают, непременно есть какое-то зерно, и похвала тогда — особенно приятна.

«Мне кажется, что писатель — это не профессия ваша, это ваша половая ориентация».

«Когда мне было 13 лет, я любила вас за то, что вы материтесь. Теперь мне 17, и оказалось, что вы еще и очень умный. Ура! (Никогда не думала, что еще увижу вас живым.)»

«Игорь Миронович, спасибо, что вы пишете и облегчаете жизнь в ее тяжелые минуты. Благодаря Вашим книгам несколько моих друзей справились с депрессией...»

> Хоть не хорош уже собой
> и всех высмеивает страстно,
> обрезан, дряхлый и больной,
> Вы охуительно прекрасны!

«Дорогой Игорь Миронович, я родилась в Тарусе и с детства читаю Ваши книги, почему и доучилась только до восьмого класса».

«Какое дивное блаженство — слушать ваше разъебайство!»

«Я Вас так люблю, что ревную ко всему залу одновремешю. Вера».

«Очень боялись опоздать на второй акт — огромная очередь даже в мужском туалете. Спасибо!»

«Игорь Миронович! Спасибо Вам огромное! Мой русский муж так смеется на Ваших концертах, что потом любит меня (еврейку) с удвоенной силой. Приезжайте чаще!»

«Извините, что пишу на направлении в лабораторию, другой бумаги нет. Мои знакомые бандиты с окраины с удовольствием Вас читают с моей подачи. До этого их последней книгой был букварь».

«Уважаемый и любимый Игорь! Около двух лет назад я рассталась с мужем. Будучи сексуальной женщиной, очень испугалась отсутствию желания (видимо, на нервной почве). Но начала читать Ваши «Гарики» и почувствовала, что желание возвращается. Но только к Вам. Спасибо!»

«Вас надо слушать на пустой желудок, я об этом не подумал и поел. Теперь сижу, боюсь смеяться, чтоб не пукнуть».

А вот похвальная записка женщины, довольно странно ощущающей стихи:

«Игорь Миронович! Каждый гарик — как гениально начатый, но прерванный половой акт. Хочется продолжения!»

В самом деликатном, щепетильном и тактичном хвастовстве сокрыта одна грустная особенность: оно надоедает много ранее, чем чувствуешь, что расхвалил себя достаточно. Поэтому на время я прервусь, поскольку вот наткнулся на записку, полную невыразимого достоинства. А с автором ее я вовсе не знаком, что очень важно:

«Игорь Миронович, вышел в туалет, не прощаюсь. Гриша».

Многие записки я немедленно могу читать со сцены, ибо содержание — готовый номер для эстрады. Например, в Казани как-то получил я письменную просьбу:

«Игорь Миронович, заберите нас, пожалуйста, с собой в Израиль. Готовы жить на опасных территориях. Уже обрезаны. Группа татар».

А в городе Уфе ко мне в антракте подошел немолодой интеллигентный человек башкирского обличия и боязливым полушепотом сказал, что он по личным впечатлениям недавно сочинил четверостишие, которое он очень просит не читать со сцены. А то все догадаются, кто автор, пояснил он со стеснительным смешком. Что же такое мог он написать? Все оказалось очень просто:

Башкирия — благословенный мир,
здесь врач-еврей сегодня дефицит,
теперь башкира лечит сам башкир,
а это — настоящий геноцид.

Одной из дивных записок я уже несколько лет начинаю все свои выступления:

«Спасибо Вам! Мы каждый раз с огромной радостью уходим с Вашего концерта!»

А вот послание энтузиаста:

«Игорь Миронович! Знаю наизусть не менее шестисот Ваших гариков. Если без Вас где-либо в Москве надо прочесть Ваши стихи, то вот мой телефон...»

И стихи десятками приходят. У меня их мало остается. Их ведь пишут наскоро, от иллюзорно возникающего чувства, что всего четыре строчки написать легко и просто. И стремительно переливают на бумагу это ощущение свое. Но те отдельные, что остаются у меня, я много времени спустя читаю с той же радостью.

> Совсем не страшно с Губерманом
> (тем более — на нем ответственность)
> терять без разрешенья мамы
> филологическую девственность.

> Хотя Вы материтесь всю дорогу
> и черти всех святых у Вас ебут,
> для нас Вы ближе всех живете к Богу,
> позвольте подписать у Вас Талмуд.

> Литературу пишут хером,
> сказал однажды Лев Толстой,
> живым являетесь примером
> Вы этой истины простой.

Из получаемых записок я порою узнаю о крохотных (но, Боже мой, каких существенных) деталях мифологии народной:

«Студенческая практика в глухом казахском ауле (будущие педагоги). Их руководительница живет в доме председателя колхоза. Жена председателя пожаловалась ей:

— Мужик мой — просто чистый еврей, каждый день к новой бабе бегает!»

Я очень благодарен всем, кто мне такое пишет. И у зрителей, по счастью, возникает уже стойкая привычка:

«Игорь Миронович, шла на концерт и предвкушала, как поделюсь одной школьной байкой. Урок истории, пожилая учительница излагает детям, даже диктует: «Феминистская партия Франции — это такой орган, в который входит до ста пятидесяти членов».

А вот почти письмо:

«В 95 году вы выступали в Днепропетровске в клубе милиции (вы даже пошутили по этому поводу). Ваше выступление имело неожиданный резонанс. Дело в том, что этот клуб находится рядом с областным кожно-венерическим диспансером. На следующий день в местной газете появилась тревожная заметка: «Горожане очень обеспокоены тем, что вчера около кожно-венерического диспансера было огромное скопление хорошо одетых людей определенной наружности».

Мне вспомнилась одна история Зиновия Ефимовича Гердта: получил он как-то дивно простодушную записку и поймал себя на том, что прежде, чем расхохотаться, ощутить успел укол обиды: «Случались ли у Вас творческие успехи?» Мне такое довелось почувствовать совсем недавно, прочитавши вслух вопрос: «А было ли у Вас желание попробовать себя в поэзии?» Но зал, по счастью, тоже засмеялся. Спасибо, неизвестный глумитель!

Задаваемые мне на выступлениях вопросы столь порою удивительны, что отвечать на них не надо, — прочитал, и жди, покуда в зале стихнет смех.

«У вас куча уничижительных гариков про женщин. Мы что, действительно все бляди?»

«Нет, совсем не все», — ответил я, а чтоб не продолжать, развел руками молча.

«Игорь Миронович, вы самый обаятельный и привлекательный из всех евреев, которых я знаю. Дайте, пожалуйста, совет: как получить деньги от банкира на неприбыльный проект?»

«Игорь Миронович, где же справедливость: во всех морских лоциях и картах написано — Роза ветров, и нигде нету Цили или Фиры ветров?»

«Не хотела касаться темы еврейства — я родом из глубинки, чисто русская, но часто отвечаю вопросом на вопрос. Это излечимо?»

«Что делать, если бросила жена?»

«Со сколько лет Вы курите? Мне 16 — уже можно? Если да, то я скажу маме, что это вы мне разрешили».

«В Тель-Авиве есть улица Леонардо да Винчи? Он что, — тоже?..»

«Если на сигаретах пишут — «легкие», то почему на водке никогда не пишут — «печень»?»

«Игорь Миронович! Не хотите ли меня удочерить? Марина».

Мне этот вид общения приятен, интересен и '— питателен, иного слова я не отыщу. Ибо порой отзывчивость настолько велика, что получаешь вдруг записку, и немая благодарность согревает душу — вслух ее не выскажешь никак. Довольно часто я на выступлениях рассказывал о некогда полученной записке, содержанием которой я по справедливости горжусь: «Игорь Миронович! Я пять лет жила с евреем. Потом расстались. И я с тех пор была уверена, что я с евреем — на одном поле срать не сяду. А на Вас посмотрела и подумала: сяду!» Зал доброжелательно смеется, это слыша. Но однажды после пересказа этой замечательной записки мне пришло четверостишие из зала:

> Я Вас люблю — чего же боле?
> Мне слушать Вас — благая весть.
> И только жалко: в чистом поле
> уже мне поздно с Вами сесть.

А иногда со мною просто делятся — что в голову пришло, то мне и пишут на клочке или билете:

«Игорь Миронович, хочу Вам сообщить свою идею, почему еврейские матери не пьют алкогольные напитки. Потому что это притупляет их тревогу и страдания».

«Я был приятно удивлен, поскольку друзья пригласили меня на вечер памяти Игоря Губермана».

«Моя старенькая тетя о немецком языке: какой-то босяцкий идиш!»

«Игорь Миронович, я сегодня развелся с женой. Скажите мне что-нибудь ободряющее. Вячеслав».

«Очень жалеем, что пришли на Ваш концерт без памперсов».

«Игорь Миронович! Человек, который лишил меня невинности, читал мне Ваши стихи. Это было лучшее, что он делал!»

«Спасибо! Лучше быть в шоке от услышанного, чем в жопе от происходящего».

«Господин Губерман, вы украли мою идею: я давно пишу похабные стишки, но не догадывался их публиковать».

«Вы действительно много выпиваете, сохраняя такую память? Обнадежьте!»

> Спасибо, что после работы
> я вместо привычной зевоты
> и в кресле удобном и красном
> думаю, бля, о прекрасном.

А вот вопрос, который задается очень часто — впрочем, на клочке этом еще и лестное четверостишие (к вопросу я немедленно вернусь):

> Его стихи — другим пример,
> в них юмор, ум и простота,
> они, как некий общий хер,
> шли по стране из уст в уста.

А спрашивает автор этого сомнительного образа: встречаются ли мне в различных городах те люди, что со мной сидели — в лагере, тюрьме, на пересылках?

Нет, и мне это загадочно и даже чуть обидно. Думаю, что бывшие сокамерники и солагерники мои, случайно натыкаясь на фамилию в рекламе или на афише, попросту не отождествляют выступающего фраера с тем уголовником, который с ними пил чифир или курил тугие самокрутки из махорки (сигарет недоставало катастрофически). Однажды на концерт ко мне пришел (в Днепропетровске) наш оперативник из сибирской ссылки — мы с ним обнялись, как любящие братья после длительной разлуки. Он уже давно ушел из органов и вспоминал теперь, естественно, что он еще тогда ко мне прекрасно относился. А начальник наш тогдашний (был он капитаном) — дослужился до майора, но допился до того (мы трезвым и тогда его не видели), что от тоски повесился по пьяни. Замечательный для этого глагол употребил оперативник:

— Вздернулся бедняга.

Мне покоя не дает одно письмо, полученное мною года три назад. И я в такое восхищение пришел, что всем его читал, и только потому оно не сохранилось. То есть сохранилось, но найти его в гористых залежах своих бумаг я не могу никак, хотя не раз уже искал. Приехавшая к нам сюда из Душанбе (или Ташкента?) незнакомая мне женщина писала, что семья ее мне очень благодарна. Получивши разрешение на выезд и уже собрав все чемоданы, дня на три они застряли из-за мелкой путаницы в бумагах. Коротая затянувшееся время, вечером они крутили пленку с фильмом, как вожу я своего приятеля по Иерусалиму, разные рассказывая байки. Дверь внезапно обвалилась, как фанерная, и к ним ворвались местные бандиты. Мужу ее тут же закрутили руки и заперли его в квартирном туалете. А ей с детьми велели сесть на диван, чтобы оттуда говорить, где прячут они деньги и драгоценности. Об ограблениях такого рода уже слышали они: бандиты приходили к уезжающим евреям чуть ли не в последний день, поскольку миф, что золото и драгоценности увозят эмигранты, непоколебим в сознании народном. Сказав, что у них ничего нет, женщина с ужасом вспомнила, как ей рассказывали о пытках, которым подвергают упрямцев. Средних лет мужчина, указавши трем подручным поискать в квартире, молча сел смотреть идущее кино. И хмыкнул вдруг, и громко засмеялся (байки я действительно рассказывал веселые). Коротким возгласом созвав свою компанию, он молча указал им на дверной проем. А уходя последним, он сказал хозяйке:

— Как туда приедешь, передай ему привет.

И коротко кивнул на телевизор.

Я сперва пришел в восторг от этого письма — из чистого тщеславия: мол, вот как реагируют бандиты на хорошее кино. Однако же, подумав, я решил, что этот средних лет налетчик — запросто мог быть моим приятелем в то лагерное время. Он тогда еще мальчишкой был, но вся советская тюрьма — такой рассадник и теплица уголовных устремлений, что совсем зеленые ребята из нее матерыми выходят. А тогда я — не случайный получил привет.

Один солагерник нашел меня в гостинице в Уфе. Я отсыпался перед выступлением и пригласил его на вечер. После окончания пришел он в комнату, которую мне дали возле сцены. Артистической не поднимается рука ее назвать, хотя и зеркала и стулья — были. Много там толпилось всякого народа — он себя стеснительно и неуютно чувствовал. У меня с собой немного было виски, мы его распили. Все цветы, что мне в тот вечер поднесли, я дал ему одной охапкой, чтобы он отвез жене: мол, я с артистом в лагере сидел, вот он тебе цветы и передал. Тут выяснилось, что его жена не знает, что мужик ее когда-то срок тянул, а то б не согласилась замуж выйти. И на том прервалась наша встреча. Я его по лагерю не помнил, хотя он и говорил, что я ему там даже книжку подарил какую-то. И написал на ней, что для души это весьма полезно — посидеть и пережить неволю. Я и тут не вспомнил ничего. Но не сказал ему об этом. Он теперь калымил на своей машине и хотя не процветал, но жизнью был доволен. Время развело нас, и боюсь, что именно об этом думают те зэки, что меня признали на афишах, но уже им видеться совсем не интересно. Мне ужасно жалко, что ни с кем из тамошних знакомых я уже не выпью, вероятно.

А вот еще одно попавшееся четверостишие:

> Люблю мужчин твоей национальности,
> и это не хвалебная сентенция,
> у них, помимо эмоциональности,
> всегда мозги есть, деньги и потенция.

И вот еще записка-просьба:

«Игорь Миронович! Я вдова. Муж у меня был еврей, инженер-электрик, и очень мне нравился. Вы — еврей и тоже, оказывается, инженер-электрик. И тоже мне очень нравитесь. Ищу нового мужа. Дайте совет! Маруся».

А в одном немецком городе я просто настоящий получил стишок однажды:

> Гористая, лесистая,
> молочная, мясистая,
> Германия прекрасная,
> пивная и колбасная.

Еще один народный (безымянный) привести хочу я стих. Когда-то я его слыхал, но не запомнил. Он настиг меня в записке, я ему обрадовался, как родному:

> Осень наступила,
> падают листы,
> мне никто не нужен,
> кроме только ты.

Но тут пора мне сделать перерыв, поскольку время катится к закату, и жена уже пошла советоваться с курицей насчет обеда, а послания на сцену не кончаются еще.

Обедая, я думать о главе не прекращал, и две мыслишки шалые одновременно посетили мою голову. Одна из них была такая: почему филологи (психологи, не знаю, кто еще) не присмотрелись до сих пор, насколько разно пишут люди до еды и после? Ведь не зря, к примеру, Достоевский ничего с утра не пил, кроме стакана жидкого чая. А иного автора читая, чувствуешь, насколько плотно он поел и через силу борется, бедняга и подвижник, с вязкой сладостной дремотой. А подробные картины — описания пиров и просто пьянок, дружеских обедов и любовных ужинов — их лепят натощак или поев? Конечно, это трудно изучить, но ведь какая интересная проблема! И немало в ней открытий предстоит. Вот я после обеда не могу работать, хоть убей. Ну, после ужина — понятно почему, но за обедом я не пью ни грамма, ни единой рюмки за обедом я не пью. А Божий мир совсем иной, когда поел, и сытое блаженство позволяет размышлять о нем, но не дает, препятствует копаться в нем детально и с пристрастием. Пейзаж какой-нибудь сентиментальный еще можно описать (Тургенев ел наверняка перед работой), но что-нибудь позаковыристей — не стоит даже и пытаться.

А вторая посетившая меня мыслишка чувствительной и благодарственной была. Ведь если вдуматься, кормлюсь я — урожаем с чисто личного и небольшого умственного огорода, где хозяйничаю плавно и усердно. А записки, посылаемые зрителем, — подарок, дополнительный продукт, бесценные плоды всеобщего бесплатного образования. Изысканные фрукты просвещения. И вот они лежат на письменном столе, разнообразно освежая овощи с моей убогой грядки.

И я такую ощутил растроганность, что мне одновременно захотелось выпить и поспать. Не зная, что из этого мне лучше предпочесть, я выпил небольшой стаканчик виски и улегся подремать. Я все равно так делаю уже изрядно много лет. И ни секунды не жалел о зря потраченном рабочем времени.

Однако тут я вспомнил, что в антрактах и после концерта мне еще рассказывают устные истории, которые укладывать в записку было не с руки. Они бывают малоинтересными обычно, но порой — ошеломительно прекрасными. Однажды деловой мужчина некий, возвратившись из далекой деловой поездки, днем сидел в библиотеке и решил сходить в сортир. В кабинке сидя, услыхал он из-за перегородки голос:

— Ну, как ты съездил?

Кто именно его спросил, он опознать по голосу не смог, однако же врожденная учтивость побудила его коротко ответить:

— Ничего, спасибо, хорошо.

— Договора-то заключил? — последовал второй вопрос.

А так как он как раз для этого и ездил, то ответил утвердительно.

— Надежные? — спросил его невидимый, но явно осведомленный собеседник.

Вот в этом он как раз уверен не был и поэтому сказал, что два — вполне надежные, а два — пока сомнительны немного. И услышал шепотливый голос, обращенный уже явно не к нему:

— Прости, перезвоню тебе попозже, тут мудак какой-то отвечает мне вместо тебя.

А в Москве недавно после выступления — уже и выпить дали — подошел ко мне мужчина (чуть за тридцать, как мне показалось) и сказал, что хочет поблагодарить: мои стихи его спасли однажды. Я корректно улыбнулся, ожидая мне уже известного: была тяжелая депрессия, и легкомысленные вирши облегчили тяжесть и тоску. Однако же история была настолько необычной, что я рад был третьему свидетелю — со мною рядом выпивал мой близкий друг. Немного лет тому назад рассказчик в общежитии каком-то защитил девчушку в коридоре: к ней бесцеремонно приставали два подвыпивших кавказца. А когда девчушка убежала, то они ему сказали, что к нему претензий не имеют, но теперь он должен с ними выпить. А когда они зашли в одну из комнат, там уже сидело человек семь-восемь, тоже очень молодых и тоже южного разлива с очевидностью. И тоже крепко выпивших уже. Откуда они взялись, кто они, — не знал рассказчик, но и ничего хорошего не мог предположить. Во главе стола сидел земляк их, но намного старше, был он явно лидером компании. Разлили водку, мой рассказчик чокнулся со всеми, пожелав здоровья и удачи, и поднялся, на дела сославшись. Только тут сосед-амбал его насильно усадил и, показавши нож, миролюбиво объяснил, что он готов зарезать даже гостя, если тот поднялся, не дождавшись разрешения того, кто старший за столом. А старший засмеялся, но соизволения не высказал.

Сидел рассказчик от него недалеко, и завязался между ними разговор. Пустой, ознакомительный, но к слову так пришлось, что гость какой-то мой стишок упомянул (и он сказал, какой, но я от лестности потом довольно много выпил). И расплылся старший в ослепительной улыбке, и сказал, что сам недавно приобрел он томик этого, из ваших, и тоже прочитал четверостишие мое. И тут пошла у них высокая игра: за каждой рюмкой новый стих они по очереди вслух припоминали. А на десятой, как не более, сказал ему тот старший:

— Ну, теперь иди, ты свой, сынок.

И руку ему дружески пожал.

А я (уже поспав, если кому-то это интересно) к некоей, уже избитой теме обращусь, которую с изяществом затронула одна записка:

«Александр Городницкий призывал бардов: «Вернемся к слову!» Учитывая, что он — Ваш близкий друг, я теперь сильно сомневаюсь, к какому слову он призывает...»

Никак, никак не успокоятся отдельные ревнители, что я и неформальную лексику считаю неотъемлемой частью русского литературного языка. И то, что написал, со сцены я читаю безмятежно. И поэтому меня то укоряют письменно и в прозе, то недавно пожилой какой-то человек (по почерку порой весьма заметен возраст) написал хвалебно-назидательный стишок:

> Вас любят и арены, и манежи,
> и русским, и евреям Вы нужны,
> но если б матерились Вы пореже,
> то Вам бы просто не было цены!

А в российском городе каком-то (жалко — не пометил) я записку получил — отменная литература:

«Дорогой Игорь Миронович! Вы много материтесь. Боженька услышит и язык отхуячит!»

Я всех предупреждаю с самого начала выступления и привожу примеры — профилактика ничуть не помогает. Я подумал как-то, что срабатывает подсознательное чувство страха за детей и внуков — что они услышат и прочтут. Но дети наши знают с ранних лет ничуть не меньше нас. Вот у меня лежит прелестная записка:

«Дядя Игорь, спасибо, что напомнили мне много интересных слов. Митя, 11 лет».

Мне как-то рассказали (в Бостоне, по-моему) историю, которую с тех пор я повествую всем, чтобы за внуков и детей не волновались. Вся она о том, что эти юные потомки счастливо обречены на полное знание нашего великого, могучего, правдивого и свободного языка. Поскольку это знание из воздуха приходит в их сметливые и хваткие головки. Посудите сами — вот история.

Бабушка в семье — филологиня питерского университета. Дочь и зять работают усердно, а ребенок — целиком поручен бабушке. Она ему читает, разговаривает с ним, рассказывает бабушкины сказки о прекрасной прошлой жизни в удивительно культурном городе. Когда они приехали, ему был год. Сейчас (на тот момент, когда мне это рассказали) — восемь лет. И у него, на зависть всем знакомым семьям, — замечательно сохранный русский язык. Большой словарь и очень правильная речь. И все — от бабушки. Поскольку всюду — речь английская и никаких российских знаний не предвидится. Что никаким таким словам его не обучала бабушка, понятно каждому: приличная семья, ничем не украшаемая речь. И вот однажды были они с бабушкой в гостях. И внук читал отрывок из «Евгения Онегина». И все им восхищались, не забыв и бабушку восславить. А потом все вышли, был декабрь (деталь немаловажная) и жуткий гололед. Покуда шли к машине чьей-то, внук сказал:

— Довольно скользко на дворе. Дай руку, бабушка, по крайней мере наебнемся вместе.

Воистину неведомы пути проникновения великой русской речи.

И еще весьма она трудна для перевода. Спрашивают у меня во множестве записок: на какие языки уже перевели вас? На какие переводят?

Ну, на семь или на восемь языков. Но только не перевели, а попытались это сделать. И по-моему, уже оставлены попытки. Ничего ни у кого не получается. Уныло, пресно и безжизненно выходит. Как будто не хватает слов каких-то. Нет их в иностранных языках. А если есть, то нету в них звучания такого. И не только о запретной лексике сейчас я говорю — нет, я об общем аромате нашей жизни. А возможно, лично мне пока не повезло. Я подожду. Омар Хайям четыре века дожидался переводчиков своих, и это меня очень утешает.

А впрочем, вот недавно вышли на голландском языке рассказы Дины Рубиной. И переводчица (по просьбе Дины, вероятно) несколько моих стихов туда добавила. Что сам я не читаю по-голландски, ясно каждому, но я никак не отловлю кого-нибудь, чтоб это прочитал (и не искал пока такого знатока), но что-то в этом языке мне сразу же понравилось. Как только я обложку увидал.

Там обнаружил я, что ежели голландский повнимательней читать, то там моя фамилия выходит — Хуйберман. А Дины получается фамилия — Руебина. И эта мелочь обнадежила меня насчет голландских переводов.

И еще один вопрос с недавних пор возник и повторяется в записках.

«Игорь Миронович, кто занимается Вашим имиджем? Увольте его!»

«Игорь, вы всегда так скромно одеваетесь или специально для Ростова?»

Уже могу с десяток городов назвать, где спрашивали в одинаковых словах примерно, почему я так непритязательно одет. Во фраке, что ли, надо выступать? Вопросу этому уже лет пять, и я, впервые получив его (в Чикаго, кажется), ужасно растерялся. Там тогда спросили, почему я одеваюсь, выходя на сцену, — «вызывающе скромно». На записки отвечая с удовольствием и быстро, я впервые что-то бормотал невразумительное и даже оправдательное что-то. Дескать, все сейчас одеты так отменно, что для сцены глупо что-нибудь выискивать особое, и что не Алла Пугачева я и даже не Филипп Киркоров. И метался мой рассудок по убогой памяти, ища чего-нибудь, что соотносится с одеждой. И нашел. Я непременно расскажу эту историю, хотя мне кажется, что я ее уже припоминал в одной из книг.

В Новосибирске это было много лет назад. А точнее — в Академгородке, который рядом. Я обнаружил в зале множество высоколобых лиц, отчетливо и грустно изнуренных интеллектом и безостановочной работой мысли. Я давно уже питаю уважение к ученым и немедленно решил, что почитаю им серьезные стихи. А у меня такие есть, и кто не верит, пусть удостоверится при случае. Там зал амфитеатром расположен, и все зрители прекрасно были мне видны. Спустя примерно полчаса я вдруг увидел, что приятель мой (который и привез меня сюда) смеется, сукин сын, в одном из кресел последнего ряда. А в антракте он ко мне зашел, и я его спросил немедля, почему смеялся он, засранец, когда я читал высокие серьезные стихи. Он сразу объяснил. С ним рядом оказались две молодые женщины, весьма научные сотрудницы по виду и манерам (я после антракта их не обнаружил — пересели, очевидно). И одна из них подруге громким шепотом сказала:

— А смотри-ка, ведь ему в Израиле живется нелегко, должно быть, вон у него брюки — далеко не новые, изношены совсем.

— Нет, ему это, наверно, безразлично, а жена за ним не смотрит, — отозвалась вторая женщина.

— Вот ведь блядь-то! — горько выдохнула первая, и обе вновь уставились на сцену.

Больше про одежду я не смог упомнить ничего. И на вопрос о ней бессильно развожу руками: мол, такой уж недотепа уродился. И на смокинг разорюсь еще не скоро. Но при этом интересно, что, слегка кокетничая эдакой мужской неприхотливостью своей, я вспоминаю с удовольствием и радостью, что нечто у меня с одеждой — полностью в порядке, проверял сегодня перед выходом на сцену. Потому что года три тому назад в одном американском городе досадная со мной конфузия случилась. Я в начале самом, только-только слыша, как аудитория смеется, уже знаю приблизительно, что будут (или нет) из зала интересные записки. В этот день я сразу же почувствовал, что будут. И действительно, уже минуты через три увидел я, как по проходу около стены стремительно идет ко мне мужчина с тетрадочным листком в руках. Он даже его поднял, приближаясь, как бы мне сигналя, что хотел бы мне немедленно его вручить. Я взял листок и, продолжая говорить, в него, кося глазами, заглянул. А там было написано настолько крупно, что хотел, наверно, этот добрый человек мне еще издали явить эту записку:

«Игорь!! У тебя расстегнута ширинка!»

Я конфуз этот довольно ловко ликвидировал (не зря листы большие со стихами я всегда держу в левой руке), но помню с этих пор, что главное в одежде — вовсе не дороговизна модного покроя.

Я на большинстве концертов различаю в зале много лиц (когда прожектора не бьют в глаза чрезмерно). Горячка завывания стихов меня не ослепляет полностью. Возможно, это следствие того, что получал образование я в те благословенные (по дисциплине) времена, когда и старшеклассника могли поставить в угол за плохое поведение. И много, много раз торчал я, неподвижно стоя, на сидящую взирая публику. Отсюда, вероятно, и закалка. Видя зал, я часто натыкаюсь взглядом на людей, весьма неодобрительно смотрящих на меня. И мысленно гадаю: для чего ж они сюда пришли? Ведь явно удовольствия не получают. Неужели для того, чтоб некую поставить галочку: мол, были, слушали, похабщина и пошлость. Однако же записок оскорбительных мне получать, по счастью, много лет не доводилось. А наоборот — полным-полно:

> Когда хозяин — мелкий гад,
> и нету жизни от обмана —
> раскройте книжку наугад
> и перечтите Губермана.

Но двусмысленные — где вослед за одобрением скрывается хула — я получал и до сих пор не знаю, как к таким запискам относиться.

> Блаженствую, глаза смежив,
> все через жопу, как всегда:
> язык великий русский жив
> в устах пархатого жида.

Я помню, как прочел эту записку вслух, но зал лишь добродушно засмеялся, и не стал я обсуждать последнюю строку. Поскольку если есть в записке что-нибудь скандальное, то зал немедля чутко затихает. У меня так было в Волгограде (или в Омске, точно я уже не помню) — кинули на сцену маленький листок с двустишием:

> ЖИДеньких строчек наслушавшись ваших,
> ночью поеду евреев ебашить.

Так это и было написано — с тремя первыми заглавными буквами. И в зале воцарилась тишина. Я к ней готов был, я похожее послание однажды получал. Но много лет назад, и я тогда изрядно разозлился, было легче. И поэтому сейчас я медленно сказал, что автор — безусловно смелый человек, поскольку побоялся подписать свое хотя бы имя, и его на сцену пригласил: мол, выходи и вслух нам расскажи свои недомогания по этой части. Но никто, естественно, не встал.

— Но если ты такой трусливый, как же ты кого-нибудь ебашить будешь? — продолжал я ту же тему, лихорадочно ища идею, чтоб нарушить в зале тишину. Вот, кажется, нашел.

— Голубчик мой, — сказал я с ласковой заботой, — для чего же ты сюда пришел? Ведь ты какому риску подвергаешься, теперь твои приятели тебя же засмеют, что ты интеллигент!

И тишина сломалась с облегчением. Такое же почувствовал и я.

Еще я очень помню тишину, которая внезапно вдруг повисла, когда я прочитал совсем нейтральную записку:

«Вы где-нибудь работаете, служите, числитесь, получаете зарплату?»

— Друзья мои, — ответил я, — нигде я не служу и не работаю. Меня содержите вы!

Мне хлопали так бурно, словно ожидали, что я скрою этот удивительный источник своего земного пропитания.

Совсем иную тему я начну с истории, рассказанной мне устно. В Москве однажды, на Тишинском рынке, моя добрая знакомая увидела типичного грузина (я имею в виду кепку), торговавшего цветами. В основном там были хризантемы дивной красоты. И на куске фанеры обозначена цена: «Один херзантем — 5 рублей». Моя знакомая (филолог) так обрадовалась тексту, что спросила продавца, кто это написал. А он, чего-то забоявшись, тихо ей ответил:

— Тебе — по три отдам.

Так вот отдельная тематика записок — объявления. В начале самом я прошу мне присылать их — кто что помнит из былой или текущей жизни, и коллекция моя растет из года в год. Хотя немногие из объявлений остаются в папке у меня, но зрительская щедрость поразительна, и нечто новое мне достается всякий раз. Вот первые, что мне попали под руку.

В Ташкенте объявление на рынке — о колготках: «Женский трус с длинным рукавом».

А вот это — из Москвы, но грамотное столь же: «Кандидат филологических наук сымет комнату».

«Мироныч! Прокомментируй объявление: «Девушка без образования ищет работу по специальности».

«Зубопротезные работы в области рта».

Листочек на столбе: «Продам щенка породы сэр Бернар».

Ценник в деревенском магазине: «Помада для губ лица».

«Делаем копии с любых документов. Подлинник не требуется».

В Одессе на Привозе — вывеска на магазине возле туалетов: «Французские духи в разлив».

И в том же городе — в подъезде дома объявление (скорей, совет житейский):

> Берегите с ранних лет
> совесть, воду, газ и свет!

Реклама прививок против полиомиелита — в поликлинике: «Две капли в рот, и нет ребенка-инвалида!»

«Купите котят! Недорого! Пятьдесят рублей ведро».

«Кодирую от онанизма. Гарантия — три дня».

«Новый вид услуг! Женские тампоны — доставка и установка».

В той же Одессе: «Мастерская по изготовлению импортных зонтов».

«Удаляю волосы со всех частей тела. Куплю паяльную лампу и керосин».

«Похоронное бюро «Энтузиаст». Для постоянных клиентов — скидка».

Объявление в какой-то российской газете (город не написан, к сожалению): «Выйду замуж за еврея любой национальности».

А в Америке на русском языке — уже десятки (а скорее, — сотни) местных маленьких газет. Легко себе представить, что там пишут, объявляя, что желают познакомиться. Но я одно лишь приведу такое объявление. В нем столько информации содержится, что на большую книгу размышлений запросто хватило бы ее. На книгу, очень грустную для далеко не худших представителей мужского пола:

«Молодая женщина с ребенком познакомится с мужчиной для серьезных отношений. Людей творческих профессий прошу не беспокоиться».

Мне жутко жалко, что растаяли на письменном столе и снова в папку улеглись послания, полученные мной из разных залов. Спасибо всем, кто мне их посылал. Огромное душевное спасибо!

А закончу я эту главу — одной запиской, беспримерной по ее пугающему простодушию. Я оцепенел, ее читая. О невидимой, но безусловно существующей реальности меня спросила (явно доверяющая мне) какая-то читательница из России:

«Игорь Миронович! Вы что-нибудь писали о жидо-масонском заговоре? Интересуюсь как русская православная».

Нет, ласточка, пока что не писал. Но все материалы и улики — собираю.

ОДЫ, ДИФИРАМБЫ, ПАНЕГИРИКИ

На скользкий путь писания застольных поздравлений я ступил весьма давно. Стиху, который преподносится хмельной аудитории суждён успех гораздо больший, чем того заслуживает текст. И я, таким как раз успехом вдохновленный, соблазнился даже в книгу поместить отдельные застольные хваления. Но все российской выделки шедевры — к юбилеям, свадьбам и рождениям — бесследно рассосались и рассеялись по мусорным корзинам тех домов, где были читаны. И лишь один такой стишок случайно сохранился. Мы с Витей Браиловским только что вернулись из своих мест исправления и заядло щеголяли уголовной феней — в тех, естественно, размерах, что успели прихватить. А тут как раз у Иры Браиловской — юбилей. И уцелело поздравление мое.

> Канает и фраеру пруха,
> фартит фраерам отчего-то:
> такая у Витьки маруха,
> что даже в тюрьму неохота.

В ментовке ни слова не скажет,
случись если с мужем чего,
умелую ксиву закажет,
возьмет на поруки его.

На кичу снесет передачи,
чтоб хавал бациллу пахан,
утешит в лихой неудаче,
а к ночи поставит стакан.

Укроет клифтом в полудреме,
хрусты на похмелку займет,
атасницей встанет на стреме,
а пропаль — барыге спульнет.

Поддержит в преступных стремленьях,
разделит и ночи, и дни...
Есть женщины в русских селеньях!
И часто — еврейки они.

Мне этот незатейливый стишок настолько нравился
(у авторов такое часто приключается), что я его еще
на паре дней рождений прочитал как свежеиспеченное.
Ну, разумеется, меняя имена. А совесть меня грызла и
колола, но весьма не долго и не сильно.

В Израиле возобновить эту традицию застольных
од меня заставил Саша Окунь. И я уселся, проклиная
непреклонную настырность давешнего друга, сочинять
настенную газету (он ее потом украсил дивными рисун-
ками). А юбиляром был наш общий друг Виля Цам.
Совсем мальчишкой он ушел из Киева на фронт, войной был сильно искалечен, еле выжил, но вернулся.
Стал юристом, но работа занимала очень маленькую

часть его души и времени. Виля неустанно праздновал свое существование на свете. В собутыльниках бывали у него прекраснейшие люди, Виктора Некрасова достаточно назвать.

А чтобы описать любовь к нему всех тех, кого дарил он близкой дружбой, я один лишь приведу негромкий факт: уже он десять лет (чуть более) как умер, но каждый год десятка два людей приходят вечером 9 мая в дом его, чтоб выпить за победу.

И его жена Фира вместе с нами поет советские песни. Легкомысленный гуляка Виля только в пятьдесят третьем порешил жениться, встретив Фиру, и сорокалетие их свадьбы праздновали мы в Иерусалиме.

Потому и поздравительная ода называлась —

На сорокалетие соблазнения Вилей
девицы Фиры

Случилось это сорок лет назад,
война еще вовсю грозила миру,
когда увидел Виля райский сад —
в пивной увидел он девицу Фиру.
Там Фиру домогался подполковник:
поставив перед ней пивную кружку,
хвалился ей, что чудо как любовник,
и звал ее в казарму на подушку.
Был Виля в небольшом военном чине,
но лучшее имел он впереди:
и все, что полагается мужчине,
и плюс еще медали на груди.
С достоинством держа большую палку,

нисколько Виля драки не гнушался
и с легкостью отправить мог на свалку
любого, кто на Фиру покушался.
И Фира силой женского таланта
почувствовала крепость лейтенанта.
Да, Фира это сразу ощутила
и тихо прошептала — «Боже мой!»,
и к Виле всю себя оборотила,
чтоб Виля проводил ее домой.
(Был Виля ума многотомник
с вальяжностью шаха персидского.
В казарме рыдал подполковник,
шепча про Богдана Хмельницкого.)
В сон девичий Виля явился,
и Фира воскликнула — «Ах!»,
поскольку он ей как бы снился,
но был он уже не в штанах.
А был он раздетый скорее,
и был он хотя в темноте,
но Фира узнала еврея
в роскошной его наготе.
(А девки лили слезы на мониста,
сморкались в расшиваемый рушник,
им пели два слепые бандуриста,
что смылся на еврейку их мужик.)
И длится это счастье очень долго,
и можно объяснить его научно:
обязанность супружеского долга
наш Виля обожает потому что.
И счастливы, придя на годовщину
их дивного совместного житья,
мы выпить за отменного мужчину
и Фиру безупречного шитья.

Об Александре Окуне я собираюсь написать уже который год. Но это очень затруднительно — писать о близких людях. (Так хирурги избегают резать родственников, что-то есть похожее в обеих ситуациях.) Он очень подлинный и дьявольски талантливый художник. Только та всемирная известность, что его картинам, несомненно, суждена, придет гораздо позже, чем хотелось бы. Такое часто приключается с высокой пробы живописцами, история прекрасно это знает. Но у Саши Окуня есть еще множество других способностей. Он, кстати, и пером владеет столь же виртуозно, как и кистью, так что просто на поверхности лежала мысль о том, что Окунь — рыба кистеперая. Об этом и о прочих дарованиях его была к 50-летию написана хвалительная ода.

Пятьдесят лет в струю

Родясь почти что вровень с полувеком
на светлых берегах реки Невы,
ты мог бы стать приличным человеком,
но сделался художником — увы!

Теперь там хаос общего разброда,
и ты за счет еврейской головы
мог быть оплотом русского народа,
начальник был бы ты бы — но увы!

Для русской это редкостно равнины,
что в жителе нет генов татарвы;
в роду, где есть великие раввины,
ты сделался художником — увы!

Владея непростым и редким даром
улучшить вкус еды пучком травы,
ты мог бы стать известным кулинаром,
но сделался художником — увы!

Смакуя меломанские детали
в потоках гармонической халвы,
ты б даже мог настраивать рояли,
но сделался художником — увы!

Легко играя мыслей пересвистом,
слова переставляя так и сяк,
ты был бы залихватским публицистом —
зачем ты стал художником, босяк?

Роскошно развалясь перед камином
с осанкой патриарха и главы,
ты мог бы слыть отменным семьянином,
но склонен ты к художествам — увы!

На голос твой, пленительный и сладкий —
пришла бы даже диктора карьера,
ты мог бы рекламировать прокладки,
художником ты стал — какого хера?

Воздавши дань любовной укоризне,
сказать уже по совести пора,
что счастливы мы рядом быть по жизни
с тобой — большим художником — ура!

А Верочка — жена Саши Окуня, и много уже лет
они прокоротали вместе. Но еще у Верочки имеется любимая сестра — ее близнец, и нижеприводимая
баллада — в честь двойного юбилея.

ИГОРЬ **ГУБЕРМАН**

Баллада про Веру и Ксану

Как-то раз умудрились родиться,
созревая в едином яйце,
две прекрасных собою девицы
с видом сходства на каждом лице.

Неразлучными были близняшки,
расходились не дальше вершка,
но по-разному клали какашки
в два больших неразлучных горшка.

Вера лихо носила юбчонку
и собой была очень стройна,
но попутал нечистый девчонку,
и с евреем связалась она.

Ксана долго терпела, как стоик,
но внезапно женился на ней
всей российской культуры историк,
славянин из литовцев, еврей.

Сестры мало собой различались,
а родясь под созвездьем Весы,
при походке немного качались
и в мужчинах ценили усы.

Потому их мужья бородаты
и темны, как сибирская ночь,
и все время немного поддаты —
девки выпить и сами не прочь.

Их мужчины смотрелись не чахло,
а родились под знаком Тельца,
но тельцом золотым там не пахло,
были только хуи и сердца.

Утопали в любовных объятиях
и в мечтах, мужиками навеянных,
и не знали о мероприятиях,

сионистами гнусно затеянных.
Ведь не знаешь, откуда печали
и разлука с какой стороны...
Ветры времени Верку умчали
далеко от советской страны.
Тосковали две чудные дамы
от порватия родственных уз,
и не выдержал Бог этой драмы
и разрушил Советский Союз!
Стали встречи светлы и прекрасны,
а мужья их, угрюмы и хмуры,
тихо шепчутся: просьбы напрасны,
снова пьяные две наши дуры.
Но сегодня — молчат эти монстры,
будем пить и горланить припевки,
веселитесь, разгульные сестры,
будьте счастливы, милые девки!

У Саши с Верой есть дочь Маша, о которой можно многое узнать, прочтя произведение, которое мной было названо —

Ода на бракосочетание
Маши и Идана

С рождения девочка Маша
блистала умом и лицом,
а Вера была ей мамаша,
а Саша был Маше отцом.

Семейством гордилась приличным,
где предки — от рава до цадика,
однако путем очень личным
влеклась она с детского садика.

Опасность ее не смущала,
и страх был неведом Машуте,
верблюдов она укрощала
и прыгала на парашюте.

В науки вгрызалась, как лев,
и все начинала с начала,
и шесть языков одолев,
девятый она изучала.

Была хороша она в талии,
имела бездонные очи,
с ней два кардинала в Италии
пытались сойтись покороче.

При всей ее женской гармонии
стреляла без промаха в тире,
с ней семь самураев в Японии
хотели иметь харакири.

В подарок ведя дромадера,
на облик в далекой дали
из Франции два гренадера,
мечтая о плене, брели.

Кто жар ей ученый остудит?
Сошлась бы с каким молодцом,
когда ж она трахаться будет? —
шептались мамаша с отцом.

У них о потомстве забота,
им нянчить хотелось внучат,
а Маша научное что-то
кропала в бессонных ночах.

Однако пришел тот единственный,
отменных еврейских кровей,
со службой настолько таинственной,
что сам же не знал он о ней.

Был духом и телом нормален,
шиитов спасал и суннитов,
а в Турции спас из развалин
четыреста антисемитов.

Так мужа нашла себе Маша,
пошла между них канитель,
сварилась любовная каша,
к семье привела их постель.

Летай по державам отсталым,
но делай детишек, Идан,
не век тебе лазать по скалам,
от Бога твой хер тебе дан!

Я не могу тут не отметить, как литература благодетельно влияет на жизнь: Маша немедля забеременела, и теперь в ногах всего семейства путается дивный крохотный мальчик.

Мой давнишний друг Володя Файвишевский — очень мудрый и проницательный врач-психиатр. А родился он 22 апреля, что сильно облегчило мне прекрасные потуги сочинительства.

Краткая ода на 70-летие доктора Файвишевского (кличка — Профессор)

Повсюду — совпадений светотень,
поскольку неслучайно все в природе:
ты с Лениным в один родился день,
и ты, конечно, назван в честь Володи.

Как молот, был безжалостен Ильич,
безжалостна, как серп, его эпоха;
его разбил кошмарный паралич,
а ты — мудрец, ебун и выпивоха.

Он тоже, как и ты, талантлив был,
однако же вы разны чрезвычайно:
он — много миллионов погубил,
а ты — немногих вылечил случайно.

Психованность весьма разнообразна,
общаться с сумасшедшими опасно,
душевная поломка так заразна,
что тронулся и ты — но как прекрасно!

Свихнувшись, не жалеешь ты об этом,
душой о человечестве скорбя,
и каждый, кто пришел к тебе с приветом,
излечится приветом от тебя.

Еще не все в России хорошо,
еще от ваших жизней длится эхо,
того — клянут, что некогда пришел,
тебя — благословляют, что уехал.

Перо мое от радости дрожит,
и ты меня, конечно понимаешь:
он, всеми проклинаемый, лежит,
а ты, любимый нами, — выпиваешь.

Сейчас вокруг тебя клубится пир,
и ты обязан помнить непременно,
что в этот день родился и Шекспир,
а ты к Вильяму ближе несравненно.

Аркадий Горенштейн — хирург и по призванию, и по профессии (а это совпадает вовсе не всегда). Притом хирург он детский, и легко себе представить уникальность этого занятия. Наши дни рождения расходятся всего лишь на день, и поэтому мы часто празднуем их вместе. А что на пять лет я старше — тут уж не попишешь ничего.

Ода на 60-летие
Аркадия Горенштейна

Готов на все я правды ради,
варю на правде свой бульон;
однажды жил хирург Аркадий,
любил кромсать и резать он.

Людей он резал самых разных,
но малышей — предпочитал,
и в этих играх безобразных
он жил, работал и мечтал.

Мечтал о воздухе он свежем,
хотел в Израиль много лет,
поскольку мы младенцев режем —
едва появятся на свет.

Не всех! Аркадий жил в Херсоне,
и словом «хер» я все сказал:
он резал Хайма, но у Сони
он ничего не отрезал.

Потом он в Питер жить уехал,
лечил у пьяных стыд и срам,
его работы плод и эхо —
у тех — обрез, у этих — шрам.

Разрезав, надо приглядеться,
чтоб ясно было, что лечить,
а он умел яйцо от сердца
легко на ощупь отличить.

Жена его звалась Татьяна,
писала краской на холстах,
и без единого изъяна
была она во всех местах.

Он резал всех, как красный конник,
ища ножом к болезни дверь,
но был аидолопоклонник,
и вот — в Израиле теперь.

И тут Аркадий не скучает,
он на архангела похож
и Божью благость излучает,
когда младенец есть и нож.

Не только режа, но и клея,
Аркадий грамотен и лих,
и плачут бабы, сожалея,
что резать нечего у них.

Он за людей переживает,
живя с больными очень дружно,
и многим даже пришивает,
поскольку многим это нужно.

Ему сегодня шестьдесят,
и пациентам лет немало,
труды Аркадия висят
у них, у бедных, как попало.

А сам Аркадий — о-го-го,
и, забежав домой однажды,
он сотворил из ничего
себе детей, что было дважды.

Прибоем в отпуске ласкаем,
любил поесть, но голодал:
женой по выставкам таскаем,
он у холстов с едой — рыдал.

Живи, Аркадий, много лет,
пою хвалу твоим рукам
и завещаю свой скелет —
уже твоим ученикам.

О Лидии Борисовне Либединской, моей теще, говорил я и писал уже несчетно. Много лет подряд она к нам приезжает, чтобы в Иерусалиме праздновать очередной Новый год. А некий дивный юбилей она решила тоже отмечать в нашем великом городе. Тогда-то я и сочинил —

Трактат на 80-летие

Лидии Либединской

Чтоб так арабов не любить,
графиней русской надо быть!

Когда бы наша теща Лидия
по женской щедрости своей,
была любовницей Овидия, —
он был бы римский, но еврей.
Когда б она во время оно,
танцуя лучший в мире танец,
взяла в постель Наполеона —
евреем был бы корсиканец.
В те легкомысленные дни

она любила развлечения,
евреи были все они,
почти не зная исключения.
К ней вечно в дом текли друзья,
весьма талантливые лица,
и было попросту нельзя
в их пятом пункте усомниться.
У дочек в ходе лет житейских
когда любовь заколосилась,
то на зятьев она еврейских
без колебаний согласилась.
Когда порой у дочерей
в мужьях замена приключалась,
она ничуть не огорчалась —
ведь новый тоже был еврей!
Пишу трактат я, а не оду,
и сделать вывод надлежит,
что теща к нашему народу
уже давно принадлежит.
Галдит вокруг потомков роща,
и во главе любого пьянства
всегда сидит хмельная теща —
удача русского дворянства.

В каждой порядочной семье, как известно, должен быть хоть один приличный и удавшийся потомок. И моим родителям такое счастье выпало — мой старший брат Давид. Геолог (доктор соответственных наук и академик), он на Кольском полуострове за несколько десятков лет пробурил самую глубокую в мире скважину. Об этом и была сочинена —

Маленькая ода про большого Дода
(на его 75-летие)

Он был бурильным однолюбом:
вставая рано поутру,
во вдохновении сугубом
весь век бурил одну дыру.
Жить очень тяжко довелось,
но если б Доду не мешали,
дыра зияла бы насквозь,
пройдя сквозь толщу полушарий.
Просек бы землю напрямик
бур Губермана исполинский,
и в Белом доме бы возник —
на радость Монике Левински.
Он жил в холодном темном крае,
всегда обветренном и хмуром,
хотя давно уже в Израиль
он мог приехать вместе с буром.
Пройдя сквозь камень и песок,
минуя место, где граница,
он бы сумел наискосок
к арабской нефти пробуриться.
Он и другие знал заботы,
не в небесах Давид парил,
и как-то раз придя с работы,
жене он сына набурил.
Советский строй слегка помер,
явилась мразь иного вида;
но, как вращающийся хер,
бурил планету бур Давида!
Дод посвятил свою судьбу
игре высокой и прекрасной,

и Дон Жуан сопел в гробу,
терзаем завистью напрасной.
Труды Давида не пропали
в шумихе века изобильного,
и в книгу Гиннеса попали
рекорды пениса бурильного.
Сегодня Дод наш — академик,
и льется славы сок густой,
а что касаемо до денег,
то все они — в дыре пустой.
Горжусь тобой и очень рад
сказать тебе под звон бокальный:
ты совершил, мой старший брат,
мужицкий подвиг уникальный!

А Гриша Миценгендлер — родственник моих друзей
(точнее, родственница — Жанна, но она — его жена).
Все остальное вам расскажет

Панегирик
в честь 60-летия Григория,
человека и железнодорожника

Гремели российские грозы,
хозяйки пекли пироги,
неслись по Руси паровозы,
горячие, как битюги.
А следом вагоны катились,
железом бренча многотонным,
и разные люди ютились
на полках по этим вагонам.
И в чай они хлеб окунали,
мечтая доехать скорей,

того эти люди не знали,
что чинит вагоны — еврей.
Поэтому прочны вагоны,
для дальних выносливы рейсов,
в любые идут перегоны,
о стыки стуча между рельсов.
Еврей тот по имени Гриша —
сметлив удивительно был,
легко бы в министры он вышел,
но очень вагоны любил.
И плелся с работы устало,
и в голову лезли дела,
но Жанна его ожидала
и двух сыновей родила.
(А нынче — крушенья дорожные,
и скажет любой вам носильщик:
вагоны теперь ненадежные,
уехал в Израиль чинильщик!)
Меняют любовники позы,
ползут на Израиль враги,
но мчат по нему тепловозы,
горячие, как утюги.
А сзади вагоны трясутся,
евреи в вагонах сидят,
куда-то с азартом несутся
и сало украдкой едят.
За весь этот транспорт в ответе —
Григорий, кипучий, как чайник,
теперь он сидит в кабинете,
большой и солидный начальник.
В субботу он землю копает,
монет наискал миллион,
мудреные книги читает,

хлебая куриный бульон.
И едут вагоны, колыша
еврейских шумливых людей,
хранит их невидимый Гриша,
великий простой иудей.

Леночка Рабинер — диктор и редактор нашего из-
раильского радио на русском языке. Муж ее, весьма
любимый ею (и весьма ответно), — Женя Шацкий, он
контрабасист в филармоническом оркестре. Оба они
много пережили до поры, пока друг друга повстречали.
А ода, сочиненная на их свадьбу, так и называлась —

На бракосочетание музыканта Жени
и Леночки из радиовещания

Он был контрабас разведенный,
она — выходила в эфир.
И горек был путь их пройденный,
и пуст окружающий мир.

Они не мечтали о встрече,
страшил их любовный обман,
однако клубился под вечер
в их душах надежды туман.

Они повстречались случайно,
о чем-то пустом шелестели,
над чем-то смеялись печально,
и вдруг оказались в постели.

И поняли — не без испуга —
по стуку взаимных сердец,
что именно их друг для друга
когда-то назначил Творец.

И все начиналось с начала,
и обнял невесту жених,
и музыка с неба звучала —
играл ее ангел для них.

А Женя по миру мотался,
в узде свои страсти держа,
и весь его волос остался
в гостиницах разных держав.

Себя он отравливал водкой,
лишь музыкой в жизни гордясь,
а Лена — роскошной красоткой
и рыжей была отродясь.

Но с радостью рыжая Лена
за лысого Женю пошла,
в уюте семейного плена
она свое счастье нашла.

И пушки сегодня палят
в честь этих израильских жителей,
и взрослые дети шалят,
завидуя счастью родителей.

Мы не успели оглянуться — пролетело восемь лет
их замечательной совместной жизни. И наступил у Ле-
ночки весьма округлый юбилей. Описанный сюжет мне
приходилось повторить. Но подвернулась свежая идея.

Баллада про рыжую Лену

Баллада сочинилась не случайно:
в ней Лена — тема каждого куплета,
есть в имени — секрет, загадка, тайна,
и я вам расскажу сейчас про это.

И выдумки в балладе этой нет,
идея взята мной не с потолка:
недаром я болтался много лет
на улице Елены а-Малка.

Хочу вам для начала изложить
секрет наполеоновского плена:
на острове хотел он век дожить —
святая пусть, но все-таки Елена.

И те, чьи имена избегли тлена —
обязаны их женам, нету спора:
у Рубенса была жена Елена,
у Рузвельта жена — Элеонора.

Такое это имя, что полену
сияло оно пламенным угаром,
и сказка про Прекрасную Елену
возникла, как вы видите, недаром.

Но сказка зарастала книжной пылью,
и даже прочитал ее не каждый,
а чтобы эту сказку сделать былью,
родилась Лена рыжая однажды.

Родилась, как известно, Лена в Риге,
в семье, где почитался дух искусства,
читала увлекательные книги,
но к музыке ее клонились чувства.

Валились музыканты на колени,
вливался в инструменты их экстаз,
но были их порывы чужды Лене,
в мечтах она избрала контрабас.

А Женя был солдат, носил винтовку,
в судьбе своей предвидел перемены,
и «Леночка» — его татуировку —
немногие, но видели до Лены.

На всяких языках читая тексты,
любовные разучивая танго,
такое знала Леночка о сексе,
что сделалась черна Елена Ханга.

Когда готовит Леночка обед,
то плачут и женатый, и вдовец,
загадки тут и не было, и нет:
Еленою была Молоховец.

А голос?! Он рождает в сердце эхо,
и пению сирен подобен он:
на голос рыжей Лены к нам приехал
евреев из России миллион.

Поэтому ты, Леночка, живи,
ничуть, как ты умеешь, не старея;
твой голос, полный неги и любви,
из чукчи скоро сделает еврея.

И мы тебя все любим не напрасно:
полно в тебе душевного огня;
ты — женщина, и этим ты прекрасна,
а возраст — это мелочь и хуйня.

Эфраим Ильин — это скорей явление, чем просто личность. Это он в 48 году купил в Чехословакии винтовки и патроны, благодаря которым была прорвана блокада Иерусалима.

В «Книге странствий» есть о нем глава, в которой
я подробно описал его незаурядную судьбу. Она так и
называется — «Эфраим: праведник — авантюрист».
Отдельные подробности я к дню его рождения зариф-
мовал, а Саша Окунь сделал дивные рисунки.

Торжественная ода
на 85-летие Эфраима Ильина

Сколько разных талантов, однако,
ниспослалось Эфраиму в дар:
меломан, бизнесмен и гуляка,
полиглот, меценат, кулинар.

Развивая еврейские корни,
был Эфраим с рожденья не слаб:
делал деньги, играл на валторне
и любил подвернувшихся баб.

В деле страсти послушлив судьбе —
скольких женщин взыскал ты и выбрал?
Дон Жуан, услыхав о тебе,
с корнем хуй немудрящий свой выдрал!

Когда были дороги тернисты
и еврейский народ пропадал,
ты, Эфраим, пошел в террористы,
и мы знаем, что ты попадал.

На семитов напали семиты,
и воскликнув: «Ах, еб вашу мать!» —
ты, Эфраим, купил «Мессершмиты»,
чтоб евреи могли воевать.

А потом, когда мы победили,
нос утерли и шейху, и лорду,
то еврейские автомобили
сделал ты в посрамление Форду.

Всех галутных жалея до слез
(им казалось житье наше раем),
ты румынских евреев привез —
но зачем же так много, Эфраим?

Собирая картины друзей,
наливая за рюмкой стакан,
в Ватикане открыл ты музей,
и безвестный расцвел Ватикан.

Много лет нас во тьме содержали,
но играла мечта полонез:
Моисей передал нам скрижали,
а Эфраим завез майонез.

Ты сидишь, распивая шампанское,
на пустыню ложится туман,
и грустит королева британская,
что с тобой не случился роман...

Всюду тихо и сонно на небе,
толпы девственниц шляются вяло,
и тоскует Любавичский ребе,
что с тобою он виделся мало.

Лучше жить, чем лежать в мавзолее,
и сегодня себе мы желаем
на столетнем твоем юбилее —
чтоб и мы выпивали, Эфраим!

Прошло пять лет (сказать точнее — пронеслось), и к юбилею Ильина я написал несложный разговор двух древних (а точнее — вечных) женщин — Венеры и Афродиты. Мы с Сашей надели юбки, подложили под цветные кофточки диванные подушки, а на головы надели шляпки. И на самом деле превратились в двух омерзительных древних блядей. В этом виде с чувством мы исполнили —

Диалог Венеры с Афродитой
в честь 90-летия Эфраима Ильина

ВЕНЕРА. Хотя мы выглядим печально...
АФРОДИТА. Красотки были изначально.
ВЕНЕРА. Мы, вечной женственности ради...
АФРОДИТА. Короче говоря, мы бляди...
ВЕНЕРА. Мы — современницы Гомера.
А. Я — Афродита, он — Венера.
В. От лет прошедших Афродита
похожа на гермафродита.

А. А ты по старости, Венера,
сама — точь-в-точь скульптура хера.
В. У нас для ссоры нет причин...
А. Мы знали тысячи мужчин!
В. Царь Александр Македонский...
А. И Буцефал!
В. Забудь про конский.
А. А император был...
В. Траян!
А. Потом еврей...

В. Моше Даян.

А. Да, одноглазый. И французов
он победил...

В. То был Кутузов.

А. Еще был как-то царь Мидас...

В. Ну, тот был чистый пидорас!

А. А Бонапарт?!

В. Хоть ростом мал —
ложась, он сабли не снимал.

А. А древний грек —
слепой Гомер...

В. Так он как раз на мне помер!

А. А короли! Филипп, Луи...

В. Совсем ничтожные хуи.

А. Маркс, Энгельс — помнишь их, подруга?

В. Ну, эти два ебли друг друга.

А. У нас и Ленин побывал...

В. Меня он Надей называл.

А. А посмотри на век назад —
к нам заходил маркиз де Сад!

В. О нем я помнить не хочу,
пришлось потом идти к врачу.

А. Писатель Горький был прелестник...

В. Ебясь, орал, как буревестник.

А. И Евтушенко нас любил...

В. Он сам изрядной блядью был.

А. А Троцкий?!

В. Снял презерватив
и убежал, не заплатив.

А. А помнишь — был еще один
весьма некрупный господин?

В. Француз по тонкости манер...

А. А вынимал — еврейский хер!

В. Был у него такой обрез...

А. Его макал он в майонез.

В. Здесь темновато, нет огня,

не растревоживай меня.

Мне с ним постель казалась раем...

А. Да, это был Ильин Эфраим!

В. Теперь уже мы с ним не ляжем...

А. Давай, подруга, вместе скажем.

Говорят хором:

Мы сегодня выбираем —
добровольно и всерьез —
лишь тебя, Ильин Эфраим,
воплощеньем наших грез.
Мы с тобой — как две медали
в честь ночной любовной тьмы,
мы тебе бы снова дали,
только старенькие мы.

С воодушевлением, обращаясь ко всем:

Это здесь с душой открытой
выступали для приятства —
мы, Венера с Афродитой,
покровительницы блядства.

А заканчивая эту краткую главу, я не могу не выразить надежду, что еще немало будет в жизни юбилеев, годовщин и дней рождения. Пишите панегирики друзьям! Ведь если мы не будем восхвалять друг друга, то никто это не сделает за нас.

СЕЗОН ОБЛЕТЕВШЕЙ ЛИСТВЫ

Когда я наконец закончу эту книжку — сяду за любовные романы. Я уже начало сочинил для первого из них: «Аглая вошла в комнату, и через пять минут ее прельстительные кудри разметались по батистовой подушке».

Правда же, красиво? Хоть и слабже, несомненно, чем какой-то автор написал о том же самом: там герой в порыве страсти — «целовал губами щеки на ее лицо». Но я и до такого постепенно дорасту. Вот именно поэтому ничуть не удручаюсь я и не тоскую от моей наставшей старости. Поскольку, как известно всем и каждому, у старости есть две главнейшие печали: отсутствие занятия, которому хотелось бы отдать себя на все оставшееся время, и томительное ощущение своей ненужности для человечества.

А я — закоренелый и отпетый графоман. И у меня до самой смерти есть посильное занятие. Малопристойное, но есть. А это очень важно: я прочел во множестве трактатов о закате, сумерках и тьме, что главное — иметь хотя бы плевое, но все-таки какое-никакое дело. По той причине, что досуг, о коем все мы так мечтаем всю сознательную жизнь, становится невыносим, обременителен и надоедлив, как только мы его обретаем. Ну, чуть позже, а не сразу, но становится. А это, кстати, и по выходным заметно, и по праздникам любым, а в отпуске — особенно. К концу (а то и в середине) этих кратких дней отдохновения спастись возможно только алкоголем, так тоскливо на душе и тянет на обрыдлую работу. А если этот отпуск — навсегда? И еще пенсию тебе дают вдогонку — чтоб не сразу помер от нахлынувшей свободы и возможности пожить немного без привычного ярма, оглобель и телеги. Но немедля выясняется, что старость — это то единственное время, когда хочется неистово трудиться. А еще ведь так недавно превосходно понимали (ощущали), что работа — уж совсем не самый лучший способ коротания недлинной жизни. Но куда-то мигом испарилось это безусловно правильное мироощущение. И у всех, почти что поголовно, возникает чувство огорчения, отчаяния даже, что их выпустили, выбросили, не спросясь, из общей мясорубки жизни. Как будто светлое грядущее они слегка достроить не успели. Или им хотелось пособить родной стране догнать хотя бы Турцию по качеству еды на душу населения.

Присмотритесь! Просто вам хотелось, чтобы время вашей краткой жизни убивалось день за днем так именно, как вы уже привыкли, а не как-то иначе, как вы еще не знаете и не придумали. А мудрый Ежи Лец как-то сказал, что ежели у человека нет обязательной работы, он довольно много может сделать. Но забавно, что как раз такое чувство выброшенности из мельничных бесчеловечных жерновов сильней всего тревожит и волнует старческие души. И смыкается с томящим этим чувством — ощущение, что ты уже не нужен никому.

Но мне и в этом смысле повезло. Поскольку я давным-давно, десятки лет назад прекрасно осознал и ясно понял свою полную ненужность, бесполезность и отчасти даже вред для неминуемого счастья человечества. И ощутил такую дивную свободу, что впоследствии в тюрьму попал вполне естественно.

Мне даже и на улицу надолго выйти неохота, до того дошло, что я не каждый день осведомлен, какая на дворе погода. А если окажусь на улице по некоей необходимости, то сразу кашляю, поскольку свежий воздух попадает мне в дыхательное горло. И поэтому о грустных сверстниках моих я далее примусь писать — воздержанно, тактично, деликатно, щепетильно, а нисколько не по-хамски и наотмашь, как пишу я о себе и чувствах собственных.

В моем сегодняшнем существовании есть несомненное достоинство: я никуда не тороплюсь, поскольку уже всюду опоздал. Отсюда — плавная медлительность моих суждений и благостная снисходительность во взгляде на бегущих и спешащих. Им ведь, бедолагам, даже ночью снится календарь с разметкой мельтешения на полную неделю. А мои все деловые попечения остались там же, где мечты и упования.

Зато способность к сопереживанию и впечатлительность души — они, по счастью, в нас не только что сохранны — более того: они, похоже, обострились и усугубились. Жаль немного, что играют эти струны более от книг и телевизора, чем от реальной жизни, на которую мы давно махнули рукой. А мысли — не бурлят они уже, а вяло шелохаются, как усталые и снулые раки. Но в этом же и состоит целительная благость отдыха от канувших былых переживаний в откипевшем прошлом.

Про старческий склероз теперь могу я рассказать на собственном примере. Как-то позвонил мне пожилой приятель и оставил на автоответчике сообщение. Он звонил последним, значит, можно было набрать звездочку и номер сорок два, и попадал ты прямиком к последнему звонившему. Так я и сделал. Трубку подняла маленькая девочка. Попроси дедушку, сказал я. И услышал, как она его позвала: дедушка, дедушка! Но дедушка не подходил, и трубку положили. Спит, наверное, подумал я. И позвонил еще раз. Девочка опять послушно закричала куда-то: дедушка, дедушка! Но старый пень не отвечал, и трубку снова положили. Погодя короткое время выяснилось, что я попал в квартиру дочери и общался с собственной внучкой — это она звонила нам последней, только не оставила сообщение. А дедушка какой-то странный, застенчиво пожаловалась внучка бабушке: я ему кричу — дедушка, дедушка! — а он мне отвечает так задумчиво: уснул, наверно, старый пень.

За собственною старостью лучше всего наблюдать утром. Голова болит или кружится — даже если пили накануне мало или нехотя. В различнейших частях проснувшегося тела ощутимо ноет, колет, свербит или потягивает (если ничего такого нет, то значит — уже умер). Вообще специалисты утверждают, что здоровая старость — это когда болит все и везде, а нездоровая — в одном лишь месте. Тут полезно похвалить себя за то, что все же встал самостоятельно. Желающие могут вознести за это благодарность Богу и судьбе (и будут, несомненно, правы). Застенчивая вялость организма побуждает размышлять об отдыхе. На склоне лет ведь вообще — гораздо меньше надо времени, чтоб ощутить усталость, и гораздо более — на отдых от нее. Однако же ложиться сразу — неудобно (миф о святой необходимости трудиться хоть и мерзок, но живуч), к тому же хочется дождаться завтрака с горячим кофе. После него ничуть не лучше, хотя общая туманность ощущений чуть светлеет. Но в просветах ничего хорошего не проступает. Очень тянет выпить рюмку, а мысли о холодном пиве освежают сами по себе. Уже почти одиннадцать к тому же — это время, когда можно уступить влечению. А в утреннем глотке двойной высокий смысл имеется: ты жив и ты свободен!

Утренняя легкая заправка хороша еще и тем, что улучшает помышления о вечере с его законной выпивкой всерьез. Но главное — не слушать с утра радио и не читать газету, ибо от этого жить вообще уже не хочется. А если передача бодрая и с оптимизмом, то еще и чуть подташнивает. Пока никто не позвонил, а значит — вертится планета, и Мессия не пришел. Очень также важно до полудня не смотреть на себя в зеркало, что может покалечить душу на весь день. А чистить утром зубы, умываться и причесываться хорошо вслепую. Кстати, люди оттого, возможно, и лысеют (а точней — затем), чтоб можно было причесаться, в зеркало не глядя. Это нечаянный гуманизм природы. И зубы в пожилые годы лучше чистить, вынув изо рта, тут зеркало совсем не нужно. Посудите сами: если знаешь, как ты плохо выглядишь, зачем же в этом убеждаться лишний раз?

И вообще — насчет изображения в этом коварном и безжалостном стекле: на склоне лет полезно быть готовым ко всему. От перенесенных печалей, страхов и невзгод все люди с возрастом становятся похожи на печальных пожилых евреев (это далеко не всем приятно). Или — на китайцев, живших много лет среди татар. А старики, кто поумнее (и поэтому страдали в жизни больше), — и на тех, и на других. Так что лучше не приглядываться к своему отражению — подмигнул и умываешь руки.

О времени вставания — отдельно следует сказать, а то я эту тему чуть не упустил. У Льва Толстого есть в «Войне и мире» замечательно оплошные слова: «Кутузов, как и все старые люди, мало спал по ночам». Подобной чуши я не ожидал от зеркала русской революции. Не надо обобщать, и обобщен не будешь, как часто говорила моя бабушка. Не все, но большинство — помногу и со вкусом спят на склоне лет. И радость позднего вставания — достойная награда за пожизненную утреннюю пытку звоном подлого будильника. Конечно, нелегко — избавиться от обаяния бесчисленных и гнусно назидательных пословиц типа — «Кто рано встает, тому Бог дает» или, к примеру, «Ранней пташке — жирный червяк». Это придумали когда-то бедные крестьяне, наглухо закрепощенные весенними посевами и сбором урожая осенью. Зато зимой они почище спали, чем медведи. А ведь у нас, ровесники, как раз пришла зима! Уж я не говорю о дивных снах, которые нам снятся поздним утром и которые безмерно сладостны, поскольку о весне они и лете. А что долгий сон целебен для здоровья, даже и врачи теперь не отрицают. Так что — спи спокойно, дорогой товарищ, и чем долее ты спишь, тем позже над тобой произнесут эти слова.

По поводу бессонницы у многих стариков — читал и слышал, но не знаю, как это случается. Я лично, если вдруг не засыпаю сразу, начинаю думать о высоком, нравственном и светлом. Например — о смысле жизни. И не знаю лучшего снотворного.

А утром, если вдруг не удалось поспать подольше, я кошмарно плохо себя чувствую. Тоскливо, неуютно, неприкаянно. К общению с людьми весьма не расположен я в такое время. И всегда радуюсь, когда черту эту случается заметить у людей отменно благородного душевного устройства. Как-то раз сестра моей жены, свояченица Лола, человек немыслимой сердечной доброты, со мною рано утром повстречалась в нашей же квартире. И настолько мрачно мне кивнула, что не удержался я и злопыхательски сказал:

— А ты — не утренняя пташка!

И всегда приветливая Лола мне угрюмо буркнула прекрасные слова.

— Утренние пташки в лесу живут, — сказала она злобно.

И вот еще об этом смутном времени. По жизни я знавал немало стариков-самоубийц, которые с утра мучительно производили физкультурную зарядку, неуклюже вскидывая ревматические руки и суча увялыми ногами. Я их обычно навещал уже в больнице, ибо немедля после сна они бежали от инфаркта, непременно ошибаясь в направлении.

Поближе к середине дня проходит не сонливость, а тупая убежденность в трудовом предназначении человека, тут пора и придремнуть. Но только очень важно помнить (понимать и не надеяться), что сумерки и вечер наше самочувствие нисколько не улучшат. Это важно для душевного покоя.

Что касается меня, то лет уже, наверно, пятьдесят с непреходящим удовольствием веду я нездоровый образ жизни. И богини Парки, ткущие мою судьбу, уже давно, должно быть, задыхаются от моего частого курения (хотя и сами, думается мне, покуривают травку из богатого набора зелья на Олимпе). А кашлянув, они вполне случайно могут оборвать мою немного затянувшуюся нить. Про всякое спиртное — и подумать даже страшно. Эти Парки — с бытом древних греков попривыкли иметь дело, то есть с легким (да и то с водою смешанным) сухим вином, и запах водки или виски вряд ли нравится их нежному и щепетильному обонянию. А тут недолго и чихнуть, а нитка — тонкая. Ну что ж, я заслужил бесславный мой конец, хотя, сказать по совести, покуда не совсем к нему готов. И более того: чем дольше я живу, тем это все мне нравится сильней, а главное — осознанней, как тут ни странно это слово. Поскольку мы живем — один лишь раз. И то — совсем не все. И мне довольно много еще хочется прочесть и выпить, да и мысли кой-какие мельтешат еще покуда в голове. А свои или чужие — мне уже не важно. Впрочем, интересно, что задумаешься если над какой-нибудь забавной темой, то чужие мысли в голову приходят много раньше, чем свои. Это наглядно говорит о том, что механизмы памяти в нас износились несравненно меньше механизмов разума, что освежает и бодрит.

Ну, имена, фамилии, названия — конечно, забываем. И притом — в момент произнесения. Но к этому довольно быстро привыкаешь. Даже более того: со сверстником встречаясь, можно запросто прослыть заботливым и благородным человеком. Потому что имени его не помнишь, но, учитывая возраст, можно запросто сказать:

— Я слышал, вы болели? Как теперь?

А так как он болел наверняка, то счастлив будет рассказать, как именно недомогал и чем лечился. И в рассказе этом неминуемо он упомянет, как его зовут. Займет это не больше часа, дело того стоит.

Кто-то сказал недавно (или написал), что старость — это время, когда наше состояние телесное не позволяет заниматься нам физическим трудом, а состояние рассудка — умственным. Второе — чистая неправда. Более того: есть авторы, которые считают, что на склоне лет как раз целебно и спасительно заняться осмыслением итогов прожитого времени и размышлять о канувшем былом. У Сомерсета Моэма (на то он и писатель настоящий) тягостный возник вопрос однажды: в чем таится смысл такого подведения итогов? И, подумав, сам себе ответил честный англичанин, что нет в этом занятии ни пользы никакой, ни даже смысла, только утоляется при этом нечто, чему нет точного названия. Ну, то есть закрутил читателю шараду, где разгадка ребуса — внутри кроссворда.

Мне-то проще: я свое былое обожаю вспоминать. И все, что вспомню, я немедленно бумаге доверяю. Потому и мемуары мои — истинная правда. В них описаны события, которые со мной случались или же могли случиться, что практически — одно и то же. Где-то сказано (возможно, я это читал), что мемуары — это послесловие к прожитой жизни. Но и к непрожитой отнюдь не грех подсочинить лихое послесловие. А при таких роскошных допущениях — одна сплошная радость размышлять о нашем прошлом. Мы тем более настолько погружаемся в него на склоне лет, что хоть пиши о нас роман «Унесенные ретром».

Только тут меня и спросит вдумчивый читатель: а тем, чье прошлое — кроваво и черно, как им его перебирать и вспоминать? Убийцам, палачам, предателям?

За них не надо беспокоиться и волноваться. Прошлое свое такие люди обелили полностью, давным-давно и угрызений не испытывают никаких. Такое, дескать, время было, и всего только приказы чьи-то исполняли они с ревностным усердием, и не ясен до сих пор моральный облик пострадавших, и потому только построили державу. А кому-то они даже помогали в эту страшную эпоху.

Как-то близкий друг мой оказался в доме у незаурядно крупного убийцы сталинских времен — у генерала Судоплатова. Старик разговорился о своей прекрасной молодости, когда он работал палачом на Украине, где искоренял антисоветскую крамолу. И припомнил о внезапно появившихся листовках, явно детским почерком написанных. Нашли мальчонку очень быстро, а за ним —

и взрослых, под влиянием которых он пошел на это преступление. Конечно, этих вдохновителей немедля вывели в расход, а мальчика — решили пощадить. И, пожевав безгубым ртом, растроганно сказал убийца-профессионал:

— Да, много было гуманного, много...

А совсем недавно всплыли дневники и письма тихо и спокойно умершего в покое и благоденствии доктора Менгеле, того самого знаменитого «ангела смерти» из Освенцима. Его искали много лет, но он очень надежно спрятался в Бразилии, даже архив его нашли спустя несколько лет после его кончины. У меня не поднимается рука напомнить о чудовищных его экспериментах на живых подопытных. Так вот, не только нет ни капли сожаления в его бразильских дневниках и письмах, но все послевоенные десятилетия он с раздражением и злобой осуждает за (прислушайтесь!) — расслабленную бездуховность.

И забавно мне, что те, в ком сострадание и жалость не были когда-то выжжены ни пламенем идеи, ни гипнозом службы и служения, гораздо больше мучаются от уколов их сохранной памяти. Порой — от мизерных настолько, что смешно и стыдно говорить об этом вслух. Поскольку мемуары — жанр исповедальный, расскажу я о подобной мелочи из собственного опыта. Я на выступлениях своих в антракте продаю обычно книги. И в любой из стран и городов две-три из этой груды книг у меня крадут. Мне часто говорят об этом, и прекрасно это знаю (а порою — даже вижу) я и сам, и отвечаю всем улыбчиво, что наплевать, что это даже мне приятно. Только тут в другом причина. Лет уже четырнадцать тому назад (я только-только начал торговать своими книгами и очень этим наслаждался) увидел я старушку, прихватившую одну из книжек и ушедшую — неторопливо и с достоинством. И почему-то мне ее лицо запомнилось. Я усмехнулся и продолжил свой приятный труд (поскольку я еще на каждой книжке что-нибудь пишу, их потому и покупают, хотя нагло продаю я их дороже магазинных цен). Однако же минут через пятнадцать эта бабушка вернулась. Скраденная книжка у нее была прикрыта сумкой и прижата к боку локтем. А пришла она затем, чтобы украсть другую книжку (я тогда двухтомник выпустил), — ну просто превращалась бабушка в лихую профессионалку. И когда она взяла вторую книжку, я глумливо ей сказал:

— Давайте я сперва вон ту вам подпишу.

О Господи, что сделалось со сморщенным старушкиным лицом! Оно пошло какими-то чудовищными пятнами, и слезы полились, и кинулась старушка от стола бегом, неловко и хромливо переваливаясь с ноги на ногу. Об этой мелочной и незначительной истории, в которой поступил я, как типичный мелкий жлоб, я не случайно повествую так пространно и подробно. Много лет уже прошло, но ту старушку и ее лицо я непрерывно со стыдом и болью вспоминаю. Так себя Раскольников, наверно, чувствовал, и мизерность моего собственного случая нисколько это жжение не уменьшает.

Но пора вернуться к нашей теме. Про болезни стариковские — пустое дело говорить: за только что уплывшее столетие врачи насочиняли столько видов разной хвори, что избегнуть хоть одной из них — простому человеку недоступно. Да к тому же вот ведь интересно: женщины болеют много чаще, чем мужчины, но живут гораздо дольше; мужики почти что не болеют, но активно мрут быстрее жен. Загадку эту нам никак не расплести, а пакостей на склоне лет хватает и здоровым людям. Я главу эту пишу, по горло начитавшись книгой «Психология старости». Едва начав ее листать, я ощутил нечаянную радость, на ученую статистику наткнувшись: общее заметное снижение по старости всех умственных способностей — как раз там выпадало на мой возраст. В этом я увидел явный знак, что выбрал книгу правильно и не случайно.

Только тут пора предупредить, что о болезнях и недугах говорить не буду вообще. Поскольку самое опасное, что ждет на склоне лет, — это желание лечиться. Нет, конечно, если все безвыходно и больно, то приходится сдаваться. Если же вы с помощью врачей хотите просто сохранить свое здоровье, то пиши пропало. И бросайте грабли, и гасите свет. Ведь врачи — не более чем люди. Их, конечно, обучили бесполезно и бесцельно слушать сердце с левой стороны и почти сразу отличать простудный кашель от хронического плоскостопия. Но дальше — чистое пространство домысла и безответственных предположений. И чем меньше знает врач, тем он авторитетней выглядит, врачам ведь тоже надо выживать. Итак, пришли вы к терапевту. Он напишет вам огромный список того, что вам уже нельзя, и крохотный — того, что еще можно. А потом пошлет к специалистам. Те потребуют анализы. И поплететесь вы по этому шоссе энтузиастов (гастроэнтеролог и уролог, а за ним эндокринолог, ортопед, гомеопат и кардиолог, всех не перечислишь, только именно от их названий возникают новые симптомы нездоровья). Каждый из них, следуя клятве Гиппократа, искренне пытаясь вам помочь, составит собственные списки вашей жизни и еды. Остановитесь и сравните эти списки! Есть вам ничего уже нельзя, про выпивать — забудьте, а дышать вам следует пореже.

У меня приятель есть, он выдающийся хиропракт: он пациента не расспрашивает о болезнях и недомоганиях, он кладет его на живот, гуляет пальцами по позвонкам — и говорит о всех недугах и скорбях попавшегося ему в руки организма. Много раз он предлагал мне: ляг на стол, я расскажу тебе такое, что ты ахнешь. Я отказываюсь наотрез: ведь он наверняка отыщет во мне скрытые болезни, а потом придется их лечить — зачем мне это нужно? Я ему всегда напоминаю о двух старушках, живших некогда в соседних деревнях. Они ходили друг к другу в гости, расстояние в пять километров — не помеха закадычной дружбе. Но потом приехали землемеры, тщательно измерили пространство, и теперь старушкам приходится идти в гости — шесть километров. А для пожилого возраста такая разница — уже довольно много. И распалась их былая близость.

Словом, речь пойдет о старости здоровой и нормальной. Ну, черты характера меняются (и разумеется, не к лучшему), но все-таки поговорим о ровной и пристойной старости. И чуть не с каждой из страниц упомянутой книги списывал я слово или два, которые такой составят перечень естественно текущего старения, что и болезни никакие не нужны.

Слабость, оскудение, дряхление...
Замкнутость, обидчивость, мнительность...
Вялость, утомляемость, замедленность...
Упрямство, подозрительность, эгоцентризм...
Сонливость, ворчливость, запоры...

Все-таки упоминания недуга я не избежал. Но он, как всем известно, тесно связан с психологией. Поскольку те, кто начитался Фрейда, соотносят это грустное желудочное затруднение — с житейской скупостью, присущей бедному страдальцу. Тут я не берусь судить, и только выразить могу сочувствие по поводу обоих этих свойств — и организма, и души.

Вся наша старость — драгоценный промежуток жизни от подернутой увяданием зрелости до непонятного загробного грядущего. Естественно, я собираюсь обсуждать ее до той границы, где горестно являются (тут замечательная медицинская цитата) — «несфокусированный взгляд и неосознанное мочеиспускание». Здесь у меня тоже загодя припасена история, и мы к ней непременно обратимся.

А пока читал я этот сборник (там полсотни авторов-психологов), много утешительного выискал себе на радость. Оказалась, что давным-давно уже я принялся готовиться к сей мало привлекательной эпохе. Кто-то горестно сказал однажды (кажется, Эпиктет — Эпикуру), что старение — это единственный способ жить долго. И нужна тут некая осведомленность. Я охотно поделюсь почерпнутыми крохами.

Давно уже таил я опасение, что если даже доживу, то не достигну величавости и просветленности ума, которые всегда сопутствуют наставшей старости. А виноваты книги, очевидно, где кочует и гнездится этот образ-миф. И вдруг читаю: «Опыт показывает, что образ мудрого благого старика далек от реальности». И вторит этому еще один известный доктор, повидавший сотни мне подобных: «Ни одного из виденных мной стариков годы не наделили мудростью и спокойствием, присущим их книжным образам».

Какую радость ощутил я, это прочитав! Не надо напрягаться, притворяться и ловчить: вокруг такие же, как я, — пожившие, но мало поумневшие. Или еще похлеще, ведь житейский опыт сообщает дураку самоуверенность. Словом, я был искренне доволен: не в ответе я уже ни за какую свежеотмороженную глупость. Зря меня жена ругает за мои отвязанные шутки, мне они позволены теперь. Я полностью свободен от любых запретов и условностей, поскольку я — старик, а тут о мудрости не может быть и речи.

А еще я прочитал, что многие психологи с тактичным состраданием хотят мой возраст обозначить как «период поздней взрослости». Бабушка моя, когда вполне по делу порывалась идиотом обозвать меня, то брала себя в руки и негромко говорила: «Гаренька, ты все никак не повзрослеешь!» Видишь, бабушка, теперь я повзрослел, ученые об этом пишут люди.

Вовсе не исключено, что миф об умудренности на склоне лет родился от неторопливости и осторожности в суждениях, что свойственны и вправду старикам. Кавалерийские наскоки с шашкой наголо на все загадки и проблемы пожилые люди совершать уже не расположены. Что крайне мудро в наше время, когда слепо и охотно рубят все проблемы по живому. Только стариковские категорические разговоры о политике мне кажутся невольной данью наползающему слабоумию, но, молодых послушав, начинаешь понимать, что это общая, вне возраста беда.

А далее прочел я драгоценную врачебную инструкцию, что заниматься надо только тем и ровно столько, чем и сколько полагаешь нужным сам. Но я уже десятки лет живу по этому рецепту! Раньше я слегка стеснялся, полагал, что это просто безалаберность характера и лень, а между тем — интуитивно репетировал здоровый образ жизни старика.

И очень еще важно помнить, что от нас уже не ожидают ничего, и нам не надо тужиться и напрягаться, мы теперь имеем право на расслабленное вялое блаженство. Как-то я имел возможность в этом убедиться. У меня в Берлине есть семья друзей, где я всегда прошу приюта, приезжая на гастроли. Как-то я приехал, и хозяйка дома мне заботливо сказала, что уже звонило несколько знакомых — им хотелось повидаться. Ты ведь, Гарька, вряд ли в состоянии?

И светлое озарение посетило мою темную голову. Я попросил:

— Скажи им всем, что я за два прошедших года так состарился, что все свободное время сижу на стуле и плачу.

Так она и поступила. И случилось ожидаемое чудо: ни один из позвонивших не обиделся, а каждый с пониманием сказал, что старость — это старость, жаль беднягу. И дня три я прожил в полном отдыхе, читая книги и рассматривая гениальные рисунки Славы Сысоева.

Да, чтоб не забыть: о нашем опыте житейском. Он велик настолько и при этом так разнообразен, что нелепо разбазаривать его на неуместные советы молодым. А когда клюнет их петух, то сами и придут и спросят. Моему товарищу-врачу однажды в панике полнейшей позвонил его коллега. У семьи знакомых — жуткое несчастье: маленький двухлетний сын сегодня утром выпил тормозную жидкость. В прихожей возле вешалки наткнулся на бутылку, ухитрился откупорить и отпил немного. Плачет в голос, у него болит живот, уже его доставили в больницу, собираются вводить в желудок зонд, чтобы его промыть, и капельницу ставят. Малышу такое делать — глупо и жестоко, а они мне говорят: советуйте, на вас тогда ложится и ответственность.

— Ты трубку не клади и дай мне три минуты, — попросил мой товарищ.

И позвал к себе лифтера Тимофеича. Известно было, что старик — заядлый выпивоха, только на работу никогда он пьяным не являлся, ибо всячески гордился, что в известном медицинском учреждении — сотрудник. Мой товарищ у него спросил совета.

— Тормозуху выпил мальчик! — восхитился Тимофеич. — А какую? Для автомобиля или самолетную?

Коллега сообщил, что выпита автомобильная.

— Эта получше будет, — объяснил лифтер, — она с солеными грибками хорошо идет. А делать ничего не надо. Дать ему воды побольше и пускай поспит. Уж если наревелся, то заснет. А то и сонную таблетку ему дайте. И просрется ваш малыш, покуда спит, и будет, как огурчик.

Все так и сделали, и все прекрасно обошлось. А Тимофеич, донельзя польщенный, что врачи его просили о совете, головой качал, из кабинета выходя, и дважды с некоей печалью повторил:

— А маленькие сами просираются, им легче.

Но теперь пора вернуться к той ученой книжке. Я прочел, что часто пожилые люди в поисках уместного для старости мировоззрения приходят к тем идеям, о которых многие века твердят восточные религии. Будучи невеждой полным в этой интересной теме, приведу научную цитату: «Действительно, буддизм и индуизм призывают отказаться от гордости, лишиться всех желаний, отбросить всякую ненависть, покончить со всеми иллюзиями. Даоизм исповедует, что бездействие —

лучшая форма существования, ибо тот, кто действует, в конце концов потерпит неудачу».

Господи, но это же как раз тот похуизм, который ненавязчиво, но всем своим житейским поведением я демонстрирую все годы своего существования на свете! И поэтому, быть может, сохранил себя для старческого прозябания.

На слове «сохранил» я обязательно остановлюсь подробней. Если попросить любого, чтобы он сказал, что более всего калечит человека на его пути по жизни, каждый скажет: властолюбие и алчность. Ну, про властолюбие я вообще уверен, что это Божья кара, заживо ниспосланная человеку. Потому она его настолько и калечит. А что касается желания иметь достаток, то вполне ведь это уважительная страсть. Естественно — в понятных разуму пределах. Только дальше начинается азарт игры, а как игра меняет человека, знает каждый. Равнодушие душевное к обеим этим пагубам — необходимо, чтобы личность сохранить, а старикам — и жизненно необходимо.

Тут запахло чтением морали, упаси меня Господь, и написанием рецептов тут запахло, и поэтому я брошу эту тему.

Только про иллюзии скажу еще немного. Настоящий похуист с иллюзиями начисто расстался, иначе он похуистом стать не смог бы. Старикам же с ними полностью покончить помогает тайное устройство нашей памяти. В нем пока наука разобраться не сумела, только позаботилась ярлык наклеить, обозвав психологической защитой. И если бы на склоне лет мы размышляли о былом и вспомнили свои тогдашние иллюзии, мечты с надеждами и упования, то мигом бы свихнулись или запили. И даже если вдруг какие-то мечты сбылись, то если бы мы объективно видели, насколько искукожился их облик, непременно мы бы тоже чуть подвинулись в рассудке от разочарования и горя. Только этого не происходит. Мы, по счастью, слабо помним или вообще не помним то сияние, которое нам источали дерзостные миражи зеленых лет.

И точно так же флер забвения всего, что может огорчить и растревожить, благодетельно окутал нашу старость, сохранив лишь то, что безопасно для спокойствия души. Поэтому былое нам перебирать — одно сплошное удовольствие. Там настолько все уже красиво, прибрано и чисто-аккуратно, словно в захолустную деревню ожидается приезд высокого начальства. Может, это так мошенничает наша память, вовсе не о нас заботясь, а готовясь к Страшному Суду? Ведь и при жизни дознаватели любые вытащить из нас могли лишь то, что мы выбалтывали сами. Вот и память подчищает наши биографии, готовя для небесного дознания безгрешный благостный фальшак. Насколько это так и есть, узнаю позже. Мне важней и интереснее пока, что мы еще в таких воспоминаниях легко и просто обнаруживаем то, чего мы в жизни вовсе не имели. Слава Богу! То, что вспоминаешь, — это правда в большей степени, чем прошлая реальность. Лишь от нашего воображения теперь зависит яркость нашего былого и минувшего. А чем сильней увяла память, тем оно становится прекрасней и значительней.

Особенно когда в нем удается выловить какие-нибудь выдающиеся имена. А если нет их, то полезно чуть соврать. Поскольку в старости все средства хороши, чтобы привлечь к себе хотя бы ненадолго интерес высокомерной молодежи и тем самым — приосаниться чуть-чуть внутри себя. А если пару-тройку раз повторишь эту выдумку, то начинаешь в нее верить сам — весьма это способствует необходимому для пожилого человека самоуважению. Целебно это очень для душевного здоровья, и поэтому приврать — ничуть не грех. Однако же нужна ориентация во времени, чтобы мелькало имя человека, не ушедшего из жизни до рождения рассказчика, а также и пространство следует учитывать. Поскольку, например, с Набоковым (вообразив, что он меня пустил) я мог по времени распить бутылку божоле, но я в Женеву мог попасть лишь сильно после его смерти. То же самое — и с Сашей Черным. Поэтому ни о Спинозе, ни о Лоуренсе Аравийском — речи быть не может.

У меня для дряхлой старости припасена история, как некогда у нас обедал в Иерусалиме шахматный гроссмейстер Михаил Таль. И жена его была, и дочка — есть кому при случае удостоверить, что не вру. А разговор хороший был, распахнутый и в меру пьяный. Он ведь был и чемпионом мира, если мне не изменяет память. Если изменяет, то — тем более. А к нам приехали они по настоянию дочери: она в каком-то классе средней школы написала сочинение, использовав мои стишки, но, кажется, ее из школы все-таки не выгнали. Так вот я Михаилу Талю в ходе задушевной той беседы предложил сыграть в шахматы. С условием, что я ему дам фору — целую ладью. У него не то чтобы глаза на лоб полезли, только как-то видоизменились, потемнев. Но я ему немедля объяснил простой свой замысел: я проиграю быстро и вразнос (ходы я знаю, но не более того), однако же я право получу упоминать, что как-то с Талем в шахматы играл и проиграл лишь потому, что я большую слишком фору предложил. Тут он расхохотался и великодушно мне позволил говорить направо и налево, что когда-то мы свели игру вничью.

Но я еще присутствовал однажды при беседе, несомненно, исторической, и мне ее как раз уместно вспомнить. И тем более что обсуждалась — явственная польза всяческой литературы для конкретной личной жизни. Обращаясь к знаменитому искусствоведу Илье Зильберштейну, говорил отменный исторический писатель Юрий Давыдов. Имя первого, боюсь я, далеко не всем известно, и поэтому я кратко поясню-напомню. Илья Самойлович Зильберштейн был инициатором и созидателем огромных тех томов «Литературного наследства» (их уже, по-моему, за девяносто), без которых попросту была бы невозможна вся история литературы русской. Только вулканической его энергии хватило на еще один — немыслимый, но совершенный подвиг. Он вернул в Россию, привезя из-за границы, сотни писем разных замечательных людей, картины и гравюры выдающихся художников российских, рукописи и архивы, некогда увезенные в эмиграцию. Эти бесценные сокровища ему дарили, а не продавали, ибо все уехавшие россияне были счастливы обогатить музеи родины, которую они любили до сих пор. А эта родина не только не давала Зильберштейну ни копейки, но еще в лице своих чиновных представителей мешала, и порою — очень унизительно. Он был фанатик и энтузиаст, поэтому его не останавливало хамство, проявляемое вместо благодарности. Известен даже случай, когда он пешком (откуда деньги на такси) тащил в гостиницу две неподъемных сумки с ценными архивами — и потерял сознание на улице. И помогли ему не представители посольства, а все те же эмигранты. Но вернусь к тому застолью, очень памятному мне.

— Дорогой Илья Самойлович, — сказал Юра Давыдов, стоя с рюмкой в руке, — я вам весьма обязан. Помните, вы напечатали в журнале «Огонек» портреты женщин-декабристок? Это был, наверно, год пятидесятый, около того. Я уже в лагере сидел и был на общих, котлован копали мы вручную. И попал к нам тот журнал. У каждого из нас была своя лопата, и каждому из тамошних моих приятелей досталось по портрету. Мы его на ручку от лопаты и наклеили. Лично мне Волконская досталась, и ее лицо я помню до сих пор в малейших черточках. А лагерь был — одни мужчины, как водилось, и свою тоску по женщине мы утоляли по-солдатски, по-моряцки, как подростки это делают, уж извините за подробности в такой компании. А в этой ситуации — о женщине обычно думают. Желательно — конкретной, и чтоб помнилось лицо. Вы понимаете, о чем я говорю. Так вот — спасибо вам огромное за ваши публикации бесценные!

И церемонно чокнулся со стариком. Под хохот публики я записал тогда весь этот тост в блокнот, не выходя из комнаты, как я это обычно делал.

Еще раз повторю свою святую убежденность: нам надо, надо, нам целебно вспоминать о встречах и удачах прошлых лет. И о сражениях известных (но желательно уже не раньше Первой мировой), и о случайных похвалах каких-либо чуть-чуть, но замечательных людей. И тут я снова вспомнил об одном прекрасном разговоре.

Где-нибудь в семидесятом это было или чуть попозже — я тогда довольно часто ездил в Ленинград, халтуря там на киностудии. По Невскому гуляя, непременно заходил я в книжный магазин, который соблазнительно именовался Книжной лавкой писателей. В Москве существовал такой же, но туда протыриться гораздо было тяжелей: там спрашивали, член ли ты в писательском Союзе. Так как я им не был никогда, то вежливо просили выйти вон. А в Питере — свободно с этим было. И, возле прилавка с букинистикой торча, разговорился я с ужасно тощим и понурым стариком. Оказался он писателем Леонидом Борисовым, сочинившим некогда об Александре Грине книгу, мной любимую весьма, — «Волшебник из Гель-Гью». Немедля я сказал ему об этом, чем заметно и его к себе расположил. Мы вышли вместе. Возле перехода, где нам предстояло разойтись, он вдруг сказал мне:

— Я вас ни о чем не спрашивал, заметьте, но уверен, что вы пишете стихи. Так вот хочу сказать вам, что ни одного хорошего стиха вы не напишете.

Я так был удивлен и раздосадован, что только молча на него смотрел. А он глумливо усмехнулся и, сияя торжеством, мне пояснил:

— А потому что я, сметливый юноша, нюхал пиджак у Блока, вам сегодняшним его понюхать не у кого.

И перебежал дорогу, не прощаясь.

Нет, непременно надо вспоминать. Одну только деталь в виду имея. Как известно, враль и сочинитель обладать должны отменной памятью, чтоб раз от разу не менялись их истории столь кардинально, что какой-нибудь нахал мог за руку схватить, припомнив прежний вариант. А память сильно с возрастом слабеет. Но не надо огорчаться: повторение историй только тренирует, укрепляет нашу память. А чтоб вас — за воинскую доблесть, например, — не похвалил однажды Бонапарт или Суворов, то иметь полезно дома хоть какую, но энциклопедию. Вот лично я — Советскую держу. Там дочиста обруганы крест-накрест все хоть мало-мальски выдающиеся люди прошлого и настоящего, но даты их рождения и смерти обязательно имеются.

К тому же есть еще и вдовы этих выдающихся людей, а с ними можно было пообщаться много позже, обаяние фамилии ушедшего и этому общению может придать немалый интерес. Я как-то в молодости был моей приятельницей Люсей необдуманно притащен в дом вдовы поэта Шенгели, очень представительной и донельзя литературной дамы. И конечно, я стихи там завывал. А когда стали уходить, вдова Шенгели царственно сказала Люсе:

— Дорогая, помните, что этот дом всегда для вас открыт. Приходите запросто и непременно!

А потом ко мне оборотилась и сказала коротко:

— Всего хорошего.

Слушатели нам на склоне лет — необходимы. Как и собеседники, конечно. Но не те, которые нам повествуют о своих болезнях, не имея такта выслушать о наших. Нет, нам настоящие нужны: внимательные, деликатные и чуткие, желательно — слегка немые. Ибо чувство одиночества — исконное недомогание старения. Оно нас посещает даже в окружении родных и близких. А точней сказать — в особенности среди них. И чувство это — неизбывное, кромешное. Не как у той старушки (я недавно это прочитал), которая свой домик обнесла глухим забором, завела собаку злющую и тут же побрела к врачам пожаловаться, как ей одиноко. Ко многим чувство одиночества задолго до старения приходит, но на склоне лет оно становится особенно и больно ощутимым. Думается мне, что даже Прометей страдал не только от того, что ежедневно прилетающий орел клевал ему печень, но и от того еще, что некому пожаловаться было, что сегодня как-то необычно длительно клевала его гадостная птица.

На закате лет задумаешься поневоле над мечтой, всегда присущей человеку, — жить подольше. О мечте этой — в том виде, как она сбылась, — отменно все описано у мудрого безжалостного Джонатана Свифта. У него эта мечта с лихвой воплощена: его струльдбруги живут вечно. Только это вечная старость. Вот вам описание ее: «Они перестают различать вкус пищи, но едят и пьют все, что попадается под руку, без всякого удовольствия и аппетита. Болезни, которым они подвержены, продолжаются без усиления и ослабления. В разговоре они забывают названия самых обыденных вещей и имена лиц, даже своих ближайших друзей и родственников. Вследствие этого они не способны развлекаться чтением, так как их память не удерживает начала фразы, когда они доходят до ее конца; таким образом, они лишены единственного доступного им развлечения».

Невольно оказался я свидетелем кошмарного эксперимента (надо бы другое слово, но никак его я не найду), который длился лет пятнадцать в Балтиморе. На гастроли я в Америку обычно приезжаю раз в два года и бываю в Балтиморе непременно. Там я это все и наблюдал. И недоумевал, и ужасался. Это как раз та обещанная мной история о грани, за которой обсуждается уже не старость, но сама необходимость (и разумность) всех попыток продлевать земную жизнь. Поскольку мы и жизнью это отключенное существование назвать не можем.

Физик Виктор Блок в Америку приехал в смутное и межеумочное время: все в советской империи гласностью бурлило, перестройкой и уже забрезжила свобода.

То ли не надеялся он таковой дождаться, то ли подтолкнули неуклонные чекисты — я с ним не успел об
этом толком побеседовать, хотя застал его еще немного говорившим. Кроме явных (и проявленных) способностей к науке, обладал он и общественным немалым
темпераментом, ввиду чего задолго до отъезда был он у
всевидящего ока на примете и слежении. В восемьдесят
седьмом году уже преподавал он физику в каком-то из
американских университетов, а когда его коллеги и друзья приехали, — возник журнал, который по сю пору
существует. Но уже без Виктора, который был и основа-
телем, и вдохновителем, и непременным автором — он
по призванию был лидером, и это всеми признавалось в
их компании. Спустя три года первый поступил сигнал
от организма: отказала правая рука. Диагноз — боковой
склероз, в ходе которого отказывают постепенно все
до единой мышцы тела. Дальние прогнозы — полный
паралич. Еще его статьи печатали научные журналы, но
спустя три года он уже не мог глотать еду, а вскоре —
отказали и дыхательные мышцы. Жил он на искусственном питании и на искусственном дыхании. При кру-
глосуточном дежурстве, разумеется. Вся их компания
жила в том доме, где в подвале продолжали издавать они
журнал. И Виктор еще в нем участвовал. Работал он на
специальной выделки компьютере, который управлялся
от движения глазных зрачков. А после отказали и они.
В девяносто восьмом у него остановилось сердце, но
врачи его спасти успели, сердце снова стало биться,
а сознание уже не возвращалось. И после этого почти
шесть лет (пять лет и девять месяцев!) его удержива-
ли в этом состоянии. Мне страшно было в этом доме
находиться по приезде, только было неудобно отказать-

ся. Как он жил все эти годы? Сознавал ли, что с ним происходит? И зачем в нем теплили эту растительную жизнь? Возможно, и мучительную крайне, если он хоть что-то мог понять. Но показать, что понял, — был не в состоянии. Как будто заживо был похоронен верными ему людьми. Зачем они так продлевали существование безжизненного препарата? Не берусь судить, не знаю и не понимаю. И любовь это была (надежды уже явно не было) или нехватка сострадательной решимости прервать искусственное внешнее насилие?

На этом я остановлюсь, чтоб утаить свои прозрачные сомнения по поводу разумности такого прозябания. И всякого подобного ему — пускай даже намного легче, но уже за гранью, на которой жизнь практически теряет право называться таковой. Недаром слово «эвтаназия» (у греков оно взято — легкая смерть) мелькает то и дело в разговорах множества врачей в различных странах. Но покуда мне эта проблема (чисто личная у каждого) столь удаленной представляется, что я о ней и думать не хочу.

Поэтому обсудим лучше перспективы дивного загробного блаженства. Нам на склоне лет особенно полезно понимать, что смерть — это единственный наш путь на небо. Из несчетного количества гипотез, сочиненных человечеством, я выбрал ту, естественно, что более всего мне симпатична. Выдвинул ее полузабытый шведский мистик Сведенборг (век восемнадцатый, мыслитель был не из последних). Он решительно и смело утверждал, что после смерти человек всенепременно — «остается тем же человеком и живет». Становится он, правда, духом, ничего тут не попишешь, но, однако: «Он видит, как прежде, слышит и говорит, как прежде, познает обонянием, вкусом и осязанием, как прежде. У него такие же наклонности, желания, страсти, он думает, размышляет, бывает чем-то затронут или поражен, он любит и хочет, как прежде».

Не правда ли — отменная и утешительная перспектива? Где же обитают эти миллиарды духов? Но над этим я задумываться не хочу. Нам ведь известны (?) три всего лишь места обитания души, а споров и по поводу этих трех мест вполне избыточно. И тут я предпочту одну идею, уж не помню, кем предложенную: ад, конечно, существует, только там никого нет. Он существует только для того, чтоб устрашать и образумливать. Очень я обрадовался по сугубо личным обстоятельствам: уж я-то знаю, где я окажусь, если ошибся автор этой милосердной и душеспасительной идеи. А еще мне очень хочется, чтобы ошибся мой любимый афорист Борис Крутиер, когда-то заявивший наотрез: «В раю есть все, кроме жизни».

А про рай весьма различны все догадки и гипотезы. Уже полвека минуло, как человечество живое испытало ликование, прочтя, что люди, пережившие клиническую смерть, одно и то же излагали: свет в конце туннеля, легкость, ощущение свободы и покоя, чувство ласковой опеки и защиты.

Я давно уже себе в тетрадку выписал (не помню, где прочел) прекрасные слова, давно когда-то сказанные неким пожилым и набожным человеком, да к тому же — старостой церковным: «Я, конечно, верю в вечное блаженство, но давайте поговорим о чем-либо менее тоскливом». Он имел в виду, конечно, изнурительную скуку несмолкаемой игры на арфах и на лютнях и бесцельное шатание по райским кущам, что придумали убогие на выдумку бытописатели загробной жизни христианских праведников. Да и мы, евреи, хоть и много раньше начали об этом думать, только ничего повеселей не догадались сочинить. У мусульман это гораздо интересней, рай у них — чисто мужское заведение, похожее на дорогой бордель: кто праведники — в шелковых одеждах возлежат на комфортабельных кушетках, а вокруг — вино и фрукты, и десятки юных гурий утоляют их потребность в женской ласке. Интересно, кстати, что, мужчину обласкав, они опять впадают в девственность. А в нордическом раю все праведники — это воины без страха и упрека: с рассвета дотемна они сражаются мечами и ножами, а поближе к ночи начинают пировать, свинину запивая медом. Древние ацтеки, те попроще были: праведники пели у них песни, в чехарду играли и ловили бабочек. В любом раю, естественно, растут везде цветы и всякие съедобные растения. Об аде в разных представлениях писать не буду, ибо мы условились, что это место — пусто и темно.

Однако же немного лет тому назад я, в Красноярске будучи, с художником Андреем Поздеевым, моим давнишним другом, именно на эту тему разговаривал. Он мне сказал — загадочно и смутно, что уже там был, что забирали его, чтобы показать. Кто забирал и что он видел, он рассказывать не стал, поскольку, по его словам, был связан обещанием подробности не излагать. Он трезвый был, мы с ним не пили в этот день (уж очень перебрали накануне), и ему хотелось явно — как бы это выразиться поточней? — меня предупредить, чтобы я нечто знал заранее. И он эти слова нашел, и просиял, и мне сказал, в детали не вдаваясь:

— Там тебе знакомо будет, это вроде лагеря огромного.

И я, вульгарный темный атеист, расхохотался, потому что не научен думать дальше завтрашнего дня, и про свою клиническую смерть (про сон, галлюцинацию, видение) он дальше мне рассказывать не стал. И я бы позабыл об этом разговоре: мало ли что видится и чудится немолодым усталым выпивохам, да к тому же и художникам. Но с год спустя мой столь же давний друг Володя Файвишевский рассказал очередной свой сон. А доктор этот — поразительные видит сны, и к ним я отношусь серьезно.

Доктору Володе Файвишевскому приснился странный сон: куда-то после смерти он попал и ничего понять не может, хотя ясно помнит, что его послали в рай. Стоит он на широкой каменистой дороге, вдоль скалы идущей, и дорога мрачная довольно: справа — эта высоченная скала, а слева — пропасть, наглухо покрытая туманом. Из-за поворота появилась вдруг толпа людей, куда-то медленно бредущих. Файвишевский чуть посторонился, пропуская их, и с радостью узнал давно знакомые по книгам лица. Шли такие люди, что его почтение и оторопь сковали. Он узнал Монтеня и Спинозу, были там Паскаль и Достоевский, возле Фрейда брел понурый Гёте. Были они в серых одинаковых костюмах, более похожих на пижамы из дерюги, и были все сосредоточенны, угрюмы, большинство смотрело в землю, как бы размышляя, многие держали руки за спиной. Какие-то еще он лица опознал, но имена не мог припомнить. А веселый и жестикулирующий Сократ шел чуть отдельно, сам себе негромко что-то говоря. Володя спохватился, что мечтал всю жизнь об этой встрече, кинулся к Монтеню и залепетал с восторгом и почтением:

— Простите, господин Монтень, но вы — любимый мой писатель, я давно уже хочу спросить у вас: в российского издания трехтомнике есть ваш портрет, и я весьма похож на вас, по этому портрету судя. Может быть, мы родственники с вами?

Но Мишель Монтень так неприязненно и неразборчиво чего-то буркнул, что Володя законфузился, отстал и оказался возле продолжавшего с самим собой беседовать Сократа.

— Извините, господин Сократ, — спросил он робко, — что я вижу и куда вы все идете?

— Мы идем на ужин, — объяснил Сократ улыбчиво, — а после ужина мы слушаем концерт из местной музыки, там арфы с лютнями и чье-то пение. Вы новичок?

— А почему все хмурые такие? Или просто все задумались о чем-нибудь? — опасливо спросил Володя.

— Да кто как, — Сократ уже не улыбался, — тут ведь вот какие правила: кто если не согласен или сомневается, что это рай, того кидают в эту пропасть, на повторный Страшный Суд. А усомниться даже мысленно нельзя, все наши мысли ангелу-хранителю прозрачны и понятны. Так что, сами понимаете, нам веселиться не с чего, компания элитная, и все уже поссорились друг с другом.

— А почему же сами вы об этом так свободно говорите вслух? — Володя полон был почтения и восхищения.

— А здесь на каждую компанию положено иметь одного шута или юродивого, — охотно пояснил Сократ. — Он как бы разрешенный диссидент, по-русски говоря, чтоб вам понятней было. Я таким тут и являюсь. Присоединяйтесь.

У Володи в горле встал комок, и он от этого проснулся. Черт побери, подумал он, даже про рай мне могут сниться черные пессимистические сны. А если то не сон, а знак, чтоб я не торопился? А Мишель

Монтень — какая сука, больше я не буду числить его в дальних предках.

А после этого — как не увериться мне было в достоверности того, что ждет меня в потусторонней жизни? Уже я думал о конкретностях различных: с кем хотел бы рядом я бродить, неторопливо рассуждая о минувшем. И тут я понял, что могу изрядно заплутаться. Ну, в компанию приличную меня навряд ли пустят, только вдруг предложат выбирать? Как мне искать когдатошних приятелей? Даже пускай и выпивох, и проходимцев, но чтобы я хоть каплю светлого былого мог дообсудить, чтобы язык был общий и понятен собеседник. От пустой начитанности всплыла и другая закавыка: вспомнил я один рассказ у Марка Твена. Там некий капитан Стромфилд — враль такой, что мог и правду наболтать, — попал по недосмотру в рай. И оказалось, что в загадочном пространстве этом пользуются уважением не только те, кто что-то сочинил и совершил, но еще более — кто обладал талантом нераскрывшимся. И Ганнибал, и Александр Македонский, и Наполеон почтительно смотрели на безвестного каменщика Джонса: он был истинно военным гением, великим полководцем всех времен, но только в армии не прослужил и дня, поскольку не хватало на руках двух пальцев. Но в раю судили по несбывшейся судьбе и по способностям, не обнаруженным при жизни.

И я понял, что навряд ли разыщу приятеля, с которым очень я хотел бы пообщаться. Был он так разнообразно одарен, что главное его призвание — всегда мне оставалось непонятным. А поскольку никуда я не спешу, и книга эта предназначена для тех, кому достанет сил и интереса на прочтение, то я немного отвлекусь от темы старости и расскажу о том приятеле, с которым разминулся в этой жизни. Я совсем недавно услыхал одну историю, с которой и начну.

Рассказчик вспоминал те давние года, когда учился в институте. Проживал он в общежитии, и в комнате их было четверо. Проснувшись как-то в воскресенье, все они лежали, приходя в себя после вчерашнего дешевого портвейна. И один вдруг громко вопросил в пространство, почему это с похмелья утром хер навытяжку стоит. Как ананас. И двое засмеялись, соглашаясь, а один, куда-то глядя в потолок, сказал негромко и солидно, словно лекцию читал:

— А русские цари очень любили ананасы...

Тут они от неожиданности было снова засмеялись, но затихли, потому что лекцию свою студент неторопливо продолжал:

— В теплицах им выращивали ананасы. А когда плод созревал, то садовник перед тем, как его срезать, сильно топором подрубливал у основания тот ствол, на котором выросли и плод, и листья. И тогда свои последние все соки, словно чувствуя, что погибает, этот ствол мгновенно посылал в созревший плод...

Тут говоривший замолчал, и кто-то из троих его спросил недоуменно:

— А при чем тут хер наш оттопыренный?

Не поворачивая голову, сосед спокойно пояснил:

— А с похмелья организму кажется, что он умирает.

Я чуть не закричал тогда, что знаю имя этого соседа, только спохватился: я рассказчика был старше лет на двадцать, и приятель мой Роман, ровесник мой, — никак не мог бы с ним учиться. Но замашка эта — начинать издалека и с точностью на тему возвращаться —

свойственна была Роману, и впоследствии ни разу я с таким мышлением не встретился ни у кого. Его фамилию мне неохота называть. Навряд ли он еще живой, но дети могут быть (он обожал занятия по их созданию), и ни к чему его фамилия в дальнейшем тексте.

В молодые годы я довольно часто с ним общался. Он, как я уже сказал, был мой ровесник, но по знаниям я не годился ему даже в новорожденные правнуки. Такое изобилие премудрости, усвоенной извне, к добру не приводит, как упреждала еще Книга книг. Облик его был овеян такой высокой, углубленной и смурной печалью, какая приключается только от величия мыслей или при хроническом недомогании. Был он целиком погружен в некие значительные лингвистические изыскания и на поверхность дел житейских не выныривал. Лингвист великий Щерба (сочинял он и слова, и словосочетания, которых нет, но быть могли бы) словно лично о Романе и сказал: штеко будланула его глокая куздра. Благо при советской власти можно было многие года кормиться в институте, где такие же, как он, усердно сравнивали расстановку запятых и разницу в устройстве предложения у Гончарова и Тургенева. А это по неясным связям имело отношение к созданию искусственного интеллекта, который, в свою очередь, мог насмерть поразить всю оборонную мощь американцев. Институт был засекреченный, и в нем еще покруче чайники имели кой-какое пропитание. А почему общался он со мной, и посейчас ума не приложу. Одна лишь у меня есть давняя гипотеза, не защищаю истинность ее, поскольку сам уверен в ее истинности твердо. Бывают люди — их немало всюду и везде — которым жизненно питательно излучение чужой энергии, чужой беспечности и просто оптимизма. Эти духовные вампиры ничего не отнимают у своих невольных доноров, но витаминно ихним душам то биологическое поле чисто животной радости существования, что клубится около жизнелюбивых идиотов. Я в те годы был источник хоть куда.

Припомнил я сейчас того филолога Романа (жив ли еще он при нынешних затруднениях с подножным кормом?), потому что из темных глубин его перенасыщенной памяти и странного, как будто сдвинутого в сторону ума (мне слово свихнутость тут кажется чрезмерным) вылетали часто крохи, жадно подбиравшиеся мной.

Однажды мы на пьянке — набежало несколько историков — заговорили вдруг, откуда Ленин взял свой псевдоним. Оказалось, что предположений много, но никто не знает с полной достоверностью. И разговор этот угас сам по себе. А когда мы уже брели с Романом к остановке, он рассеянно сказал:

— Смешные эти все историки, а все так просто...

— Ты о чем конкретно? — спросил я. Уж очень много всякого мы обсудили в этот пьяный вечер.

— Да о ком же, как не об Ульянове с его загадочной кликухой, — пояснил Роман. — Хоть заглянули бы в словарь Брокгауза-Эфрона.

Я выжидательно молчал.

— В Германии когда-то жил монах-провидец, знаменитый тем, что предсказал крушение династии Гогенцоллернов, — лениво говорил Роман. — Еще в семнадцатом, если не раньше, веке. А Володя наш Ульянов — он о брате старшем помнил неотрывно, так что он не только на царизм российский зуб точил, но и на всю династию Романовых. Ты думаешь — случайно, что ли, перебили всю эту семью?

— Я что-то связь не уловил, — сказал я огорченно.

— Так ведь монах тот жил в деревне Ленин, — удивился моему непониманию Роман. — И Ленинским пророчеством весь бред его назвали.

Я, конечно же, проверил эту версию назавтра утром. Да, был такой монах, и молодой Ильич еще в Казани мог о нем прочесть или услышать от профессора на лекции. Но как додумался Роман?

Я полагал в те годы (по наивности, по простодушию, по глупости?), что все незамедлительно прекрасно станет, если полная свобода слова чудом неким озарит Россию и окрестности. Все рабовладельцы наши, негодяи и мерзавцы, — тут же будут изобличены и ниспровергнуты. Я так серьезно думал, истово и с пламенной надеждой. А Роман как-то с усмешливой глумливостью заметил:

— Несомненно. Мы их всех газетными статьями как шарах-тах-тах, как ла-та-та! А они нас ломиками — тик, тик.

И я обиженно заткнулся. Правоту его я обнаружил только через три десятка лет.

Это сейчас о нем пишу я облегченно-снисходительно и даже как бы свысока немного: так ученики, впадая в грех неблагодарности, спустя года припоминают тех учителей, которым более всего обязаны. Я регулярного гуманитарного образования не получил, а то, что вычитал из книг, настолько хаотично и несвязно, что я и по сей день питаю уважение к филологам, историкам и прочим, кто учился специально. Сплошь и рядом убеждаюсь я, насколько это уважение напрасно, но искоренить его никак не соберусь. Роман и был как раз таким впервые мною встреченным филологом, к тому же обо всем имел суждения неординарные.

Я, правда, и тогда подтрунивал над ним, поскольку слабость у него была такая явная и уязвимая, что удержаться я не мог. Он сочинял стихи, и делал это непрерывно, и вполне серьезно относился к ним. А тексты были темные, высокопарные и монотонные. В них философия была, мне непонятная, но полная печали и занудливо надрывная. Он подражал Волошину, считая его гением, пророком и провидцем, я по молодости лет еще не понимал, что никого нельзя разубедить в заветном и глубоком заблуждении. И я глумливо усмехался, слушая стихи Романа, а читать их было — невозможно вообще. И я ему об этом тоже говорил. А для чего, зачем я это делал, я уже понять не в силах. То ли я дразнил его, а то ли я отстаивал свою самостоятельность. Он на меня не обижался. Или замечательно скрывал свою обиду. Наши отношения прервались много позже — словно разошлись мы молча по своим каким-то линиям судьбы, и видеться не стало больше интереса. Только я и посейчас уверен: в нем таилось и дремало истинно высокое и небанальное призвание, но именно какое (не стихи наверняка) — осталось неизвестным и сокрытым. А возможно, я все это сочиняю. Только я после рассказа Марка Твена полагаю его встретить среди очень крупных, но несбывшихся мыслителей. Я там его и поищу. С годами у меня скопилось много тем, на кои я хотел бы поболтать именно с ним. А есть еще догадки, сообщить которые хотел бы именно ему — он их одобрит.

Например, я совершенно убежден, что Казимир Малевич знаменитую свою картину «Черный квадрат», которой целые уже тома искусствоведы посвятили, из иных писал соображений, чем все те, которые он позже сочинил. А просто-напросто он разругался и поссорился (не первый раз и не последний) с Марком Шагалом, и на выставку очередную он картину вывесил, которую ему Шагал когда-то подарил, но всю ее замазал рассердившийся Малевич черной краской. Чтобы поглумиться над Шагалом. А когда увидел тот восторг, который вызван был таким произведением искусства, то смолчал, еще впоследствии намалевал два или три таких квадрата и роскошную теорию развел вокруг нечаянной удачи. Впрочем, я отвлекся ненароком — отложу до повидания с Романом. Это в его духе, и другие меня явно не поддержат.

А после того, как мы подробно (и довольно достоверно, я надеюсь) обсудили перспективы нашего загробного существования, не стоит ли вернуться снова к несомненным тягостям того загадочного времени, которое мы деликатно именуем просто-напросто преклонным возрастом?

Давайте обратимся к теме, для меня — болезненной весьма. С годами утихает, вянет, уменьшается наш интерес и любопытство к миру. Кстати говоря — и ко всему тому, что связано со смертью. Все психологи об этом пишут с изумлением. Поскольку старики гораздо более прохладно и совсем без страха говорят о смерти. И спокойно думают о ней, в отличие от молодых и зрелых. Как-то у Монтеня замечательные я нашел слова: «Плакать из-за того, что мы не будем жить сто лет спустя, столь же безумно, как плакать из-за того, что мы не жили сто лет назад».

Мне потому еще так симпатично это несколько лукавое соображение, что уважаемый Мишель Монтень — уворовал его у древнего философа Сенеки. Я когда случайно это обнаружил, то возликовал безмерно: значит, и задолго до меня почтеннейшие люди крали друг у друга изречения.

Но я — о любопытстве все-таки хочу сказать, точней — об увядании его. О том, как блекнет и тускнеет это чувство, очень важное для жизни. Я совсем недавно это остро осознал. Летел я в город Портленд к тихоокеанскому побережью Америки. Маленький и узкокрылый самолет жужжал уютно, я дремал, изредка поглядывая вниз. Торчали там везде скалистые горы, густо поросшие зеленой плесенью лесов. С нашей высоты смотрелись эти заросли, как нежный мох. И вдруг нам объявили, что сейчас мы пролетим над только что проснувшимся вулканом. Почему-то именем святой Елены был он назван в незапамятное время, когда был опознан как вулкан. Двадцать лет назад он бурно извергался, даже часть горы снесло, и вот он пробуждается опять. Все кинулись, естественно, к окошкам с того бока, где он должен был явиться. Сделались опасливыми лица стюардесс. Но самолетик наш достойно выдержал перемещение живого груза и ничуть не накренился. Проснувшийся вулкан! Гора, клубящаяся дымом! Проплыла голая и круглая гора, действительно слегка клубившаяся жидким дымом. И, не испытав восторга никакого, я вернулся, отхлебнул из фляжки и опять бесчувственно вздремнул.

В том потустороннем мире я б еще с одним приятелем охотно встретился. Он жив пока (дай Бог ему здоровья), мы с ним выпиваем изредка, но я хотел бы — сильно позже повидаться. Он очень способный математик, и в Америке себя нашел он полностью, но вдруг — в совсем иную сторону вильнул. Его такое посетило озарение, что он только о нем и говорил, когда мы виделись недавно.

А идея вот какая — в том, конечно, виде, как я смог ее понять. Мы все — только трехмерные фигуры на немыслимом компьютере у Бога. У Творца, у Вседержителя, у Демиурга — как его ни назови, но главное — что у великого и страстного игрока. Мы — не пассивные фигурки на его экране, есть у нас определенная свобода действий и поступков, но свобода эта — только разжигает его страстный интерес к игре.

Приятель мой (Семен его зовут — еврей, конечно) отыскал какие-то вполне научные обоснования и доказательства своей безумной и прельстительной идеи. Даже у философа Платона ухитрился подходящую найти цитату: «Человек — игрушка Бога». Написал (и напечатал!) несколько статей в журналах — тех высоколобых и простому смертному невнятных, что специалистам предназначены, его никто не опроверг, не обругал и не предал насмешке. Но только физики — единственные люди, с кем он мог бы и хотел бы это обсудить — никак его не звали и не допускали даже на свои ученые собрания. На это он и жаловался в разговоре:

— Они, ты понимаешь, вежливо и так уклончиво мне говорят: какой ты, на хуй, физик, если ты — врожденный математик. Даже выслушать не соглашаются, вот суки! Страшно им, что не сумеют возразить.

А я — вполуха его слушал, искоса поглядывая в сторону стола, где свежим инеем сияла водка — только что из холодильника. Как жадно я его расспрашивал бы раньше, как бы наслаждался от уловленных деталей этого прекрасного умалишения — а вдруг и правда? Я тогда и ощутил, как высохло мое былое любопытство. Потому я и хочу с ним повидаться чуть попозже, там ведь это выяснится наверняка.

А еще психологи приписывают моему возрасту — и недоверчивость и простодушие одновременно. Я, дескать, подозрителен и скептик, только и наивен и доверчив. Самое обидное, что так оно и есть. Чтоб не вдаваться в обсуждение, я просто расскажу одну историю. В Москву как-то из Питера (тогда еще — из Ленинграда) очень грамотный торговец живописью прикатил. В те времена именовали их фарцовщиками. А явился он по зову одного известного (впоследствии) поэта, ибо с ним они работали на пару. И купили они так удачно несколько картин, что им еще одну работу за почти бесплатно уступили. Глядя (уже дома у поэта) на почти абстрактную картину эту, озаренно вдруг сказал фарцовщик:

— А ведь это может быть вполне портретом молодого Маяковского работы Жегина!

Партнеры молча друг на друга глянули и поняли друг друга с полувзгляда. И поэт взял трубку, чтобы позвонить Лиле Брик. Он у нес в гостях бывал и числился вполне приличным человеком, но такие нравственные мелочи немного стоили перед возможностью отменно заработать. И конечно, были сразу же они приглашены приехать показать такую ценную находку. Лиля Брик не слышала от Маяковского о том, что был такой портрет, но сходство было, его можно было усмотреть, и нескрываемо разволновалась импульсивная старушка. Да тем более немедля выяснилось, что из Питера был специально тот портрет привезен этим симпатичным человеком, явно знатоком и понимателем. Да и поэт уверен был, что это юный Маяковский. О цене узнав, поахала старушка, а чтоб ей подумать не спеша, этих гурманов живописи пригласила посмотреть на то, что у нее уже давно имелось. Среди прочего похвасталась она работой Пиросмани — хоть и небольшим холстом, однако же отменным примитивом. И застенчиво сказала, что картину эту обожает, что большие деньги на нее потратила и ценит более всего в своей коллекции. Потом они вернулись в комнату, откуда начали весь разговор и где стоял на стуле предлагаемый портрет, и Лиля Брик спросила, разливая кофе, до какой цены возможно снизить плату. Но фарцовщик холодно сказал, что о деньгах уже не может быть и речи: так ему понравилась работа Пиросмани, что возможен только лишь обмен. Хотя он понимает, что неравноценна эта мена, и немало он на этом потеряет, но уж очень ему хочется повесить Пиросмани у себя. Старушка отказалась наотрез. Они неторопливо пили кофе, вдумчиво беседуя о живописи, только Лиля Брик с портрета не сводила глаз и явно проникалась вожделением. Поэт портретом тоже любовался, чем немало, очевидно, это вожделение подстегивал. И через час два этих жулика ушли с работой Пиросмани. А на улице фарцовщик кинулся к ближайшей будке телефона-автомата, чтобы позвонить знакомому коллекционеру. Сумма обещала быть значительной. И разумеется, их пригласили приезжать немедленно. Фанатик-коллекционер, бумагу развернув, сказал восторженно:

— Ах, Боже мой!

Потом опять сказал:

— Какое счастье!

И немедля пояснил:

— Ну, наконец-то Лиля Юрьевна отделалась от своего фальшака.

А впрочем, и наивны мы бываем тоже очень часто. Как это ученым ни обидно, только старость непонятна и загадочна для изучения ничуть не менее, чем молодость. У нас от состояния здоровья так меняются поступки и суждения, что молодым нас просто не понять. Отсюда —

и легенды о капризности и переменчивости настроения у многих пожилых людей. А это просто вразнобой играют наши внутренние органы. Влияя на разлад и дисгармонию всех наших чувств, ума, души и осознания реальности.

Вот, например (об осознании реальности, но столь же — об уме). Мы как-то с Яном Левинзоном по Америке совместно покатались. Ян читал рассказы, я — стишки, поездили мы весело, удачно и находчиво. А вскорости одна старушка Яна встретила и одобрительно ему сказала:

— Янчик, я вас с Губерманом видела в Америке. Вполне, вполне. Ты знаешь, если бы вы оба пели на идише, я б вам устроила концерт в Германии.

Поэтому порою разговоры стариков забавны так же, как наивные речения детей. В одном американском госпитале моя добрая знакомая работает переводчицей: у русских стариков с английским плохо. Изредка она записывает диалоги. Вот один из них, к примеру.

Врач: «Что вас беспокоит более всего?»

Пациент: «Чтоб не было войны».

Или еще.

Врач «Скорой помощи»: «Больная все время что-то повторяет!»

Переводчик: «Вы что-то хотите сказать врачу и медсестре?»

Пациентка: «Чтоб они все сдохли!»

А две фразы из услышанного мельком диалога в очереди на прием я просто не могу не привести — уж очень яркое свидетельство того, что жизнелюбие сохранно и в весьма преклонном возрасте.

Мужчина: «Что вы такое говорите! Это в мои-то годы!»

Женщина: «Ну ведь лежать-то ты можешь!»

Но все же без короткого целебного рецепта я никак не обойдусь. У одного из мудрейших людей нашего времени, у раввина Адина Штайнзальца, я наткнулся в интервью каком-то на благоуханную хасидскую байку. Однажды у зашедшего приятеля спросил хозяин дома, не желает ли гость немного выпить. С удовольствием, ответил гость, пошлите мальчика, пускай нам принесет. Но пожилой хозяин встал и сам принес вино.

— А почему ты не послал мальчика? — спросил приятель.

— Видишь ли, — сказал ему хозяин, — я стараюсь сохранить мальчика в себе и потому время от времени я посылаю его что-нибудь сделать.

Я за то и обожаю байки, что в отличие от мыслей никаких они не просят комментариев.

Да, пакостный и зачастую унизительный сезон, конечно, эта светлая безоблачная старость. Только есть в нем что-то привлекательное тоже. Я и молодым, и зрелым искренне советую: не проходите мимо. Лучше времени, чтобы обдумать и постичь несовершенство мироздания, у вас уже не будет никогда. Притом — достаточного времени, чтоб это постижение облечь в достойные и крайне точные слова. Так, например, одна одесская старушка мне сказала:

— Главное в мужчине — чтобы мог взаимопонимать.

На кухне нашей ужиная как-то раз, мы разговаривали о свободе слова и печати — редкостном периоде в истории российской. И спросил я свою очень пожилую тещу, что она об этом думает. И Лидия Борисовна ответила задумчиво:

— Ну, страха уже нет почти, про стыд — совсем забыли, а в общем если посмотреть, то как писали всякую хуйню, так и пишут.

Послесловие

Когда-то мысли вились густо,
но тихо кончилось кино,
и в голове не просто пусто,
но глухо, мутно и темно.

* * *

Недаром Талмуд запрещает евреям
рулады певичек: от них мы дуреем;
у пылких евреев от женского пения —
сумятица в мыслях
и с пенисом трения.

* * *

С Талмудом понаслышке я знаком
и выяснил из устного источника:
еврейке после ночи с мясником —
нельзя ложиться утром под молочника.

* * *

Хотя еще смотрю на мир со сцены,
хотя почти свободен от невзгод,
но возраста невидимые стены
растут вокруг меня из года в год.

* * *

Об угол биться не любя,
углов я не боюсь,
я об углы внутри себя
гораздо чаще бьюсь.

* * *

Странная всегда варилась каша
всюду, где добру сперва везло:
близилась вот-вот победа наша,
но торжествовало — снова зло.

* * *

Придя из темноты,
уйду во мрак,
евреями набит житейский поезд;
дурак еврейский —
больше, чем дурак,
поскольку энергичен и напорист.

* * *

В каждом зале я публики ради
чуть меняю стихи и репризы,
потому что бывалые бляди
утоляют любые капризы.

* * *

Живу я праведно и кротко,
но с удовольствием гляжу,
как пышнотелая красотка
в кино снимает неглижу.

* * *

Почти каждый вечер
томлюсь я и таю,
душой полыхаю и сердцем горю;
какую херню я при этом читаю,
какую хуйню я при этом смотрю!

* * *

Теперь я часто думаю о Боге,
о пламени загробного огня,
и вижу, подводя свои итоги,
как сильно подвели они меня.

ИГОРЬ **ГУБЕРМАН**

* * *

Хотя врачи с их чудесами
вполне достойны уважения,
во мне болезни чахнут сами
от моего пренебрежения.

* * *

Уже который год подряд
живу я тускло, вяло, бледно,
и я б охотно принял яд,
но для здоровья это вредно.

* * *

Увы, челнок мой одинокий
уплыть не в силах далеко:
хотя старик уже глубокий,
а мыслю я неглубоко.

* * *

Я крепко в этой жизни уповал
на случай, на себя и на авось,
поэтому ни разу наповал
еще меня свалить не удалось.

* * *

Угрюмой страсти не тая,
полна жестокого томления,
давно спилась душа моя
и к ночи жаждет утоления.

* * *

Думаю
во дни утрат и бедствий,
как жесток житейский колизей,
лишь растет за время путешествий
список одноразовых друзей.

* * *

Мучась недоверием к уму
или потому, что духом нищи, —
люди ищут Бога. Но Ему
ближе те, которые не ищут.

* * *

Видит Бог — не до дна высыхают
соки жизни в дедах и папашах,
и желания в нас полыхают,
охуев от возможностей наших.

* * *

Было в долгой жизни много дней,
разного приятства не лишенных,
думать нам, однако же, милей
о грехах, еще не совершенных.

* * *

В Израиле, в родной живя среде,
смотрю на целый мир я свысока;
такой страны прекрасной нет нигде;
но нету и у нас ее пока.

* * *

Никто ловчей, чем лилипуты
различных видов и размеров,
не изготавливает путы,
чтобы стреножить гулливеров.

* * *

Борьба со злом —
извечная игра,
ее шторма и штили хаотичны;
забавно, что апостолы добра
по большей части малосимпатичны.

* * *

Над этим сильно поработав,
я преуспел в конце концов:
стал дураком у идиотов
и мудаком — у мудрецов.

* * *

Всякий миф обо мне справедлив,
я такой, а не просто плохой:
рыбу в мутной воде половив,
из воды выхожу я сухой.

* * *

Стиха причудливая вязь,
питаясь внутренним горением,
таит загадочную связь
духовности с пищеварением.

* * *

Не слесарь, не философ, не правитель,
я мелкое свое клюю пшено,
однако я типичный представитель
чего-то, что названья лишено.

* * *

Нет печали, надрыва и фальши
в легких утренних мыслях о том,
как заметно мы хуже, чем раньше,
хоть и лучше, чем будем потом.

* * *

В людях, на книгах воспитанных,
дремлют опасные дрожжи:
множество мыслей прочитанных
сам сочиняю я позже.

* * *

Теперь душа моя пуста,
ей чужд азарт любого вида,
и суп из бычьего хвоста
мне интересней, чем коррида.

* * *

В потоке мыслей, слов, деяний —
мне всюду видится игра,
где зло в любом из одеяний —
тень или следствие добра.

* * *

Нынче грустный вид у Вани,
зря ходил он мыться в баньку,
потому что там по пьяни
оторвали Ваньке встаньку.

* * *

Я стал отшельник и бирюк,
боюсь мельканья слов и лиц,
теперь познания урюк
я молча ем с немых страниц.

* * *

Я довольно выигрышный
вытянул билет:
не был генералом, не был депутатом,
самой хилой премии
не было и нет;
но, хворая, хочется быть лауреатом.

* * *

Есть люди —
их повадка так решительна,
как будто ими истина добыта,
их речь —
неотразима и внушительна,
и в мягкое обернуты копыта.

игорь **ГУБЕРМАН**

* * *

Увы, но в учебники школьные,
чтоб жалоб не слали родители,
мои сочинения вольные
не станут включать составители.

* * *

Те — рискуют, играя ва-банк,
те — в конфузливом чахнут неврозе,
а еврей — он и наглый, как танк,
и застенчив, как хер на морозе.

* * *

Как ни прячься,
как ни спорь и как ни лги,
как ни рыскай, словно заяц по полям,
а приходится сполна платить долги
по чужим и коллективным векселям.

* * *

На жизненном пути
в любом из мест
бывало то забавно мне, то лестно,
что многие мне свой совали крест,
надеясь понести его совместно.

* * *

Мы так во всем различны потому,
что Бог нас лепит в разном настроении,
а если поднесли стакан Ему, —
видны следы похмелья на творении.

* * *

Я думаю о грязи, крови, тьме,
о Божьем к нашей боли невнимании;
я думаю о Боге —
Он в уме?
И ум ли это в нашем понимании?

* * *

Всего одна в душе утрата,
но возместить ее нельзя:
Россия, полночь, кухня чья-то
и чушь несущие друзья.

* * *

Не ликуйте, закатные люди,
если утром вы с мыслями встанете:
наши смутные мысли о блуде
не из тела плывут, а из памяти.

* * *

России только те верны,
кого навек постигло мнение,
что не могло судьбу страны
просрать ее же население.

* * *

Как пастух Господь неумолим,
но по ходу жизни очень часто
мне бывает стыдно перед Ним,
как Его наебывает паства.

* * *

Я не пью, а дамам в ушки
лесть жужжу, как юный шмель,
я сегодня на просушке,
я лечу вчерашний хмель.

* * *

Не лучший представитель человечества,
я зря так над Россией насмехался:
мне близок и любезен дым отечества,
в котором я хрипел и задыхался.

* * *

И понял я, что это возрастное,
виной тут не эпоха, а года:
знакомые приходят на съестное,
а близких — унесло кого куда.

* * *

Туманный мир иллюзий наших —
весьма пленительный пейзаж,
когда напитки в тонких чашах
перетекают в нас из чаш.

* * *

Душе быть вялой не годится:
холена если и упитанна,
то в час, когда освободится,
до Бога вряд ли долетит она.

* * *

То время, когда падал и тонул,
для многих было столь же непогоже.
Я помню, кто мне руку протянул,
а кто не протянул, я помню тоже.

* * *

На всех я не похож —
я много хуже,
со вкусом у меня большой провал:
я часто отраженью солнца в луже
не менее, чем солнцу, рад бывал.

* * *

Настало духа возмужание;
на плоть пора накинуть вожжи;
пошли мне, Боже, воздержание,
но если можно, чуть попозже.

* * *

Да, Господь, умом я недалек,
только глянь внимательно и строго:
если я кого-нибудь развлек —
значит, он добрее стал немного.

* * *

Делам общественным и страстным
я чужероден и не гож,
я стал лицом настолько частным,
что сам порой к себе не вхож.

* * *

Рассудок мой —
на книгах поврежденный,
как только ставишь выпивку ему —
несется, как свихнувшийся Буденный,
в пространства, непостижные уму.

* * *

Один печалящий прогал,
одно пятно в душе осталось:
детишек мало настрогал
я за года, когда строгалось.

* * *

Русь воспитывала души не спеша,
то была сурова с ними, то нежна,
и в особенности русская душа —
у еврея прихотлива и сложна.

* * *

Былое пламя — не помеха
натурам пылким и фартовым,
былых любовей смутно эхо
и не мешает песням новым.

* * *

Во мне пылает интерес
и даже зависть есть отчасти,
когда читает мелкий бес
про демонические страсти.

* * *

В судьбе — и я, мне кажется, не вру —
еще одна есть нить помимо главной:
выигрывая явную игру,
чего-то мы лишаемся в неявной.

* * *

Уже давным-давно замечено,
и в этом правда есть, конечно:
всегда наружно искалечено
то, что внутри не безупречно.

* * *

Безжалостна осенняя пора,
пространство наслаждений стало уже,
и если я напьюсь теперь с утра,
то вечером я пью гораздо хуже.

* * *

Чем дольше живу я,
тем вижу я чаще
капризы душевной погоды:
мечты о свободе —
сочнее и слаще
печалей и болей свободы.

* * *

Я стар уже,
мне шутки не с руки,
зато идей и мыслей — вереницы;
учителю нужны ученики,
но лучше, если это ученицы.

* * *

Еврей, который не хлопочет
и не бурлит волной шальной, —
он или мысленно клокочет,
или хронический больной.

* * *

Мы много натворили, сотворили,
и нам уже от жизни мало нужно,
мы жаримся на счастье, как на гриле,
и хвалим запах жареного дружно.

* * *

Меня не оставляет чувство бегства:
закат мой не угрюм и даже светел,
но кажется, что я сбежал из детства
и годы, что промчались, не заметил.

* * *

За все, что делал я по жизни,
прошу я малости у Бога:
чтоб на моей нетрезвой тризне
попировал и я немного.

* * *

Рад я, что за прожитые годы
в чаше, мной уже опустошенной,
было недозволенной свободы
больше, чем убогой разрешенной.

* * *

Когда тебе на плечи долг возложен,
и надо неотложно поспешить,
особенно приятно лечь на ложе
и свет неторопливо потушить.

* * *

Я мыслями бываю озарен
и счастлив, отдаваясь их течению —
похоже, я судьбой приговорен
к пожизненному умозаключению.

* * *

У юности душа — как общежитие:
я сам ютился где-то на краю,
но каждое любовное соитие
в душе селило пассию мою.

* * *

К усердному не склонен я труду,
я горечи земной ленивый мельник,
но столько трачу слов на ерунду,
что я — скорее мот, а не бездельник.

* * *

Я выбрал музу потребительства —
она гулящая старуха,
но я храню и вид на жительство
среди витающего духа.

* * *

Живу я, почти не скучая,
жую повседневную жвачку,
а даму с собачкой встречая,
охотней смотрю на собачку.

* * *

Свои различные круги
в раю всем душам назначают,
а там заклятые враги
друг друга с нежностью встречают.

* * *

Витая мыслями на звездах,
высоколобые умы
ничуть не реже портят воздух,
чем низко мыслящие мы.

* * *

Услыша стариковское брюзжание,
я думаю с печалью всякий раз:
оставив только хрип и дребезжание —
куда уходит музыка из нас?

* * *

Ни лжи не люблю я, ни фальши
и вспышки иллюзий гашу,
но уши мои, как и раньше,
охотно приемлют лапшу.

* * *

Забавно мне, что всякое деяние,
несущее то зло, то благодать,
имеет в этой жизни воздаяние,
которое нельзя предугадать.

* * *

Мой бедный разум не могуч,
а мысли — пепел и опилки,
и взора мысленного луч
ползет не далее бутылки.

* * *

Пока мы напрочь не угасли,
пока с утра щетину бреем,
душе полезно верить басне,
что мы нисколько не стареем.

* * *

При хорошей душевной погоде
в мире все справедливо вполне:
я — люблю отдыхать на природе,
а она — отдохнула на мне.

* * *

Сокрытое, но ярое кипение —
пожизненный, похоже, мой удел;
я даже одногорбое терпение
в себе не воспитал. Хотя хотел.

* * *

Оставя плоть в мешке замшелом,
душа летит за облака,
где Азвоздам с Барухашемом
играют с Буддой в дурака.

* * *

Хотя не атеист я с неких лет,
однако и не склонен уповать:
я верую не в то, что Бога нет,
но в то, что на меня Ему плевать.

* * *

Я в четыре коротких строки
научился укладывать внятно
все, что мне по уму и с руки
было в жизни текущей понятно.

И поэтому не было нужно мне
добавлявшее чувственный вес
тонкорунное нежное кружево
набегающих лишних словес.

* * *

Со старыми приятелями сидя,
поймал себя вчера на ощущении,
что славно бы   остаться в том же виде
при следующем перевоплощении.

* * *

Я все время шлю, Творец, Тебе приветы —
смело ставь на них забвения печать:
мне вопросы интересней, чем ответы,
и Ты вовсе не обязан отвечать.

* * *

Нам неизвестна эта дата,
но это место — вне сомнения:
земля и небо тут когда-то
соприкоснулись на мгновение.

* * *

Любить родню — докука
для всех, кому знакома
божественная скука
родительского дома.

* * *

Я в разных видах пил нектар
существования на свете;
когда я стал угрюм и стар,
меня питают соки эти.

* * *

Везде — пророки и предтечи,
но дух наш — цел и невредим,
под их трагические речи
мы пьем, гуляем и едим.

* * *

Я мысли чужие — ценю и люблю,
но звука держусь одного:
я собственный
внутренний голос ловлю
и слушаюсь — только его.

* * *

Я старюсь и дряхлею, но — живу;
сменилась болтовня скупыми жестами,
и дивные бывают рандеву
с нечаянно попавшимися текстами.

* * *

Слегка бутыль над рюмкой наклоня,
я думал, наблюдая струйку влаги:
те, с кем не дообщался, ждут меня,
но пьют ли они водку там, бедняги?

* * *

Когда теряешь в ходе пьянства
ориентацию и речь,
к себе привлечь любовь пространства
гораздо легче, если лечь.

* * *

Не стоит огорчаться, уходя:
конечно, жить на свете — хорошо,
но может быть, немного погодя
я радоваться буду, что ушел?

* * *

Мне заново загадочны всегда
российской темной власти пируэты:
российские глухие холода —
не связаны с погодами планеты.

* * *

Я, по счастью, выучен эстрадой
и среди читателей присутствием:
душу надо прятать за бравадой,
чтобы не замызгали сочувствием.

* * *

Не добрый, но, конечно, и не злой,
судьбы своей посильный совершитель,
хотя уже изрядно пожилой,
но все-таки еще не долгожитель.

* * *

Под вечер чувствуя отвагу,
забыв про выпивку и секс,
поэт насилует бумагу,
чтобы зачать нетленный текст.

* * *

Какими быть должны стихи и проза —
диктуется читательской корзинкой:
всем хочется высокого серьеза,
чуть пафоса и меда со слезинкой.

* * *

Россия полностью в порядке,
и ждать не надо новостей,
пока вверху — не хрипы схватки,
а хруст поделенных костей.

* * *

Барды, трубадуры, менестрели —
все, в ком были дерзость и мотив, —
дивные выделывали трели,
чтобы соблазнить, не заплатив.

* * *

Об ущербе, об уроне, об утрате,
об истории, где зря он так охаян,
о единственно родном на свете брате —
горько плачется обычно каждый Каин.

ИГОРЬ **ГУБЕРМАН**

* * *

Когда мы полыхаем, воспалясь,
и катимся, ликуя, по отвесной,
душевная пленительная связь
немедленно становится телесной.

* * *

Душа полна укромными углами,
в которых не редеет серный чад,
в них черти машут белыми крылами
и ангелы копытами стучат.

* * *

Лишь гость я на российском пировании,
но мучаюсь от горестной досады:
империя прогнила в основании,
а чинятся и красятся — фасады.

* * *

Дух упрямства, дух сопротивления —
с возрастом полезны для упорства:
старость — это время одоления
вязкого душевного покорства.

* * *

Стихи с поры недавней, вот ведь жалость, —
ушли куда-то, сгинули под лед,
и странно мне, что музыка осталась,
но слов уже на танцы не зовет.

* * *

Душевной доблести тут нет,
но не стыжусь я вслух признаться,
что я люблю не звон монет,
а тонкий шорох ассигнаций.

* * *

Бывает очень странно иногда,
как будто умирал и снова ожил:
какие-то в минувшем есть года,
которые не помню, как я прожил.

* * *

И гнетет нас, помимо всего —
бытия после смерти неясность;
очень тяжко — не ждать ничего,
легче ждать, понимая напрасность.

* * *

Покой наш даже гений не нарушит
высокой и зазывной мельтешней,
поскольку наши старческие души
уже не воспаляются хуйней.

* * *

Пора мне, ветхому еврею,
жить, будто я уже отсутствую;
не в том беда, что я старею,
а в том, как остро это чувствую.

* * *

Пустого случайного слова
порою хватает сполна,
чтоб на душу мне из былого
плеснула шальная волна.

* * *

Зябну я в нашем рае земном,
слыша вздор пожилых пустомель;
мы — сосуды с отменным вином,
из которого выдохся хмель.

* * *

У зла с добром — родство и сходство:
хотели блага все злодеи,
добро всегда плодило скотство,
а зло — высокие идеи.

* * *

Бурлит в нас умственная каша —
намного глубже понимания,
и чем темнее память наша,
тем ярче в ней воспоминания.

* * *

К моим добавлю упущениям,
что не люблю любой нажим,
и верю личным ощущениям
гораздо больше, чем чужим.

* * *

Давно живя, люблю поныне я
зигзаги, петли и штрихи,
и зря скребется грех уныния,
пока покруче есть грехи.

ИГОРЬ **ГУБЕРМАН**

* * *

Судьба нас искушает на повторах:
житейский наблюдая карнавал,
я вижу ситуации, в которых
не раз уже по дурости бывал.

* * *

Где б ни случился я под вечер,
я глазом сыскивал бокал,
который мне о скорой встрече
прозрачным боком намекал.

* * *

Дышу. Курю. Гоню волну.
Люблю душевное томление.
Господь не ставит мне в вину
благочестивое глумление.

* * *

Есть радости у дряхлых старичков,
и счастливы бывают старички:
сыскался вдруг футляр из-под очков,
а к вечеру на лбу нашлись очки.

* * *

Книга жизни — первый том,
он уже написан весь,
а про все, что ждет потом,
сочиню, Бог даст, не здесь.

* * *

Хотя на русской почве я возрос,
еврейской обволокся я духовностью:
вопросом отвечаю на вопрос
и пакостей от жизни жду с готовностью.

* * *

В азарте Божий мир постичь
до крайней точки и конца,
мы все несем такую дичь,
что плохо слышим смех Творца.

* * *

Хотя уже я сильно старый,
во мне талант еще сочится:
с утра пишу я мемуары
про то, что днем со мной случится.

* * *

Чем потревожен дух народа?
О чем народ в толпе галдит?
О том, что подлая погода —
футболу нынче повредит.

* * *

К бутылке тянется не каждый,
кто распознал ее влияние:
Бог только тех отметил жаждой,
кому целебно возлияние.

* * *

Природа позаботилась сама,
чтоб видно было, слушая ублюдка,
насколько выделения ума
подобны извержениям желудка.

* * *

Шумливы старики на пьяной тризне:
по Божьему капризу или прихоти,
но радость от гуляния по жизни
заметно обостряется на выходе.

* * *

Хочу, поскольку жить намерен,
сейчас уже предать огласке,
что даже крайне дряхлый мерин
еще достоин женской ласки.

* * *

Я с юности грехами был погублен
и Богу мерзок — долгие года,
а те, кто небесами стал возлюблен,
давно уже отправились туда.

* * *

Я не мудрец, и не дебил,
и без душевного дефекта,
но не люблю и не любил
я выебоны интеллекта.

* * *

Увы, но зимний холод ранний
судьбу меняет наотрез:
вчера пылал костер желаний,
сегодня — тлеет интерес.

* * *

У Бога есть увеселения,
и люди гибнут без вины,
когда избыток населения
Он гасит заревом войны.

* * *

В мечтах
мы въезжали на белом коне
в тот город, где нам отказали,
в реальности —
грустно сопели во сне,
ночуя на шумном вокзале.

* * *

Стал часто думать я о Боге —
уже позвал, должно быть, Он,
и где-то клацает в дороге
Его костлявый почтальон.

* * *

Конечно, что-нибудь останется,
когда из года в год подряд
тебе талантливые пьяницы
вливали в душу книжный яд.

* * *

Хоть я теолог небольшой,
но нервом чувствую сердечным:
Господь наш тайно слаб душой
к рабам ленивым и беспечным.

* * *

Где льется благодать, как из ведра,
там позже — неминуемые бедствия,
поскольку сотворителям добра —
плевать на отдаленные последствия.

* * *

Беда в России долго длится:
такие в душах там занозы,
что чем яснее ум провидца,
тем сумрачней его прогнозы.

* * *

Российскую публичную шарманку
я слышу, хоть и выставлен за дверь:
в ней то, что было раньше наизнанку,
то шиворот-навыворот теперь.

игорь **ГУБЕРМАН**

* * *

А впереди еще страницы
растущей тьмы и запустения,
но мы не чувствуем границы
преображения в растения.

* * *

Не трудно, чистой правдой дорожа,
увидеть сквозь века и обстоятельства
историю народов и держав —
театром бесконечного предательства.

* * *

Давно уже иной весь мир вокруг,
и прошлое — за облаком забвения,
но с ужасом еще ловлю я вдруг
холопские в себе поползновения.

* * *

Во имя чаяний благих
на том советском карнавале
ничуть не реже, чем других,
самих себя мы предавали.

518

* * *

В российском климате испорченном
на всех делах лежит в финале
тоска о чем-то незаконченном,
чего еще не начинали.

* * *

В душе еврея вьется мрак
покорности судьбе,
в которой всем он — лютый враг,
и в том числе — себе.

* * *

Творец дарил нам разные дары,
лепя свои подобия охальные,
и Моцарты финансовой игры —
не реже среди нас, чем музыкальные.

* * *

Насколько б далеко ни уносились
мечтания и мысли человека,
всегда они во всем соотносились
с дыханием и свихнутостью века.

* * *

Жил я, залежи слов потроша, —
но не ради учительской клизмы,
а чтоб чуть посветлела душа,
сочинял я свои эйфоризмы.

* * *

Творцу такое радостно едва ли
в течение столетий унижение:
всегда людей повсюду убивали,
сначала совершив богослужение.

* * *

Кому-то полностью довериться —
весьма опасно, и об этом
прекрасно знают красны девицы,
особенно весной и летом.

* * *

Бессонница висит
в ночном затишье;
тоска, что ждать от жизни
больше нечего;
как будто я своих четверостиший
под вечер начитался опрометчиво.

* * *

Такую чушь вокруг несут,
таким абсурдом жизнь согрета,
что я боюсь — и Страшный Суд
у нас пойдет как оперетта.

* * *

Не ведая порога и предела,
доверчив и наивно простодушен,
не зря я столько глупостей наделал —
фортуне дураков я был послушен.

* * *

Сначала чувствуем лишь это,
а понимаем позже мы,
что в тусклой жизни все же света —
на чуть, но более, чем тьмы.

* * *

Опишет с завистью история,
легенды путая и были,
ту смесь тюрьмы и санатория,
в которой счастливы мы были.

* * *

Пугайся — не пугайся,
верь — не верь,
однако всем сомнениям в ответ
однажды растворяется та дверь,
где чудится в конце тоннеля свет.

* * *

Любой злодей и басурманин
теперь утешен и спокоен:
в России был он Ванька Каин,
у нас он будет — Венька Коэн.

* * *

Потери я терпел и поражения,
но злоба не точила мне кинжал,
и разве что соблазнам унижения
упрямо позвоночник возражал.

* * *

Когда гуляют мразь и шушера,
то значат эти торжества,
что нечто важное порушено
во всей системе естества.

* * *

Забавно видеть, как бесстыже
ум напрягается могучий,
чтобы затраты стали жиже,
но вышло качественно круче.

* * *

За время проживаемого дня
мой дух живой настолько устает,
что, кажется, житейского огня
во мне уже слегка недостает.

* * *

Пасутся девки на траве,
мечтая об узде;
что у мужчины в голове,
у женщины — везде.

* * *

То залихватски, то робея,
я правил жизни карнавал,
за все сполна платил судьбе я,
но чаевые — не давал.

игорь **ГУБЕРМАН**

* * *

Люблю своих коллег,
они любезны мне,
я старый человек,
я знаю толк в говне.

* * *

Интересно стареют мужчины,
когда их суета укачала:
наша лысина, брюхо, морщины —
на душе возникают сначала.

* * *

В шумной не нуждается огласке
признак очевидный и зловещий:
время наше близится к развязке,
ибо отовсюду злоба хлещет.

* * *

Когда пылал ожесточением
на гнева бешеном огне,
то чьим-то свыше попечением
текла остуда в душу мне.

* * *

А к вечеру во мне клубится снова
томящее влечение невольное:
помимо притяжения земного —
такое же бывает алкогольное.

* * *

Мои взорления ума,
мои душевные метания —
когда забрезжила зима,
свелись к вопросу пропитания.

* * *

В душе, от опыта увядшей,
внезапной живостью пылая,
как у девицы, рано падшей, —
наивность светится былая.

* * *

Был полон интереса — что с того?
Напрасны любопытство и внимание.
О жизни я не знаю ничего,
а с возрастом — растет непонимание.

* * *

Я жил на краю той эпохи великой,
где как мы ни бились и как ни пытались,
но только с душой изощренно двуликой
мы выжить могли. И такими остались.

* * *

Мне дико странный сон порою снится:
во тьме лежу, мне плохо, но привычно,
а гроб это, тюрьма или больница —
мне начисто и напрочь безразлично.

* * *

Я с горечью смотрю на эту реку:
по ней уже проплыть надежды нет,
и книги я дарю в библиотеку,
чтоб жить не в тесноте остаток лет.

* * *

Любил бедняга наслаждение,
женился с пылкой одержимостью,
и погрузился во владение
своей холодной недвижимостью.

* * *

Мне лень во имя справедливости
тащить себя сквозь вонь и грязь,
мое лентяйство — род брезгливости,
и скучно мне, с говном борясь.

* * *

Мне кажется, что я умру не весь,
окончив затянувшийся мой путь:
душе так интересно было здесь,
что вселится она в кого-нибудь.

* * *

Хотя и прост мой вкус конкретный,
но не вульгарно бездуховен:
ценю тем выше плод запретный,
чем гуще сок его греховен.

* * *

Среди мировых безобразий
один из печальнейших фактов —
распад человеческих связей
до пользы взаимных контактов.

* * *

И формой стих мой вовсе не новинка,
и с неба дух не веет из него,
но дерзостно распахнута ширинка
у горестного смеха моего.

* * *

В цепи причин и соответствий —
полно случайностей лихих,
у жизни множество последствий,
и наша смерть — одно из них.

* * *

Рождаясь в душевном порыве высоком,
растя вопреки прекословью,
идеи сперва наливаются соком,
потом умываются кровью.

* * *

Летят тополиные хлопья,
ложатся на землю, как пух...
Забавно, что время холопье
весьма совершенствует дух.

* * *

Свои позиции, приятель,
когда сдаешь за пядью пядь,
то всем становишься приятен,
как многоопытная блядь.

* * *

Еврейский дух предпринимательства
так безгранично плодовит,
что сторожей законодательства
повсюду трахнуть норовит.

* * *

Бывает весьма сокровенно
скрещение творческих судеб,
и тоньше других несравненно —
Сальери о Моцарте судит.

* * *

И понял я: пока мы живы,
что в наше время удивительно,
являть душевные порывы —
необходимо и целительно.

* * *

Вон у добра опять промашки,
а вот — нелепые зевки...
Где зло с добром играют в шашки,
добро играет в поддавки.

* * *

Когда я срок мой подневольный
тянул по снегу в чистом поле,
то был ли счастлив мой конвойный,
который жил на вольной воле?

* * *

Конечно, мы теперь уже не те,
что раньше, если глянуть со вниманием:
мы раньше прозябали в темноте,
а ныне — прозябаем с пониманием.

* * *

Возьму сегодня грех на душу,
сгоню унылость со двора,
все обещания нарушу
и выпью с раннего утра.

* * *

Когда не в силах я смеяться —
устал, обижен, озадачен, —
то у меня лицо паяца,
который в Гамлеты назначен.

* * *

Ушли мечты, погасли грезы,
увяла пламенная нива,
и по полям житейской прозы
душа слоняется лениво.

* * *

За то, что дан годов избыток
(а срок был меньший уготован), —
благодари, старик, напиток,
которым весь ты проспиртован.

* * *

Увидя стиль и буржуазность,
я вмиг собрал остаток сил:
явив лихую куртуазность,
хозяйку в койку пригласил.

* * *

День у пожилых течет не мрачно;
в жилах ни азарта нет, ни ярости;
если что сложилось неудачно —
сразу забывается по старости.

* * *

Души моей заветная примета,
утеха от любого в жизни случая —
беспечность, неразменная монета,
основа моего благополучия.

* * *

Печаль еврея пожилого
проистекает из того,
что мудро взвешенного слова
никто не жаждет от него.

* * *

Когда уже совсем невмоготу
общественную грязь месить и лужи,
срамную всюду видеть наготу —
остынь. Поскольку дальше будет хуже.

* * *

Я днем стараюсь лечь и отключиться,
хоть надобности тела в этом нет;
похоже, что и в роли очевидца
устал я пребывать на склоне лет.

* * *

А счастье — что жива слепая вера
в Посланца с ангелятами крылатыми,
и новая везде наступит эра,
и волки побратаются с ягнятами.

* * *

Таков сегодня дух науки,
и так она цветет удало,
что внуков будущие внуки
всплеснут руками запоздало.

* * *

Бывают сумерки — они
мерцаньем зыблются тревожным,
но зажигаются огни,
и счастье кажется возможным.

* * *

Что-то в этой жизни несуразной
весело, удачливо и дружно
вьется столько гнуси безобразной,
что зачем-то Богу это нужно.

* * *

Осталась только видимость и мнимость
того, что было стержнем и основой,
и жгучая висит необходимость
херни вполне такой же, только новой.

* * *

Зачем толку слова в бумажной ступе?
Я б лучше в небесах умом парил.
А может быть, на скальном я уступе
стоял и молча с морем говорил.

* * *

Текучесть у природы — круговая,
в истории — такая же текучесть;
Россия прозревает, узнавая
свою кругами вьющуюся участь.

* * *

Увы, порядок этот вечен,
и распознать его не сложно:
везде, где Бог бесчеловечен,
там человек жесток безбожно.

* * *

Все шрамы на природе — письмена
о том, как мы неправы там и тут,
и горестными будут времена,
когда эти послания прочтут.

* * *

Унимается пламя горения,
и напрасны пустые рыдания,
что плывет не заря постарения,
а густеет закат увядания.

* * *

Стоит жара, и лень амурам
в сердца стрелять, и спят они;
я Фаренгейта с Реомюром
люблю ругать в такие дни.

* * *

Зачем в устройство существа
повсюдного двуногого
Бог сунул столько бесовства,
крутого и убогого?

* * *

Душа моя во мне дышала
и много высказать хотела,
но ей безжалостно мешала
прыть необузданного тела.

* * *

Порой весьма обидно среди ночи,
что я не знаменосец, не герой;
ни язва честолюбия не точит,
ни жгучих устремлений геморрой.

* * *

Снова церковь — и в моде, и в силе,
но творится забавная драма:
утвердились при власти в России —
те, кого изгонял Он из Храма.

* * *

Когда пожухшее убранство
сдувает полностью с ветвей
и веет духом окаянства —
томится мыслями еврей.

* * *

Забавно, что в соседней бакалее
легко найти творение ума,
от порции которого светлее
любая окружающая тьма.

* * *

Скоро мы, как дым от сигареты,
тихо утечем в иные дали,
в воздухе останутся ответы,
что вопросов наших ожидали.

* * *

В горячке спора про художества
текущей жизненной картины
меня жалеют за убожество
высоколобые кретины.

* * *

Плывет, качаясь, наше судно,
руководимое не нами,
по волнам дикого абсурда,
который клонится к цунами.

* * *

Душе моей пора домой,
в ней высох жизни клей,
и даже дух высокий мой —
остоебенел ей.

СОДЕРЖАНИЕ

Литературно-художественное издание

ПРОЗА И ГАРИКИ

Игорь Губерман

ВЕЧЕРНИЙ ЗВОН

Ответственный редактор *О. Аминова*
Ведущий редактор *Ю. Качалкина*
Младший редактор *О. Крылова*
Художественный редактор *С. Власов*
Технический редактор *Г. Романова*
Компьютерная верстка *И. Кобзев*
Корректор *Н. Сикачева*

ООО «Издательство «Эксмо»
123308, Москва, ул. Зорге, д. 1. Тел. 8 (495) 411-68-86, 8 (495) 956-39-21.
Home page. **www.eksmo.ru**   E-mail: **info@eksmo.ru**

Өндіруші: «ЭКСМО» АҚБ Баспасы, 123308, Мәскеу, Ресей, Зорге көшесі, 1 үй.
Тел. 8 (495) 411-68-86, 8 (495) 956-39-21
Home page: www.eksmo.ru   E-mail: info@eksmo.ru.
Тауар белгісі: «Эксмо»
Қазақстан Республикасында дистрибьютор және өнім бойынша
арыз-талаптарды қабылдаушының
өкілі «РДЦ-Алматы» ЖШС, Алматы қ., Домбровский көш., 3«а», литер Б, офис 1.
Тел.: 8 (727) 2 51 59 89,90,91,92, факс: 8 (727) 251 58 12 вн. 107; E-mail: RDC-Almaty@eksmo.kz
Өнімнің жарамдылық мерзімі шектелмеген.
Сертификация туралы ақпарат сайтта: www.eksmo.ru/certification

Сведения о подтверждении соответствия издания согласно
законодательству РФ о техническом регулировании можно
получить по адресу: http://eksmo.ru/certification/

Өндірген мемлекет: Ресей
Сертификация қарастырылмаған

Подписано в печать 20.01.2014. Формат 80x108 $^1/_{32}$.
Гарнитура «LiteraturnayaC». Печать офсетная. Усл. печ. л. 27,2.
Тираж 3000. Заказ № 6911/14.

Отпечатано в соответствии с предоставленными материалами
в ООО ИПК «Парето-Принт». 170546, Тверская обл.,
Калининский р-н, Бурашевское сельское поселение,
Промышленная зона Боровлево-1, комплекс № 3 «А»
www.pareto-print.ru

ISBN 978-5-699-69844-8

Русский Сноб.
Проза
ВАЛЕРИЯ ПАНЮШКИНА

Современность лишь кажется хаосом. Острый взгляд интеллектуала ищет и находит неожиданные закономерности во всем. Умение легко говорить о том, что доступно немногим, проницательность и оптимизм автора и вызывающая ясность стиля сделали эту прозу европейского уровня подлинным трендом активного поколения.

ВЗГЛЯНИ НА МИР С УЛЫБКОЙ ПРЕВОСХОДСТВА!

2013-091